E

Née dans le Tarn, Edmonde Permingeat a fait ses études à Toulouse. Agrégée d'allemand, germaniste passionnée, elle a enseigné à Villerupt en Meurthe-et-Moselle, avant de terminer sa carrière au lycée de Valence. Elle vit à Chabrillan, un village de la Drôme, se consacrant désormais à ses loisirs : la lecture et l'écriture, et en été la vente de fruits.

En 2000, elle publie son premier livre, *Le Banquet des philosophes*, aux éditions Complicités, puis plusieurs romans en autoédition. En 2013, elle fait son entrée aux éditions Nouvelles Plumes/France Loisirs avec le roman *Frime et châtiment*. Son roman *Tu es moi* remporte le Prix des lecteurs France Loisirs 2015. *Le crime est dans le pré* a paru en 2017 dans le catalogue de France Loisirs – assorti d'un petit livret humoristique « Des vertes et des pas mûres » dans lequel elle épingle la clientèle de son stand de fruits –, et en 2018 aux Éditions Nouvelles Plumes.

Son genre privilégié : les romans contemporains à suspense, lui donnant l'occasion de tremper sa plume dans l'encre de la dérision pour critiquer des faits de société ou se moquer avec humour des travers de ses contemporains. Sa devise : *Prodesse et delectare* (« être utile et divertir »), selon la formule du poète Horace.

TU ES MOI

EDMONDE PERMINGEAT

TU ES MOI

NOUVELLES
PLUMES

© Éditions Nouvelles Plumes, 2016

ISBN : 978-2-266-28160-7

Dépôt légal : juin 2018

Avertissement

Les personnages et les situations de ce roman étant purement fictifs, toute ressemblance avec des personnes ou des situations existantes ne saurait être que fortuite !

À mon oncle Georges
qui m'a donné le goût de l'écriture,
à ma mère.

L'Internet serait une toile comme les autres si elle n'avait pas ses millions d'araignées.

Maxime Allain

PREMIÈRE PARTIE

L'enlèvement

1

— Putain, amène-toi, Zoé, viens voir ça, y a ton portrait craché sur Facebook !

Le visage rieur d'une jeune femme, envahi par une crinière flamboyante indomptée, émergea au-dessus du paravent qui séparait la salle de bains du reste du studio.

— Une minute, je sors de la douche !

Pieds nus, enveloppée dans une grande serviette, elle vint s'asseoir quelques instants plus tard sur le canapé crasseux aux accoudoirs constellés de trous de cigarettes. Les ressorts saillaient comme des serpents enfermés dans un sac. Léo trépignait d'impatience, le portable sur les genoux.

Il n'avait pas plus de quarante ans, mais ses traits commençaient déjà à s'empâter. C'était un gaillard musclé, carré d'épaules, bras et poitrail tatoués. Les cheveux noirs et gras, clairsemés aux tempes, étaient noués sur la nuque en une queue qui tenait plus de celle d'un rat que d'un cheval. Une barbe de deux jours au moins lui obscurcissait les joues. Il portait un débardeur d'un blanc douteux et un jean déchiré au niveau du genou. Il leva les yeux du clavier en mâchant nerveusement son chewing-gum. Avec ses narines évasées, sa mâchoire supérieure prognathe, son menton fuyant et ses petites dents carnassières, il avait le faciès d'un piranha.

— Alors, il est où, mon portrait craché ? lança-t-elle en le dévisageant d'un air interrogateur.

— Ici, vise-moi un peu ça ! fit-il en montrant une page Facebook où une blonde souriait aux anges.

Il double-cliqua sur l'image qui s'élargit. Le visage occupa tout l'écran. Si l'on exceptait la couleur des cheveux, la ressemblance avec Zoé était frappante : le même petit nez retroussé et mutin, les lèvres pulpeuses, les joues piquées de taches de son, la fossette espiègle au menton, mais surtout les yeux verts légèrement bridés. Pourtant quelque chose dans le regard différait. La femme sur l'écran affichait l'assurance arrogante de la bourgeoise des beaux quartiers, apanage du pedigree exemplaire qui vous place incontestablement au-dessus de tous les vils tâcherons juste bons à vous servir, alors que les yeux félins de Zoé pétillaient de l'insolence canaille de la fille des faubourgs, habituée à jouer des poings.

Les yeux rivés sur la photo, Zoé ne put retenir un cri de stupéfaction.

— Ah ben, ça alors, c'est un truc de ouf ! J'ai l'impression de me voir dans la glace avec une perruque blonde !

Léo fit une bulle avec son chewing-gum.

— Attends la suite, baby, cette gonzesse, elle a téléchargé des tonnes de photos sans protéger sa confidentialité, la conne. Tout le monde peut la mater.

Il fit éclater la bulle avec un claquement sec et plaça le curseur sur la flèche à gauche de l'image.

Les pages de l'album photo défilèrent. Une vie privée étalée au grand jour, livrée en pâture à tous les voyeurs de la terre : mariage, grossesses, naissances, la famille au grand complet : grands-parents, parents, deux enfants – Marion et Kevin –, et Carl, un labrador noir, anniversaires, sorties, voyages, cocktails, partys en compagnie du gratin local...

— Vise la baraque où ils crèchent, avec vue sur la mer et piscine, ils sont pétés de thunes, ces bourges ! siffla-t-il avec envie.

— La nana, elle ne s'habille pas à la friperie, t'as vu ses bijoux ?

— Et son mec, avec ses costards et ses godasses !

— Ça sort pas du marché aux puces, tu peux le croire !

— Et leur caisse, elle vaut au bas mot 70 000 euros !

Léo élargit une image qui montrait la jeune femme sur la plage, la chevelure blonde dissimulée sous un bonnet de bain.

— Sur cette photo, cette meuf, on dirait vraiment que c'est toi, en plus mince !

— Dis tout de suite que je suis un boudin, répliqua Zoé, vexée. Elle ne doit pas bouffer des pâtes et des pizzas tous les jours, cette nana.

— Allez, t'énerve pas, je rigolais. T'aurais pas une sœur jumelle que tu m'aurais cachée, par hasard ?

— Arrête tes conneries ! On a tous un sosie, c'est connu. Et puis, si j'avais une sœur, je le saurais !

Elle pointa l'index vers une image qui montrait le couple bras dessus bras dessous devant la tour de Pise.

— Attends... Tu peux agrandir cette photo ?

Léo zooma, et les deux visages souriants apparurent nettement en gros plan.

— Ah ! merde alors... Ce mec, je crois que je le connais ! s'écria Zoé, les yeux ronds. Comment elle s'appelle, cette nana ?

Léo cliqua sous la rubrique « à propos » qui donnait des renseignements sur le profil :

Nom : NOËLIE ESCARTEPIGNE

Léo s'esclaffa :

— Un nom plus naze, tu meurs ! Et avec un prénom aussi ringard, ça craint !

— Escartepigne, c'est bien lui ! s'exclama Zoé. C'est le chef du service de gynécologie à l'hosto !

— Il te connaît ?

— Tu rigoles, pour ces grands pontes, les filles de salle sont comme transparentes. Personne ne fait attention à nous. En plus, ce mec, il se la pète grave. Il traite les infirmières comme de la merde. À l'hosto, personne ne peut l'encadrer ! S'il est aussi infect chez lui, je la plains, sa nana !

Léo continua à faire défiler les renseignements.

DATE DE NAISSANCE : 1978

— Trente-sept balais, comme toi ! commenta-t-il.

— Elle en ferait une tronche si elle t'entendait ! Elle a un an de moins que moi, corrigea Zoé, moi, je suis de 77 !

— Coquetterie de gonzesse ! ricana Léo. À un an près, y a aucune différence ! Elle fait aussi vioque que toi.

— Je suis une vieille peau, c'est ça ! se récria Zoé avec une indignation feinte.

Elle chassa de son visage ses cheveux emmêlés et poursuivit la lecture :

SCOLARITÉ : A ÉTUDIÉ LES LETTRES MODERNES
LOISIRS : LITTÉRATURE, THÉÂTRE, CINÉMA

— Putain, c'est une intello ! s'exclama-t-elle. (Et avec un soupir :) Elle a le cul béni, pas besoin de bosser comme une dingue pour gagner le SMIC !

LIEU : MARSEILLE

— Marseille, comme nous !

— Oui, mais elle ne vit pas dans une cité pourrie, elle !

— Ni dans un taudis, grogna Zoé.

Elle ponctua ces mots d'un geste circulaire de la main, balayant la peinture écaillée de la porte, la fissure du plafond qui ressemblait à une énorme bouche grimaçante, les murs nus rongés par l'humidité et les moisissures, le maigre mobilier de bric et de broc récupéré à Emmaüs, le matelas posé à même le sol, les chaises dépareillées au cannage qui s'effilochait, près de s'effondrer. Et un effroyable désordre ! Une chemise pendait sur le dossier de l'unique fauteuil. Une paire de tongs et des chaussettes gisaient au milieu du sol de linoléum jonché de miettes. La table basse bancale était sur le point de s'écrouler sous le poids d'un amoncellement de magazines, de canettes de bière et de deux cendriers pleins à ras bord. Une bouteille de ketchup qui s'était renversée formait comme une tache de sang sur une boîte de pizza, vestiges du repas de la veille. Des relents fétides flottaient dans la pièce. L'évier de la kitchenette débordait de vaisselle sale. Sur la gazinière, une poêle graisseuse côtoyait une casserole de lait que Léo avait laissé brûler. Des piles de courrier – des publicités, et surtout des factures ! – s'entassaient à côté de l'antique téléviseur déniché dans un vide-grenier.

Zoé poussa un soupir de lassitude.

— T'aurais quand même pu nettoyer, lança-t-elle, les sourcils froncés. On vit dans une porcherie. Moi je me crève au turbin, et toi tu n'en fiches pas une rame !

— Le ménage, c'est un boulot de meuf ! rétorqua Léo avec un rire grinçant.

— J'en ai ras le cul de te servir de boniche ! hurla Zoé, dressée sur ses ergots.

Elle quitta le sofa, envoya un coup de pied dans une canette vide et commença à s'habiller.

Léo leva les yeux de son ordinateur. Émoustillé, il regarda le string noir remonter le long des mollets fuselés et des cuisses un peu grasses, se tendre pour épouser le galbe du postérieur généreux, les bras glisser dans les bretelles du soutien-gorge assorti, les gros seins laiteux se soulever, se caler dans l'armature et disparaître dans les bonnets de dentelle noire.

— Tu sais que t'es super sexy ! T'as des nichons à faire bander un bœuf ! remarqua-t-il avec un sifflement admiratif.

— Va te faire foutre, connard ! grogna-t-elle.

Elle tira le tissu du short en jean moulant ses fesses rebondies, choisit dans la commode un haut noir décolleté qu'elle enfila prestement, brossa vigoureusement sa longue tignasse avant de la relever en un chignon serré au-dessus de la tête. Elle prit sa montre posée sur le rebord de la fenêtre et la passa à son poignet en vérifiant l'heure.

— Bon, j'y vais ! Je n'ai pas envie d'être en retard et de me faire virer, lança-t-elle, en saisissant son sac. Et je te préviens que si tu ne te décides pas à chercher du boulot, je me tire. J'en ai marre de te voir glander ! Allez, *bye* !

La porte claqua derrière elle. Négligeant l'ascenseur en panne la plupart du temps, elle se rua dans l'escalier et dévala les cinq étages. Le hall avec ses boîtes aux lettres déglinguées et ses murs jaunâtres tagués empestait l'urine, le vomi et la marijuana. Lorsqu'elle tira sur la poignée de la porte, les gonds croassèrent comme une volée de corbeaux se disputant une charogne. Une bouffée nauséabonde – un relent d'ordures fermentées, d'huile de friture rance, de goudron – la saisit à la gorge. Depuis bientôt une semaine, les éboueurs étaient en grève.

Malgré l'heure matinale, la cité était enveloppée d'une touffeur accablante. Comme si la brise marine et la fraîcheur nocturne étaient arrêtées par les tours de béton. Un vieux clochard marinait, tel un déchet humain, au milieu des immondices qui débordaient des poubelles. Des gosses perdus de la zone faisaient déjà le guet, tapis au coin des immeubles, prêts à se fondre dans l'ombre à l'arrivée d'une voiture de poulets. Zoé les connaissait presque tous. Elle savait leur parler et ils l'aimaient bien. Au début, elle avait tenté de les alerter contre les méfaits de la drogue et de l'alcool, mais elle s'était heurtée à un mur. Ils l'écoutaient bien gentiment avec une indifférence polie, pensant : « Cause toujours, tu m'intéresses. »

Maintenant, elle se contentait de leur faire un petit signe amical et passait son chemin. Une vieille jument défoncée, dans une jupe qui dissimulait à peine son gros postérieur, rentrait du turbin en titubant sur ses talons hauts, à moitié morte d'épuisement. Son rouge à lèvres coulait, le maquillage s'était solidifié dans les rides du front et aux coins de la bouche. Les yeux bovins débordaient d'aigreur envers le genre humain.

Sur le parking, la grosse Mercedes noire de Bob, le dealer local, détonnait à côté des guimbardes et de quelques carcasses calcinées. Zoé le traversa à petits pas pressés, la tête haute, balançant les hanches avec désinvolture. Elle longea le mur pour profiter de l'étroite bande d'ombre qui formait un mince passage de fraîcheur en bordure de la tour et se dirigea vers un terrain vague à la terre craquelée par la sécheresse. Elle y croisa un squelette ambulant, les pupilles dilatées, en quête de crack, qui lui jeta un regard furtif avant de l'éviter. Bien qu'elle n'aimât pas emprunter ce chemin jonché de tessons de bouteilles, de paquets de cigarettes, de seringues et même de préservatifs, elle le prenait quand même tous les matins, car c'était un bon raccourci pour rejoindre l'arrêt du bus ; l'effet de la douche s'était dissipé et elle transpirait à grosses gouttes. Elle sentait son chemisier coller à sa peau moite.

Elle retrouva les visages familiers, hargneux, déjà fatigués à l'idée d'affronter une nouvelle journée caniculaire. Ils habitaient presque tous son immeuble : le couple malien, Malika et Douga, enturbannés, en boubou, qui faisaient vibrer les minces cloisons de leurs disputes incessantes. Ahmed, son voisin du dessous, père d'une flopée de gamins bruyants, tatoueur dans une boutique miteuse. Carmen, la grosse Espagnole, qui passait son temps à houspiller son mari asthmatique, partait faire ses ménages quotidiens. Alphonse, surnommé « le professeur », un employé de banque, raide comme un piquet, était comme toujours plongé dans un livre. Deux ados s'asticotaient. Ils allaient en venir aux mains lorsque le bus arriva enfin. Avec dix minutes de retard. Bondé. Zoé resta debout, accrochée à la barre, collée à ses compagnons de route qui tanguaient, se retenant à une poignée en cuir du plafond.

Le regard perdu dans la contemplation aveugle des immeubles ornés de tags colorés qui défilaient de l'autre côté de la vitre, elle se mit à penser à l'inconnue sur Facebook qui lui ressemblait tant. Une telle ressemblance était incroyable. Devant les photos, elle avait cru voir une version idéalisée de sa vie. L'existence dont elle avait toujours rêvé : un mari riche, des enfants, une belle maison, et surtout la sécurité. Pouvoir jouir pleinement de chaque instant sans être rongée par la peur de ne pas arriver à joindre les deux bouts. Elle poussa un soupir de rage à la pensée que cette bourgeoise passerait sa journée allongée dans un relax au bord de sa piscine, alors qu'elle allait devoir trimer des heures à l'hôpital, à faire un boulot ingrat, payé des clopinettes. Et que pendant ce temps, son Jules se tournerait les pouces. La justice n'était décidément pas de ce monde !

Elle en avait marre de se serrer la ceinture. De ne jamais savoir de quoi le lendemain serait fait. Léo commençait à lui taper sérieusement sur les nerfs. Au début, tout roulait. L'homme dont elle était tombée amoureuse était un fonceur que les scrupules n'étouffaient pas, toujours prêt à dégoter une « combine » pour ramener du blé. Il prenait son pied avec les obstacles. Et puis tout d'un coup, plus rien. Comme si un ressort s'était cassé. Il passait ses journées à picoler avec ses copains chômeurs comme lui, ou affalé sur le canapé à fumer et à s'abrutir devant la télé.

Ah ! si seulement ses grands-parents l'avaient mise en garde lorsqu'elle leur avait présenté Léo ! Mais ils avaient jugé leur « futur gendre » parfait. Au fond, ils s'en tamponnaient le coquillard des hommes avec qui elle sortait, l'essentiel était qu'elle leur foute la paix. Pourtant s'ils lui avaient dit : « C'est un bon à rien ! Attends un peu de mieux le connaître avant de t'installer chez lui ! », les aurait-elle écoutés ? Elle avait ce mauvais garçon dans la peau, elle voulait vivre avec lui.

Ses grands-parents, ils étaient très chouettes. Ils l'avaient élevée comme leur enfant, quand sa mère, leur fille Marie, une junkie fugueuse qui tenait plus d'une Marie-couche-toi-là que de la Vierge, tombée enceinte à seize ans d'un inconnu, était morte en couches. Ils avaient eu d'autant plus de mérite qu'ils vivotaient, tirant la langue et le diable par la queue. Ils avaient été pour leur petite-fille des « parents » super. Cool, et même trop cool. Elle n'avait jamais eu l'impression de vivre avec un « vieux pépé » et une « vieille mémé ». Bien au contraire : au décès de leur fille, c'étaient des quadragénaires pleins d'allant : mamie, une belle femme encore très sexy, svelte, aux courbes voluptueuses, avec de grands yeux de biche, de longs cheveux auburn et des tenues hippies ; papy, un homme séduisant, avec sa peau claire, sa tignasse rousse, ses moustaches à la Nietzsche et son regard de feu. Et toujours dingues l'un de l'autre, après vingt ans de mariage. Une entente qui excluait le reste du monde. Des artistes, écolos et bohèmes, qui vivaient d'amour et d'eau fraîche sur leur lopin de terre dans la Drôme. Lui, un passionné d'abeilles qui avait monté une petite miellerie ; elle, artiste-peintre et potière qui renflouait le ménage en vendant quelques toiles ou animaux en argile.

Ses jeunes grands-parents lui avaient donné tout ce qu'une enfant peut désirer. Le rire, la joie, et surtout la liberté. Peut-être un peu trop. Zoé avait parfois l'impression que cette liberté masquait un je-m'en-foutisme. L'égoïsme d'un couple de tourtereaux. Trop absorbés par leur amour, ils cherchaient à se débarrasser d'elle en la laissant se débrouiller. Elle aurait tant aimé se heurter à des barrières, à des interdits. Combien de fois n'avait-elle pas souhaité qu'ils sévissent, l'engueulent ou la punissent, comme le faisaient les parents « normaux » de ses copains et copines ! S'opposer à eux au lieu de cette sensation de vide et d'abandon dont elle avait souffert. Mais non, elle, elle pouvait faire tout ce qu'elle voulait. Sa personnalité devait s'assurer sans contrainte, comme ils le répétaient sans cesse.

Et elle en avait fait des conneries, elle leur en avait fait voir de toutes les couleurs ! Peut-être pour attirer leur attention, elle s'en rendait compte avec le recul. Elle avait fumé et couché très tôt. Elle s'était même fait donner deux fois la pilule du lendemain par l'infirmière du collège !

Quand elle en avait eu ras le bol du lycée et qu'elle avait voulu abandonner ses études à la fin de la seconde, ils avaient accepté sans discuter, sans chercher à l'en dissuader, bien que ses profs l'eussent jugée capable d'aller jusqu'au bac et même au-delà. Lorsque, à dix-sept ans, elle avait décrété qu'elle voulait vivre en ville et voler de ses propres ailes, ils avaient été d'emblée d'accord. Heureux de se décharger de la responsabilité d'une gamine encombrante.

Ils étaient des « parents » nuls, avait-elle pensé, révoltée, vexée qu'ils n'aient pas levé le petit doigt pour la retenir. Mais elle était injuste, car elle savait au fond d'elle-même que s'ils l'en avaient empêchée, elle aurait fait comme sa mère : elle se serait barrée. Ils avaient contacté immédiatement Julie, une artiste fantaisiste, aussi barge qu'eux, qui vivait à Marseille. Elle s'était engagée à loger leur petite-fille et à garder un œil sur elle. Elle était super sympa, mais Zoé ne pouvait pas compter sur elle. Hormis le gîte, elle était trop absorbée par la création et la commercialisation de ses bijoux fantaisie pour avoir le temps de s'occuper d'une ado, et Zoé avait été livrée à elle-même dans cette ville aux mille dangers. Il lui avait fallu se démerder seule. Elle avait fini par trouver une place de serveuse dans un bar mal famé. Elle s'était fait passer auprès du patron, pas très regardant sur l'âge de son personnel, pour une étudiante majeure. Elle avait vécu ensuite pendant des années en collectionnant les petits boulots et les aventures. Elle avait même été *escort girl* pour des hommes au portefeuille bien rempli qui, le plus souvent, exigeaient plus qu'une simple escorte ! Elle s'était retrouvée enceinte d'un petit copain qui l'avait larguée quand elle lui avait annoncé sa grossesse et elle s'était fait avorter. Un traumatisme dont elle ne s'était jamais remise. Et puis, elle avait rencontré Léo... Un coup de foudre réciproque. Le premier mec avec lequel elle avait eu envie de nouer une relation solide. Elle l'avait aperçu un samedi soir en boîte. Elle avait flashé instantanément. Médusée, elle n'avait pu détacher son regard de ce malabar imposant à la stature de gorille, qui jouait les gros bras, des bras puissants et velus, et qui semblait occuper à lui seul tout l'espace. Elle s'était dit qu'il ne devait pas avoir un pouce de graisse et qu'elle aimerait le voir à poil, et cette pensée incongrue l'avait fait rougir. Il l'avait fixée en buvant sa bière, sans prendre la peine d'essuyer la mousse qui coulait sur son menton. Quand il l'avait invitée à danser, elle s'était collée à lui, affamée de désir. Et à la fermeture de la boîte, quand il s'était levé, elle l'avait suivi comme une somnambule. Trois mois après, elle s'installait dans son appartement miteux, et ces écuries d'Augias lui avaient semblé le paradis. Une preuve que l'amour est aveugle, comme le répétait sa grand-mère.

Au début, tout avait baigné. Ils roulaient sur les thunes ! Elle n'avait plus eu besoin de travailler. Bien sûr, elle soupçonnait que ses « affaires » n'étaient pas très catholiques, mais elle avait fermé les yeux. Ils s'éclataient, faisaient la fiesta avec leur bande de copains, partaient en vacances à moto, vivaient au jour le jour. Et puis, soudain, Léo avait changé ; il s'était mis à flemmarder, et l'argent avait commencé à manquer. Par chance, elle avait trouvé un boulot de fille de salle à l'hôpital. Ce n'était certes pas le pactole, mais ce maigre salaire permettait d'assurer leur subsistance. Quand elle se plaignait, Léo lui disait qu'il avait besoin de décompresser, que c'était un coup de blues provisoire. Mais cela durait maintenant depuis plus d'un an, et la coupe était pleine. Elle en avait marre d'être fauchée comme un rat d'église. S'il ne se secouait pas les puces, elle était bien décidée à se casser. Elle ne voulait pas continuer à faire bouillir la marmite et entretenir un mec à ne rien faire. Elle n'était pas une poire duchesse, merde !

Le bus s'arrêta et elle descendit. Il lui fallait prendre le métro jusqu'à l'hôpital. Elle rata le feu rouge et courut entre les voitures qui démarraient, déclenchant un concert de Klaxon. Elle s'engouffra dans la bouche du métro, dévala les marches quatre à quatre et dut piquer un sprint pour sauter dans le dernier wagon juste avant la fermeture des portes, bousculant une femme en boubou rose qui se mit à vitupérer. Elle s'assit, soulagée de trouver une place libre.

La fatigue alourdissait ses paupières. Elle sursauta, sentant une jambe se coller contre la sienne. Elle la déplaça précipitamment, se rencognant étroitement contre la cloison. Elle jeta un regard furtif vers son voisin, un chauve qui la fixait avec les yeux impudiques du voyeur. L'inévitable dragueur. Elle haussa les épaules et regarda défiler les immenses panneaux publicitaires bariolés. À la station suivante, une bande de collégiens chahuteurs investit la rame. Des élèves d'un collège situé à deux pas de l'hôpital. Les quolibets et éclats de rire fusèrent et emplirent le wagon d'un tumulte assourdissant. La rame stoppa à la station de l'hôpital.

Elle descendit, se frayant un passage dans le flux des voyageurs. Dans l'escalier, la masse était si dense qu'elle en paraissait presque solide. Elle dut jouer des coudes sans ménagement. Lentement, la foule gravit les marches et se dispersa dans l'avenue. Elle dépassa un troupeau d'hommes désœuvrés qui la détaillèrent avec curiosité. Certains la sifflèrent. Elle dut s'arrêter à un feu vert avant de gagner l'immense parking de l'hôpital qu'elle traversa pour atteindre la porte réservée au personnel.

2

Noëlie déambulait nerveusement dans le séjour. Une grande pièce confortable, avec un pan de mur garni du sol au plafond d'étagères encastrées pleines à craquer de livres et d'objets d'art précolombiens achetés par Victor, son mari. Un grand Vasarely lumineux dont les formes paraissaient se modifier à l'infini couvrait presque entièrement l'autre pan occupé aussi par une cheminée en pierre. À gauche, les petits arcs-en-ciel des poissons tropicaux qui se mouvaient avec grâce et légèreté formaient la réplique animée de la reproduction de Paul Klee *Magie des poissons*, accrochée au-dessus de l'aquarium. Le soleil traversait la baie vitrée et projetait des diamants de lumière sur le plancher de chêne clair en partie recouvert d'un magnifique tapis persan.

Noëlie ôta l'élastique qui serrait ses cheveux blonds. Elle les tira en arrière et refit sa queue-de-cheval. C'était une belle femme de trente-sept ans. De longues jambes fermes et bronzées s'échappaient de son peignoir. Elle avait un visage en cœur, des pommettes bien dessinées, un petit nez mutin piqueté de taches de rousseur et des lèvres généreuses. Elle relevait légèrement le menton et ne souriait pas. Elle regarda sa fille, assise dans une chaise longue au bord de la piscine, un stylo à la main. Elle passa la tête dehors et cria :

— Marion !

Marion, qui avait entendu sa mère, ne bougea pourtant pas.

— Marion, viens ici immédiatement, j'ai deux mots à te dire ! hurla Noëlie, énervée.

L'adolescente continua à écrire dans son carnet.

J'en ai marre de tout, de mes vieux et du bahut. Ce gros con de prof de philo qui schlingue comme une boule puante m'a foutu deux heures de colle. J'm'en tape de cette colle. Le bahut me fait chier à en gerber. Je pensais que je kifferais la philo, mais avec ce gros con, c'est nul. On gratte du papier pendant des plombes et on s'emmerde. Au dernier cours, je lui ai dit que ce serait trop cool de discuter sur des trucs actuels et il m'a répondu que pour débiter des poncifs, y avait le café du Commerce. C'est là que je l'ai traité de taré et que j'ai pécho la colle. Les copines se sont tapé des barres ! Avec le prof de français, c'est pas mieux. Il m'a foutu 4 au dernier devoir. Sûr, je l'avais bâclé parce que les bouquins ringards qu'il faut se taper, ils sont trop nazes. Ses cours sont aussi chiants qu'un reportage sur les loutres. Je le lui ai dit ce matin et il s'est foutu en rogne. Pauvre con, il se la pète grave. Le pire, c'est qu'il a mis un mot dans mon carnet de correspondance. Il veut convoquer mes vieux. Et ils vont encore me gueuler après. Et c'est chiant de chez chiant de les entendre toujours répéter les mêmes conneries sur mon avenir. Moi, je veux être mannequin,

je ne veux pas aller en prépa comme ils veulent. C'est
pas à eux de décider, c'est ma vie, merde ! Y a que le
prof de gym que je trouve trop cool. – Il se la pète pas,
lui. Y a qu'un seul truc sympa au bahut. Je suis en mode
gros kiff sur un mec canon dans la classe. Yann, j'ai
flashé grave sur lui. Un BG, il déchire sa race...

— Marion, tu as entendu ?

L'adolescente ne bougeait toujours pas. Noëlie se sentit bouillir. Elle se précipita dans le jardin et fondit sur sa fille.

— Tu ne peux pas répondre quand je t'appelle ? gronda-t-elle en se campant devant l'ado. Et d'ailleurs, à un mois et demi du bac, tu ferais mieux de travailler au lieu de lire ces âneries.

— Pourquoi tu les achètes alors si ce sont des conneries ? railla Marion en montrant le magazine *Closer* sous lequel elle avait glissé son journal intime.

La mâchoire de Noëlie se crispa, mais elle ne releva pas la pique.

— Je ne suis pas là pour discuter de mes lectures, mais de ton attitude et de tes résultats au lycée. Si je comprends bien, tu as été insolente, et ton prof de français nous convoque.

Marion saisit ses lunettes de soleil, ouvrit et referma nerveusement les branches avant de les jeter sur le magazine.

— Laisse béton, il est naze ce mec.

La main sur la hanche, sa mère afficha une mine courroucée.

— D'abord, tu pourrais employer un vocabulaire plus châtié !

— Sois pas vénère ! C'est trop pourri, y a que les bolos et les vieux qui parlent comme toi, ringard de chez ringard !

— Qu'est-ce que tu cherches ? Redoubler, c'est ça ?

— J'en ai rien à cirer, le bahut, ça me gave grave.

Noëlie laissa échapper un long soupir excédé.

— Écoute, reprit-elle, changeant de tactique, je veux bien ne rien dire à ton père pour ton prof de français, mais à une condition : tu te mets sérieusement au travail jusqu'à la fin de l'année. C'est ton avenir que tu joues !

Marion fit une moue et secoua ses longs cheveux châtains où dansaient des reflets roux.

— Je te répète que j'en ai rien à carrer, j'en ai ras le cul des études.

Elle se leva et plongea dans la piscine qu'elle traversa d'un crawl rageur. Noëlie serra les poings, poussée à bout. Sa fille entrait dans l'âge ingrat ; apparemment, les problèmes commençaient. Des problèmes qu'elle allait devoir régler seule, Victor étant le plus souvent absent, trop absorbé par son travail.

En pensant à son mari, elle poussa un nouveau soupir. Son ménage était bancal. L'imperceptible fêlure qui le lézardait depuis le premier jour se creusait toujours davantage. Pourtant, elle avait tout ce qu'une femme pouvait désirer : un mari qui était une sommité de la médecine, deux beaux enfants, une maison magnifique, de l'argent à volonté, la santé, la beauté, d'insolents privilèges que beaucoup lui enviaient. Dans le monde virtuel comme dans le monde réel... Et malgré cela, elle ressentait un vide. Sa vie lui paraissait terne, sans but. Si elle avait épousé Victor, c'était pour faire plaisir à son père, le Pr Ambroise Nobleval, chirurgien de renom, chef du service de gynécologie-obstétrique. Vingt ans auparavant, il avait invité à sa table ce jeune interne talentueux dont il ne cessait de chanter les louanges. Même s'il ne l'avait jamais formulé, c'était le fils qu'il aurait voulu avoir. Sa fille l'avait déçu. Nulle en maths, elle ne s'intéressait qu'à la littérature et avait refusé de suivre la voie scientifique, la voie royale. Elle venait de décrocher son bac L avec la mention très bien, mais il ne l'avait pas félicitée. Il s'était contenté de hausser les épaules, la section littéraire étant à ses yeux la voie de garage des ratés. Il aurait souhaité voir sa fille faire médecine et marcher sur ses brisées, mais elle s'était inscrite en fac de lettres. Lui donner un gendre promis à la brillante carrière dont il avait rêvé pour elle était en quelque sorte pour Noëlie une manière de se racheter aux yeux de ce père tant admiré, dont elle avait toujours quémandé l'estime.

La première fois que Victor était venu à la maison, elle l'avait trouvé tarte. Dans son costard cravate bon marché, il ressemblait plus à un chef de rayon qu'à un étudiant. Sans cette tenue ringarde de blaireau, il aurait été sexy, avait-elle pensé en détaillant sans vergogne ce garçon ténébreux aux yeux si sombres qu'on avait du mal à distinguer la pupille de l'iris. Elle s'était gaussée de son attitude de courtisan servile rampant devant son père avec des sourires obséquieux. Elle n'avait vu en lui qu'un lèche-cul arriviste. Dès le premier jour, il s'était montré empressé auprès d'elle, l'écoutant avec une attention exagérée, la faisant parler, buvant ses paroles, fasciné, comme si elle avait énoncé des vérités profondes, alors qu'elle n'avait enfilé rien de plus que des platitudes. Ces flagorneries

31

l'avaient profondément agacée. Son père en revanche était ravi. Se sentant encouragé par ce dernier, Victor lui avait fait ensuite une cour assidue dans les règles de l'art : il lui avait offert des petits cadeaux, l'avait invitée au cinéma, à la plage, à des expositions...

Au début, elle s'était cabrée et l'avait envoyé sur les roses. Elle aimait Antoine, un étudiant en lettres qui partageait sa passion pour la littérature. Depuis l'enfance, il noircissait des pages. Il désirait se lancer dans l'arène littéraire, devenir écrivain, vivre de sa plume. Elle s'en était ouverte à sa mère. Mais au lieu du soutien attendu, cette dernière, qui vibrait toujours à l'unisson de son mari auquel elle vouait depuis des décennies un amour confinant à l'idolâtrie, l'avait poussée dans les bras du génial interne.

— Tu m'as pourtant dit grand bien d'Antoine quand je te l'ai présenté ! avait-elle protesté.

— Certes, ton Antoine est intelligent, j'en conviens, mais quel avenir a-t-il à t'offrir, dis-moi ? De nos jours, vivre de sa plume est une utopie ! Tout le monde écrit, mais il y a peu d'élus. Seuls les auteurs de best-sellers sont reconnus, les autres sont condamnés à végéter dans l'ombre !

— Mais il va passer le CAPES de lettres pour être prof.

— Avec un salaire de misère. Tu te vois, argentée comme une cuiller en bois, avec ton marquis de la bourse plate ?

— Je me fiche de l'argent ! Je préfère galérer avec Antoine que vivre dans la richesse et sans amour, avait rétorqué Noëlie qui n'aspirait pas à une vie oisive de femme au foyer comme celle de sa mère.

Elle voulait se sentir utile, et surtout écrire.

— Ta-ta-ta, tu dis ça à ton âge parce que tu n'as jamais vu le drapeau noir flotter sur la marmite ! Quand on sort de notre milieu et qu'on est habitué à une vie facile, sans contraintes ni privations, il est difficile de se mettre à compter pour gérer ses fins de mois, crois-moi.

— Mais j'aime Antoine, s'était obstinée Noëlie.

— Une romance qui fondra comme neige au soleil ! Quand le râtelier est vide, les ânes s'écharpent, c'est bien connu ! Victor en revanche est promis à une situation brillante comme celle de ton père. Avec lui, tu auras une belle vie comme la mienne. Tu fréquenteras le gratin, l'intelligentsia, tu vivras dans le luxe sans devoir t'échiner au travail.

Mais Noëlie, qui adorait ses études de lettres et souhaitait transmettre aux ados son amour des grands écrivains, lui avait tenu tête.

— Je veux être prof, moi aussi !

Sa mère avait tordu sa lippe en une moue dédaigneuse.

— Ma pauvre fille, tu veux enseigner à une bande de métèques agressifs qui ne penseront qu'à t'insulter et à te taper dessus ? Te faire tabasser par ces loubards qu'on maintient en classe coûte que coûte ? Laisse tomber cette idée ! L'opulence et le commerce de l'élite sont les deux mamelles du bonheur conjugal. Vois comme je suis heureuse !

— Oui, mais toi, tu aimes papa et il t'aime ! avait-elle riposté. Tu dis toujours que vous vivez une grande passion ! Moi, je ne suis pas amoureuse de Victor, et lui non plus. Si je n'étais pas la fille de son prof, il ne me regarderait même pas.

— Il est certes ambitieux, mais on ne peut pas le lui reprocher. L'ambition permet d'aller loin. En revanche, tu te trompes, je suis sûre que tu lui plais, il suffit de voir les regards énamourés qu'il te jette !

Noëlie avait ricané.

— Eh bien, ce n'est pas réciproque ! Il ne me plaît pas du tout ! Je le trouve godiche et sans éducation. On dirait un plouc. Tu as vu ses mœurs de table ? Il mange comme un cochon, il parle la bouche pleine et postillonne partout. L'autre jour, il a même léché son couteau après avoir coupé sa viande, il a roté et il s'est curé le nez, pouah ! Il a les ongles dégoûtants, et en plus, il est vulgaire, beurk !

— Je te le concède, Victor ne sort pas de la cuisse de Jupiter et il en est complexé, on le sent. Ce sera à toi de le dégrossir, de lui apprendre le savoir-vivre et les manières de notre monde. Et quand tu en auras fait un parfait gentleman, tu auras marqué un point : non seulement il t'en sera reconnaissant, mais il reconnaîtra ta supériorité, et tu garderas ainsi un ascendant sur lui, ce qui est appréciable ! Il sera à tes pieds ! C'est toi qui porteras la culotte.

Peu convaincue, Noëlie avait continué à argumenter :

— Et puis, tu me vois m'appeler « Mme Escartepigne », on dirait du Pagnol ! Nobleval, c'est quand même plus classe.

Sa mère en était convenue :

— Je reconnais que ce nom prête à rire, mais ce n'est pas si grave. C'est un nom bien de chez nous. Regarde le nom de notre dentiste : « M. Hédenté », il faut quand même le porter ! Les patients se gaussent la première fois qu'ils l'entendent. Ensuite, ils n'y font plus attention.

Nonobstant l'exemple du « dentiste édenté », Noëlie, têtue, n'avait pas voulu en démordre. Avec le temps, elle avait fini pourtant par céder au harcèlement psychologique de ses parents qui avaient continué sans relâche à lui vanter les mérites de Victor. Elle avait rompu avec Antoine et, à leur grand soulagement, elle s'était fiancée avec le jeune interne. Mais elle n'avait jamais pu se défaire de l'idée que cet ambitieux ne l'aimait pas tant pour elle-même que pour ce qu'elle représentait : un tremplin inespéré pour une ascension sociale et professionnelle fulgurante. Et cela s'était réalisé : dix-sept ans après, il occupait le poste de son beau-père retraité. Il était chef du service de gynécologie et obstétrique du plus grand hôpital phocéen.

Avec lui, elle n'avait jamais senti la merveilleuse complicité qu'elle avait connue avec Antoine. Il se moquait de la littérature et ne lisait que des revues scientifiques. De plus, elle haïssait ses futurs beaux-parents. Des « petites gens » qui se rengorgeaient de la réussite de leur unique rejeton, n'en revenant pas d'avoir donné le jour à un tel génie. Elle n'aimait ni leurs manières grossières ni leur parler « peuple » – surtout la gouaille de son beau-père, communiste de surcroît, qui n'avait pas la langue dans sa poche –, et elle jugeait qu'ils n'étaient pas à leur place dans son milieu. À dix-neuf ans, elle était mariée. Ses parents avaient organisé une grande noce où toutes les huiles de la ville avaient été conviées. Pendant le cocktail, elle était restée sur le qui-vive dans la crainte de quelque gaffe de son beau-père, fort capable de traiter l'un des éminents convives de « snob » ou de « richard qui veut péter plus haut que son cul ». Mais, Dieu merci, tout s'était déroulé sans heurt ni éclat ! Par la suite, elle avait tenu ses beaux-parents à l'écart, ne les invitant que lors des incontournables fêtes de famille. Victor avait compris ses réticences à l'égard de ses parents, car il n'avait pas insisté pour les recevoir plus souvent. Après son mariage, elle comptait retourner à l'université, mais elle avait dû s'occuper de leur installation dans la magnifique villa Beauséjour, cadeau de mariage de ses parents – aménager leur nid, comme le disait Victor –, et puis elle s'était retrouvée enceinte de Marion, et son projet était tombé aux oubliettes. Victor qui gagnait largement pour deux préférait qu'elle reste à la maison. Huit ans après, alors qu'elle aurait pu se remettre aux études, elle avait attendu Kevin, et les années avaient passé...

Dans la lumière crue de la salle de bains, le miroir lui révélait sans tricherie un corps moins ferme qu'autrefois, le ventre et les cuisses qui commençaient à mollir, le cou à se flétrir. Sa jeunesse était en péril. Arrivée au zénith, le déclin s'amorçait et l'illusion d'éternité, qui est le propre de l'insouciance juvénile, l'avait abandonnée. À son âge, il était trop tard pour envisager une carrière de professeur. D'ailleurs, elle n'en avait même plus envie. Le ronron de ses journées avait comme anesthésié ses facultés intellectuelles. Au fil des ans, ses activités s'étaient réduites comme une peau de chagrin : s'occuper des enfants, lézarder au soleil, faire du shopping, aller au cinéma ou à des expositions, remplir le réfrigérateur, organiser des dîners, des cocktails, des fêtes et entretenir son réseau de relations réelles ou virtuelles. Par chance, après moult démêlés avec les femmes de ménage qui s'étaient succédé – toutes des tire-au-flanc ! –, elle avait fini par dégoter Margot, la perle rare sur laquelle

elle pouvait se reposer. Fini les corvées ménagères à superviser ! Maintenant, il lui suffisait de donner des ordres pour être obéie au doigt et à l'œil sans avoir à repasser derrière. Côté intellectuel, c'était le désert de Gobi. Elle ne lisait plus que des thrillers ou des romans de plage, parfois même des magazines idiots. Si elle s'était plongée dans le dernier Goncourt, c'était seulement dans le but d'étaler son érudition lors des soirées ou sur Facebook. Elle se sentait abrutie, prisonnière comme une mouette enfermée dans une cage. Une cage dorée où elle manquait d'air. Elle avait « tout », mais sa vie toute lisse, vouée au loisir, n'avait aucune profondeur, aucun mystère.

L'idée d'une aventure amoureuse l'effleurait parfois, car l'amour lui faisait cruellement défaut. Victor, peu sensible aux états d'âme, ne s'intéressait qu'à son métier et à sa réussite. Rétrospectivement, elle se rendait compte que son intuition première ne l'avait pas trompée : il lui avait joué la comédie de l'amour. Il s'était servi d'elle comme d'un ascenseur vers les hautes sphères. Et suivant les préceptes maternels, elle l'avait appuyé dans son ambition d'atteindre des sommets que, sans l'envergure sociale, les diplômes et le talent ne suffisent pas à conquérir. Elle lui avait apporté le crédit de sa famille et, en véritable mentor, lui avait inculqué ce que ses parents ne lui avaient pas appris et qu'elle possédait sur le bout des doigts : l'élégance, le sens du raffinement, l'esprit, la distinction des manières et de l'accent, tous ces traits qui distinguent l'homme du monde du *vulgum pecus*. En un mot : la classe. Nul n'aurait pu soupçonner maintenant que le Pr Escartepigne, ce gentleman policé, courtisé de tous, fêté par sa profession, membre du Rotary Club, sortait des bas quartiers.

Mais au fur et à mesure de son ascension, elle avait senti qu'il se détachait d'elle. Maintenant qu'il était au summum, le masque était tombé et leur union n'avait plus de mariage que le nom. Même s'ils vivaient sous le même toit, ils ne formaient pas un vrai couple. Victor passait la plus grande partie de son temps à l'hôpital et, le soir, quand il rentrait – s'il rentrait ! – il était épuisé, mangeait sans parler, regardait les infos et montait se coucher. Lorsqu'elle le rejoignait, il était la plupart du temps profondément endormi. Et elle ne s'en plaignait pas, au contraire. Dans ses bras, elle n'avait jamais atteint la jouissance à laquelle Antoine l'avait éveillée. Il lui faisait l'amour mécaniquement, presque avec détachement. Sous son poids, elle se sentait seule, un peu effrayée, impatiente qu'il arrête son va-et-vient pour se libérer de ce corps absent qui la besognait sans émotion, pour ne plus voir ce visage qui n'exprimait ni amour ni tendresse. Elle ne lui servait qu'à assouvir un désir passager. Les ébats terminés, il retombait à ses côtés, endormi. Jamais il ne lui manifestait le moindre signe d'affection, du moins quand ils étaient seuls, car en présence d'un tiers, il donnait l'image du mari aimant. Pour la galerie. En bon élève, il avait fait sienne la devise de son nouveau milieu : *sauver les apparences*. Parfois, elle se demandait même s'il ne la trompait pas. Dans son travail, il ne devait pas manquer d'occasions. Il incarnait le cliché du chirurgien tombeur auquel nulle femme ne résiste, le stéréotype du charmeur des séries télé et des romans de gare, dont elle avait pu vérifier la justesse lorsqu'il paradait à des cocktails, des vernissages, des réceptions ou des conférences, tous ces endroits sélects où l'on trouve les gens en vue, triés sur le volet, où il faut surtout être vu, montrer qu'on est une pointure, un personnage incontournable de la haute ! Dès qu'il apparaissait, toutes les femmes, jeunes donzelles ou vieilles rombières, se pressaient autour de lui, avec des regards langoureux, minaudant comme de gros insectes affamés. Et lui, il pérorait, se gonflait pareil à la grenouille de la fable, se repaissant de son succès. En star célèbre adulée de son public, il se pavanait, distribuait des sourires radieux, des bises sonnantes, des poignées de main chaleureuses. Il nageait dans son élément. Il éprouvait un besoin viscéral de respect et de considération et ne s'épanouissait pleinement qu'au milieu de sa cour d'admirateurs, et surtout d'admiratrices ! Mais elle, elle le connaissait trop pour l'admirer. Dès le premier instant, elle avait percé à jour la face cachée du personnage, un arriviste cynique, sans scrupule, prêt à écraser quiconque lui ferait ombrage. Ne lui avait-il pas confié une nuit sur l'oreiller sa romance avec une certaine Agnès ? Une fille qu'il avait aimée passionnément et qu'il n'avait pas hésité pourtant à laisser tomber comme une vieille culotte pour épouser « la fille du Pr Nobleval ». Elle ne lui avait pas parlé d'Antoine. C'était son jardin secret.

Et même s'il l'avait aimée pour elle-même, qu'en serait-il de leur amour après seize ans de vie commune ? Rien de plus que ce qu'elle vivait maintenant, elle en était sûre. Elle avait lu assez de témoignages à ce sujet sur les forums d'Internet. L'usure du temps vient à bout de la passion la plus dévorante ! Un cliché, certes, mais qui s'avérait. Ses parents étaient une exception.

Elle passait beaucoup de temps à surfer sur Internet. Sa liste d'amis virtuels sur Facebook était longue. Des gens à qui elle racontait sa vie – la vie idéalisée d'une femme choyée par le sort, épouse et mère comblée –, des inconnus qui l'écoutaient et lui témoignaient leur sympathie, mais qui surtout flattaient son ego. Des « amis » écrivains l'avaient motivée à reprendre l'écriture. Depuis peu, elle écrivait des nouvelles qu'elle mettait en ligne et qui lui valaient les critiques dithyrambiques de son chœur d'admirateurs en pâmoison. Caressée dans le sens de la plume, elle envisageait de se lancer dans un roman.

Elle entra dans la maison, traversa le living et, tandis que ses pensées se bousculaient dans sa tête, elle monta se réfugier sous les combles. Une pièce bien à elle, avec son canapé design, ses rayonnages de livres – des classiques qui dataient du temps où elle était l'étudiante studieuse, passionnée de belles-lettres – et son précieux ordinateur. Elle s'affala sur la chaise, alluma l'eMac et se connecta à Internet pour ouvrir sa page Facebook. Elle constata qu'un grand nombre d'amis avaient cliqué sur « J'aime » et commenté la photo postée la veille où on la voyait en bikini au bord de sa piscine, avec un commentaire destiné à faire bisquer ceux qui suaient sang et eau au travail :

QU'IL EST DOUX DE NE RIEN FAIRE QUAND SES AMIS SONT AU BOULOT ! ☺

À en juger par les réactions, ils étaient nombreux à envier son cadre de vie, et elle se rengorgea. Son avant-dernier commentaire intitulé ROMS, UNIQUE OBJET DE MON RESSENTIMENT avait en revanche suscité pas mal de remous.

En me baladant dans le quartier, avait-elle noté, je suis tombée sur un campement de Roms installés sur un parking. Vous vous rendez compte, cette racaille qui prend ses aises comme chez elle dans un quartier résidentiel ! Bonjour, les vols ! J'ai verrouillé ma porte. C'est une honte, j'espère que le maire va se charger de les expulser ! ☹

Certains avaient fait des jeux de mots, comme « CD-Rom », « Roms marins », ou « Tous les chemins mènent aux Roms » ; d'autres, pris à rebrousse-poil, l'avaient agonie d'insultes. Elle s'était fait taxer de « raciste », de « xénophobe », de « facho » et de « sale bourge ». Une certaine Mitsi était même allée jusqu'à la traiter de « nazie » pour ses conceptions « dignes de *Mein Kampf* ». Elle la menaçait de signaler ses propos à Facebook pour incitation à la haine raciale. Énervée, elle saisit sa souris et pianota frénétiquement :

Mitsi, si tu aimes tant les Roms, personne ne t'empêche de leur ouvrir grand ta porte et de leur offrir le gîte et le couvert !

Une fois qu'elle eut cliqué sur « Envoyer », elle la biffa de sa liste d'amis, ainsi que tous les « bobos » qui avaient eu le front de l'insulter. Bon vent ! Elle n'était pas là pour s'encombrer de mufles qui ne pensaient pas comme elle. Ceux qui avaient le toupet de la critiquer et qui ne l'encensaient pas, elle les virait, point barre. Elle passa ensuite à un sujet moins épineux.

Elle plaça la souris dans la case « Exprimez-vous », pour rédiger son nouveau commentaire :

J'ai des problèmes avec mon ado. Elle en a marre du lycée. Que dois-je faire d'après vous ? Tous vos conseils sont les bienvenus.

Elle cliqua sur « PUBLIER ». Peut-être ses amis virtuels lui donneraient-ils quelques bonnes recettes pour insuffler à Marion le goût des études ? Elle ne pouvait pas compter sur son mari. Il passait tout son temps à l'hôpital et n'était jamais là.

Il y avait vingt notifications qu'elle n'avait pas encore lues. Elle les fit défiler : une photo de Maud en bikini et moult commentaires des mâles à l'affût de chair fraîche et de bombes sexuelles qui s'effeuillaient sans vergogne sur le Net.

Bof, elle n'est pas si belle que ça, elle a de la cellulite aux cuisses ! pensa-t-elle en détaillant « son amie » d'un œil critique. Elle cliqua quand même sur « J'AIME ». Un peu de pommade ne coûtait rien ! Et puis Maud était bon public. Elle ne la snobait pas et mettait des « Like » sur tous ses statuts. Julien, un beau gosse – un BG, comme dirait Marion ! – affichait fièrement ses biscoteaux, mais peut-être qu'il n'était dans la vraie vie qu'un gringalet bourré de complexes. Hector vantait le coupé sport qu'il venait de s'offrir, Juliette parlait de la pluie et du beau temps, Monique avait posté une photo de ses deux chats, Héloïse commentait un film hermétique, Pascal tentait de vendre son dernier roman à ses amis qui promettaient tous de le lire, mais remettaient leur achat aux calendes grecques ! Certains s'insultaient en parlant politique...

Bien planquée derrière l'écran protecteur, elle ajouta son grain de sel, manière de faire monter la pression. Elle adorait lancer des polémiques...

— Maman, maman, je veux goûter !

— Oui, minute ! soupira-t-elle, énervée.

Elle finit d'écrire sa phrase, mit l'ordinateur en veille et lâcha la souris.

Dans la cuisine, le petit Kevin trépignait d'impatience.

— C'est pas trop tôt ! J'ai trop la dalle !

— Quoi ? Je ne veux pas de ce jargon : on dit « j'ai faim » !

— Marion, elle le dit, elle, et tu l'engueules pas !

— Si, je lui ai demandé de châtier son langage.

— C'est quoi ça ?

— Ça veut dire s'exprimer correctement, compris ?

— Toi, tu l'as pas « châtré », l'autre jour, t'as dit un gros mot, je t'ai entendue, t'as gueulé au téléphone « merde alors » !

— Tu veux une gifle ? hurla sa mère, poussée à bout.

3

Zoé prit l'escalier qui s'enfonçait dans les entrailles de l'hôpital, comme écrasée par la masse énorme du bâtiment. Avec ses innombrables services, ses chambres, sa maternité, ses salles de consultation et d'attente, son laboratoire, ses bureaux administratifs, ses vestiaires et sa morgue au sous-sol, ses myriades de téléviseurs, de respirateurs, de défibrillateurs, de seringues hypodermiques, de sangles pour maintenir les patients, de draps pour les couvrir et les cacher quand ils mouraient, cet immense hôpital, avec ses deux cubes perpendiculaires au corps principal, ressemblait à une monstrueuse chauve-souris aux ailes déployées.

Plus elle descendait, plus la lumière se raréfiait et plus il faisait frais. Elle longea le couloir cimenté du sous-sol éclairé par des néons qui jetaient une lueur blafarde. Les murs affichaient une déprimante couleur d'un vert miteux. La rampe vétuste était polie par les centaines de mains qui s'y étaient accrochées. Au plafond, les énormes tuyaux d'arrivées et d'évacuations formaient comme des tentacules menaçants, prêts à fondre sur elle. Elle frémit en passant devant la porte métallique portant l'inscription MORGUE. Dieu merci, elle était bien fermée ! Le matin où, par l'entrebâillement, elle avait aperçu le médecin légiste en plein travail était encore gravé dans sa mémoire. Il tenait dans ses mains gantées une masse sanguinolente qu'il venait de prélever sur un cadavre blême couché devant lui sur la table en métal. Dans la bonde d'évacuation perçant le sol en son milieu, il y avait une pelote de cheveux clairs, comme un nid. Devant cette vision d'horreur, jointe à l'odeur de formol qui s'échappait de la pièce, elle avait été saisie d'une violente nausée et s'était effondrée sur le béton pour vomir son petit déjeuner.

Elle croisa un groupe de femmes qu'elle salua. C'étaient les filles de salle qui venaient de terminer leur service de nuit. Elles rentraient chez elles après une nuit blanche, épuisées. Dans la lumière crue, on aurait dit les spectres livides des morts en transit à la morgue, enveloppés de leurs suaires. Au vestiaire, elle quitta son short et son haut pour enfiler la blouse réglementaire.

Nina, sa copine et collègue, pénétra dans la pièce, guillerette comme un rat de tiroir.

— Salut ! clama-t-elle d'un ton joyeux.

C'était une grande blonde toujours de bonne humeur. Pourtant, sa vie était loin d'être un tapis de roses ; son mari avait fichu le camp, lui laissant trois gosses. Tous les jours, avant de venir au travail, elle devait conduire le plus petit à la crèche et les deux aînés chez sa mère qui les emmenait à l'école.

— Salut, comment va ? répondit Zoé.

Elle plia ses vêtements et les posa sur une étagère de son casier.

— Ben, ce matin, c'était la galère. Avec Loïc qui a une rhino, je n'ai pas fermé l'œil de la nuit !

Bien qu'elle aimât les enfants et qu'elle ressentît parfois un désir impérieux de maternité, Zoé s'estima aujourd'hui heureuse de ne pas en avoir.

— J'ai croisé Mado, ma copine sage-femme, poursuivit Nina, elle était effondrée, elle venait de recevoir une engueulée d'Escartepigne. Figure-toi qu'une parturiente obèse a fait une éclampsie, cette nuit. Il a dû pratiquer une césarienne en urgence, mais n'a pas pu sauver le bébé, et la femme est dans le coma.

— Mado n'y est pour rien ! s'indigna Zoé.

— Non, d'autant qu'elle lui a téléphoné dès le début des convulsions, mais il ne s'est pointé qu'à minuit. Il prétend maintenant qu'elle l'a prévenu trop tard. Il a la trouille que la bonne femme l'attaque en justice et il prend les devants pour se couvrir. Tu comprends, lui, c'est un ponte intouchable !

— C'est dégueulasse, dit Zoé. Plus la vache a la queue longue, plus elle se protège des mouches, c'est ce que répétait toujours ma grand-mère ! Bon, je monte.

Elle entra dans l'ascenseur et appuya sur le 5, le niveau occupé par le service de cardiologie. Au deuxième, trois infirmières montèrent dans la cabine sans prendre la peine de la saluer. Les filles de salle, au bas de la hiérarchie, étaient comme inexistantes.

Au cinquième, les portes s'ouvrirent sur un couloir désert, baignant dans la lueur verdâtre des multiples écrans de contrôle. Les respirateurs rythmaient les secondes de leur chuintement assourdi. Ses semelles de crêpe glissaient sans bruit sur le sol. Elle passa devant le poste d'infirmerie où brillait une lumière rouge. Une infirmière en sortit d'un pas raide et la croisa sans la voir, ou du moins en faisant comme si elle ne l'avait pas vue.

Zoé tira le chariot de nettoyage d'un placard et se mit à laver le sol. Ce n'était pas trop pénible. Elle rêvassait en passant le balai-brosse qui traçait des sillons humides sur le carrelage. En revanche, elle aimait moins la corvée qui l'attendait après avoir astiqué le couloir : faire les lits, récurer les douches, les toilettes et les bidets, un travail qui lui soulevait le cœur. Vers onze heures, elle devrait aider à la distribution des repas qu'il faudrait ensuite desservir. Puis ce serait le ménage des bureaux et des blocs opératoires. À la fin de la journée, elle quitterait l'hôpital sur les rotules.

4

Victor avait terminé sa ronde dans l'unité de jour. Longiligne, sanglé dans sa blouse amidonnée, hautain, froid, forçant le respect, il avait donné la pleine mesure de son talent devant sa cour d'internes béats. Il longea le couloir immaculé desservant les chambres au bout duquel s'ouvrait son bureau. Arrivé à la porte, il s'arrêta pour contempler la plaque qui exerçait toujours sur lui la même fascination.

PR VICTOR ESCARTEPIGNE
CHEF DU SERVICE DE GYNÉCOLOGIE-OBSTÉTRIQUE

Chef de service ! Il était chef de service dans l'un des plus grands hôpitaux dont l'unité de recherche pratiquait une chirurgie de pointe. Malgré les années, la fierté qu'il ressentait devant cette plaque ne s'était pas émoussée. Elle continuait à chatouiller agréablement son orgueil.

Ah ! il en avait parcouru du chemin, lui, l'étudiant modeste qui avait dû financer ses études par de multiples petits boulots. Un travail acharné sous-tendu par une ambition démesurée. Il avait même sacrifié Agnès, son amour de jeunesse, une étudiante en médecine aussi pauvre et aussi brillante que lui, pour épouser la fille du patron. Un mariage qui lui avait ouvert la grande porte. Mais il préférait occulter cette part sombre de son passé. Une existence gâchée à cause de lui. Agnès avait sombré dans la dépression et abandonné ses études de médecine.

Un jour, par curiosité, il avait tapé son nom sur Google. Par le biais du site Copains d'avant, il avait appris qu'elle était retournée vivre à Albi, sa ville natale, où elle s'était installée infirmière à domicile. Elle n'était pas mariée.

Au souvenir d'Agnès, il ferma les yeux et des images surgirent : Agnès défaisant les épingles de son chignon, libérant ses boucles blondes qui cascadaient jusqu'à sa taille. Leurs étreintes passionnées, leurs fous rires, leurs petites escapades en mer d'où ils revenaient gorgés de soleil et d'iode, détendus et heureux... Le visage de la jeune fille, ravagé par le chagrin, le jour où, impitoyable, il lui avait annoncé qu'il sortait avec Noëlie. Le silence lourd qui avait envahi la pièce, comme après une explosion. Le regard stupéfait qu'elle lui avait lancé, comme si elle ne parvenait pas à croire ce qu'elle entendait. Ses supplications, ses larmes quand elle avait compris qu'il resterait inflexible, qu'un seul mot d'ordre guidait son existence : réussir. Pourtant, il n'avait jamais pu l'oublier.

Au fond de lui-même, il était encore le garçon du peuple un peu gauche. Aux « grandes dames », il préférait les femmes toutes simples, sensuelles et frivoles, à l'opposé de la sienne : la bourgeoise fière et hautaine, consciente de son rang. Et il en avait déployé des efforts pour jouer la comédie de l'amour ! La conquête lui avait paru certes excitante, mais la victoire avait eu un goût de fiel, car même si Noëlie alliait intelligence et élégance, même si grâce à elle, à ses conseils pertinents, à sa science du monde dont elle jouait à ravir, il avait pu acquérir la classe pour pénétrer dans la haute société et affiner son esprit, elle n'arrivait pas à l'émouvoir comme Agnès. Pourtant, il n'avait rien à reprocher à son épouse qui assumait à la perfection son rôle de mère et de maîtresse de maison. Ses talents d'hôtesse avaient servi sa carrière. Nul ne savait mieux qu'elle organiser une réception, composer un menu, placer les invités, détourner les sujets épineux propres à créer une zizanie entre les convives, caser des bons mots ou raconter des anecdotes captivant une tablée entière. Tous les hommes lui trouvaient un charme fou. En un mot : il avait une épouse parfaite. Trop parfaite. Une femme dévouée, efficace, lisse, transparente, prévisible, avec un je-ne-sais-quoi de figé, comme une statue. Voilà ce qui l'exaspérait. Il rêvait d'une femme extravagante, fantasque, d'une femme charnelle, délurée, libertine qui aurait répondu à ses fantasmes secrets. Tout ce que n'avait pas Noëlie. Avec elle, il vivait un drame intime. La nuit, quand il lui faisait l'amour, c'était comme s'il tenait dans ses bras une poupée de cire d'une froideur glaciale. Elle subissait passivement ses assauts. Le sexe la rebutait et elle ne faisait aucun effort de séduction. Les sous-vêtements coquins qu'il lui avait achetés un jour, elle les avait rangés dans un tiroir, l'air dégoûté, en les taxant d'« oripeaux de pute ». Et cela durait depuis des années. Même au début de leur relation, elle se raidissait, à croire qu'il n'avait pas su l'éveiller aux plaisirs de la chair, ou plutôt qu'elle était frigide ; la naissance des enfants l'avait encore éloignée de lui. Il aurait dû en discuter avec elle. Mais il esquivait le débat, incapable d'aborder le sujet, d'avouer son insatisfaction, encore moins ses pulsions ou ses désirs inassouvis.

Et puis, ce qui lui manquait par-dessus tout, c'était l'admiration. Alors que toute la gent féminine béait devant lui, son épouse ne l'admirait pas. Au contraire. Ayant connu l'étudiant mal dégrossi, elle avait percé à jour ses faiblesses. Orgueilleuse et consciente d'appartenir à une caste privilégiée, elle le toisait souvent avec condescendance, comme une maîtresse d'école, et il croyait alors entendre sa voix acide, chargée de mépris : « N'oublie pas d'où tu sors ! Sans moi, tu ne serais que de l'argile informe. C'est moi qui t'ai façonné, poli, sculpté pour faire ce que tu es devenu ! »

Pour lui complaire, il avait même rejeté ses parents qui détonnaient dans ce milieu huppé. Il ne les recevait que rarement et il n'allait jamais les voir. Marion et Kevin les connaissaient à peine. Victor n'ignorait pas que ses parents souffraient d'être exclus de sa vie, eux qui s'étaient imposé les pires privations pour la réussite de leur enfant unique. Il avait conscience d'agir en fils ingrat, il avait honte et était bourrelé de remords.

Après seize ans de mariage, il entretenait avec Noëlie des relations courtoises. Ils se croisaient, se parlaient pour évoquer des problèmes domestiques, se souriaient avec une gentillesse étudiée pour masquer leur indifférence. Étrangers l'un à l'autre, ils demeuraient ensemble pour la façade, pour les enfants. Sa fille le décevait. Il aurait voulu qu'elle étudiât la médecine, mais elle ne faisait pas grand-chose en classe. Hier, ils avaient eu une dispute à ce sujet. Il espérait que son fils Kevin serait plus intelligent que sa sœur et qu'il pourrait un jour lui passer le flambeau.

Maintes fois, il avait songé à reprendre sa liberté, mais il n'y pensait plus maintenant. À quoi bon ? Il n'aimerait jamais une femme comme il avait aimé Agnès. Et s'il exceptait quelques coucheries qui ne comptaient pas, il était un mari fidèle. L'adoration muette qu'il lisait dans les yeux des infirmières et de certaines patientes lui suffisait. Elle le flattait, mais n'éveillait chez lui aucune envie de passer à l'acte. Travail et sexe ne rimaient pas ensemble, il détestait les imbroglios et les situations scabreuses, le jeu n'en valait pas la chandelle. Et son énergie sexuelle, il la canalisait dans son métier. Jusqu'à présent, cela lui avait réussi.

— Tout est arrangé, Victor, j'ai vu le mari de ta patiente, il n'envisage pas de poursuites judiciaires.

Tiré de ses pensées, le chirurgien sursauta et regarda son confrère, le Dr Charles Boivin, qui se tenait auprès de lui.

C'était un chauve rondouillard, à la cinquantaine satisfaite, portant un costume mal coupé et froissé qui contrastait avec l'élégance et le port aristocratique de Victor. Il avait l'allure d'un médecin de campagne, plus soucieux de ses patients que de sa garde-robe et de son apparence.

— Ah ! eh bien, tant mieux ! soupira Victor, soulagé.

Il n'y aurait pas de vagues, pas de bruit... Il plaçait sa réputation au-dessus de tout et ne plaisantait pas sur ce sujet. Il se nourrissait de l'admiration de ses pairs. Il ne s'agissait pas de ternir l'image du grand patron !

Le matin, il avait passé un savon à la sage-femme, bien qu'il sût qu'il était en faute et qu'il n'avait rien à lui reprocher. Il s'était montré négligent. Elle l'avait bien contacté à temps pour lui signaler les convulsions de la parturiente. Il n'ignorait pas que l'accouchement était à risque, en raison notamment de l'obésité de la femme et d'une hypertension artérielle avérée. S'il l'avait opérée immédiatement, il aurait peut-être pu sauver le bébé mais, pris par sa partie d'échecs avec son beau-père, il avait trop tardé. Lorsqu'il s'était enfin rendu à l'hôpital et qu'il avait pratiqué la césarienne, c'était trop tard : l'enfant était né en état de mort apparente. Incontestablement, il avait fait une faute qui aurait pu l'envoyer devant les tribunaux. Mais, Dieu merci, il n'y aurait pas de procès ; sa réputation ne serait pas entachée. Le cauchemar s'estompait ! Il aurait presque crié de soulagement et de joie.

— Ouf ! fit-il en ouvrant la porte. Viens, on va fêter ça !

Il s'effaça pour laisser entrer son confrère.

Les murs étaient tapissés de couleurs douces, un motif de fleurs lilas et mauve en cascade. Le bureau était énorme, en acajou massif, avec un dessus en cuir et une infinité de tiroirs. Un portrait de famille – Noëlie et les enfants sur fond de mer, tout sourires – trônait, comme il se doit, à côté du PC dernier cri. Tout était impeccable et méticuleusement rangé. Un pan de mur était occupé par les rayonnages, un autre par des plantes vertes luxuriantes, un canapé et des fauteuils en cuir capitonné. Une grande fenêtre qui donnait sur le jardin à la française de l'hôpital offrait une vue paisible et reposante.

— Ton bureau est magnifique ! Comparé au tien, le mien ressemble à une cave à rats ! s'exclama Charles en riant.

— Assieds-toi, lança Victor en ouvrant un placard.

Il sortit deux verres et une bouteille de whisky.

— Eh bien, raconte ! dit-il en lui tendant le verre.

Il se laissa tomber dans un fauteuil.

— Il n'y aura pas de plainte, tu n'as rien à craindre, déclara Charles avec un large sourire.

— Et qu'est-ce que tu lui as dit ?

Le chauve eut un geste vague.

— Qu'importe, c'est le résultat qui compte !

— Je ne sais comment te remercier, dit Victor.

— C'est normal, je suppose que tu aurais fait la même chose pour moi. Nul n'est à l'abri d'une erreur, et c'est l'honneur de notre profession qui est en jeu.

Et, levant son verre :

— À la tienne !

5

Léo se leva du canapé, le corps ankylosé. Il s'étira en tendant les bras au-dessus sa tête. Après le départ de Zoé, il était resté des heures, le portable sur les genoux, à étudier les pages de Noëlie Escartepigne sur Facebook. Il connaissait maintenant pratiquement tout de cette femme : ses sorties, ses occupations, ses goûts, ses problèmes...

Il avait appris que son mari lui avait offert pour son anniversaire une bague en or blanc ornée d'un gros rubis, et même qu'il avait souscrit une assurance vie pour la mettre à l'abri du besoin en cas de décès. Il savait qu'elle avait en ce moment des ennuis avec son ado qui faisait un rejet du lycée, qu'elle avait décidé d'écrire un bouquin et, qu'après avoir mis à la porte toute une flopée de femmes de ménage, elle avait enfin dégoté la perle rare... Il avait admiré les photos de son intérieur et de leur magnifique jardin avec la piscine. Toute une vie de femme oisive, pétée de thunes.

Un commentaire contre les Roms, posté dans ses dernières actualités, l'avait fait bondir.

— Quelle sale snobinarde ! avait-il grommelé.

Bien sûr, des Roms, il n'en avait rien à cirer, pas plus que des Beurs, des Noirs ou des Chinois, mais s'il ne supportait pas les grands airs d'aristo de cette bourge, c'était avant tout parce qu'il se sentait englobé dans son mépris des petites gens, lui un gars des banlieues. Et être regardé de haut par une gonzesse, quelle qu'elle soit, c'était intolérable.

Quelle différence avec Zoé, la femme de sa vie ! Elle avait un cœur d'or : généreuse, chaleureuse, toujours attentive aux autres et prête à rendre service. C'est vrai qu'il était minable de vivre à ses crochets. S'il continuait à se comporter comme un pacha, elle allait se tirer et il l'aurait dans l'os. Et ça, il ne le voulait pas. Il tenait à elle. Il l'avait dans la peau. Ce qu'il éprouvait dépassait de loin tout ce qu'il avait ressenti envers les bombasses qu'il avait fréquentées avant. Des bons coups, rien de plus. Zoé faisait partie de sa vie. Il ne pouvait s'imaginer vivre sans elle. Ils étaient comme des frère et sœur de sang.

La première fois qu'il l'avait aperçue en boîte, il l'avait comme reconnue. C'était difficile à expliquer, un peu comme s'il avait enfin trouvé la partie complémentaire de lui-même qu'il cherchait depuis toujours. Un scénario métaphysique qui lui plaisait. Zoé tranchait parmi les autres meufs agglutinées autour de la grande table, avec ses longs cheveux roux bouclés, ses anneaux et breloques aux oreilles, ses yeux verts provocants, fendus en amande, et ses formes généreuses, son jean lui collant à la peau avec une large ceinture de cuir qui soulignait sa taille fine. C'était la nana la plus sexy à des kilomètres à la ronde. Sentant qu'il l'observait, elle avait rejeté sa tête en arrière avec arrogance. Elle avait écarté lascivement ses lèvres pulpeuses et éclaté de rire à propos d'une blague lancée par une fille, sans que son regard félin l'eût quitté une seconde. Il s'était approché de la table et lui avait tendu la main. Elle l'avait saisie sans hésitation et il l'avait entraînée sur la piste de danse. Elle s'était collée à lui, lascive. Et puis au petit matin, il avait enfourché sa moto et elle avait grimpé derrière lui, enserrant sa taille de ses bras. Elle avait serré ses cuisses contre les siennes et frotté sa poitrine contre son dos. Il avait grogné de plaisir, anticipant déjà ce qui l'attendait. Et il ne s'était pas trompé, cette fille était une bombe ! Trois mois plus tard, elle avait emménagé chez lui et, depuis, ils ne s'étaient plus quittés.

Tous les mecs de la cité l'enviaient. Cela faisait bientôt dix ans. Elle l'avait même présenté à ses grands-parents, des vieux super cool qui l'avaient immédiatement adopté. Chez eux, il avait enfin trouvé son port d'attache, une famille qui l'acceptait sans le juger.

Pourtant, sa situation n'était pas reluisante. Avant-dernier rejeton d'une famille qui créchait en HLM dans un quartier pourri de la ville, livré à lui-même, il avait appris très tôt la débrouille. De mauvaises fréquentations l'avaient entraîné, jeune, à de petits larcins, plus tard à des délits plus graves. Cannabis et alcool à douze ans, coke à seize. Ensuite, avec sa bande, il avait gagné un fric fou dans divers trafics. Il était ce que l'on nomme une petite frappe, connue des services de police, un voyou avec un casier judiciaire. Sans les relations de Sylvio, son frère aîné, commissaire du Ve arrondissement, il serait même allé en taule après un braquage. Grâce à Sylvio, il avait pu bénéficier d'un sursis.

— C'est la dernière fois que j'interviens, l'avait-il prévenu. Si tu ne te ranges pas, libre à toi de finir ta vie derrière les barreaux. Et ne va pas prétendre que la criminalité est un destin. Regarde-moi, je m'en suis bien sorti, et sans l'aide de personne, par ma seule volonté.

Il avait levé le bras et clamé :

— À la force du poignet !

Le frangin, c'était un exemple à suivre pour tous les gars de la cité. Il avait bossé comme un Noir pour décrocher ses diplômes. Maintenant, marié avec une bourgeoise qui lui avait donné un fils, il avait une situation en or et fréquentait la haute volée. Il avait rompu toute relation avec sa fratrie peu reluisante, mais il entretenait ses parents auxquels il avait acheté un bel appartement au centre-ville. Léo lui avait fait la promesse d'arrêter ses activités interlopes et de changer de vie. Sa rencontre avec Zoé l'avait aidé à tenir ses résolutions. Il avait compris que cela signifiait un nouveau départ, une chance inespérée de remettre sa vie sur les rails. Il avait trouvé un petit boulot de plongeur dans un restaurant vietnamien et, cédant aux demandes instantes de Zoé, il avait même renoncé à la drogue. Au début, le sevrage avait été dur, mais il y était arrivé.

Tout ça, c'était avant sa rechute. Lors d'une réunion avec ses potes, il s'était défoncé à nouveau – « Juste une fois, en souvenir du bon vieux temps, le pied, après le sevrage ! » –, mais il n'avait pas pu résister à l'envie de remettre ça. Maintenant, il était de nouveau accro. Il avait lâché son boulot et, pour se payer la coke, il avait repris ses combines foireuses avec son ancienne bande. Récemment, il avait participé à un cambriolage qui l'avait renfloué pour un temps. Il était redevenu une loque et il était malheureux, car sous ses dehors bravaches se cachait un enfant meurtri, avide d'affection.

Il passa dans la cuisine et contempla, dégoûté, les assiettes sales entassées dans l'évier. Un cafard escaladait une tasse. Il allait faire la vaisselle, Zoé serait contente. Il saisit les assiettes et les gratta au-dessus de la poubelle à pédale avant d'ouvrir le robinet. Il sortit une bassine et la remplit d'eau chaude, puis versa du produit dégraissant. Le chauffe-eau à gaz gronda et toussa au moment où la flamme bleue courut sur les brûleurs. Soudain, alors qu'il s'escrimait sur une poêle, il eut comme un déclic. Une idée folle explosa dans sa tête, s'abattit sur lui comme un éclair fulgurant... Son cœur s'emballa, il ressentit une bouffée d'adrénaline, semblable à un shoot. Il continua à récurer les plats, tandis qu'un plan machiavélique s'insinuait en lui...

Mais pour cela, il avait besoin de Zoé. Elle devait donc être bien disposée. Il allait astiquer l'appart à fond, préparer la bouffe. À son retour, il fallait que tout reluise de propreté et il lui exposerait son idée. Une idée géniale pour se faire des couilles en or.

6

Zoé traversa le terrain vague en direction des tours de béton. La chaleur était encore étouffante et la nuit n'apporterait pas de fraîcheur. Elle était en sueur et d'une humeur massacrante. Sa journée avait été particulièrement pénible. Plusieurs aides-soignantes étant absentes, une infirmière lui avait demandé de l'aider à faire la toilette des malades du service de gérontologie. Elles s'étaient occupées d'une vingtaine, la plupart des vieillards grabataires. Elle avait dû lui tenir la cuvette et lui tendre le matériel. Elle avait eu le cœur soulevé devant les escarres puantes, les plaies à vif parfois creusées jusqu'à l'os. Et maintenant, au lieu de se reposer, il fallait faire la bouffe pour Léo ! Elle en avait vraiment marre de cette vie à la con.

Elle tira rageusement la porte à la peinture écaillée, déclenchant le couinement aigu des gonds qui lui vrilla les tempes. La puanteur du hall la saisit à la gorge. La boîte aux lettres débordait. Léo n'avait même pas pris la peine de la vider. Elle balança avec irritation les pubs dans la poubelle. Elle soupira en voyant une enveloppe blanche d'EDF. Encore une facture qu'il faudrait soustraire de son maigre salaire, sinon on allait finir par leur couper l'électricité. Elle monta péniblement les cinq étages, s'accrochant à la rampe. Elle tira ses clefs et ouvrit la porte de l'appartement.

Elle recula, surprise : d'appétissants effluves sortaient de la kitchenette. La grande pièce à vivre rutilait. Il y avait même un bouquet de marguerites dans un vase. Et Léo n'était pas affalé sur le canapé comme à son habitude, les yeux bouffis, l'air hagard.

Il se tenait devant elle dans des vêtements propres, rasé de frais, avec un large sourire.

Elle crut rêver. Elle remua les lèvres sans émettre aucun son, muette de saisissement. C'était bien la première fois que Léo condescendait à mettre la main à la pâte.

— Que se passe-t-il ? fit-elle enfin.

— Ben, rien ! J'ai fait le ménage comme tu me l'as demandé ce matin, répondit-il.

— C'est super sympa ! s'écria-t-elle, reconnaissante, n'en croyant pas ses yeux.

— Installe-toi ! Aujourd'hui, c'est moi qui fais le service. Tu veux un apéro ? susurra-t-il, affable.

Zoé fit voltiger ses escarpins et massa ses chevilles gonflées.

— Je vais d'abord prendre une douche, j'ai eu une journée épouvantable à l'hosto.

Elle disparut derrière le paravent pendant que Léo ouvrait le réfrigérateur pour prendre les glaçons et versait le muscat dans les verres. Il avait aussi acheté pour le dessert une bouteille de clairette de Die, sachant que c'était la boisson préférée de Zoé, car elle lui rappelait sa Drôme natale.

Quand elle sortit de la douche en peignoir de bain, les cheveux enturbannés dans une serviette, les joues en feu, Léo lui tendit son verre. Il leva le sien.

— À la tienne, chérie.

Zoé resta la bouche ouverte, comme une carpe qui hésite à gober une mouche, stupéfaite devant la métamorphose de Léo.

— Je... je ne comprends pas, bégaya-t-elle. Qu'est-ce qu'on fête ?

— Une nouvelle vie !

— Quoi ?

— Écoute, j'ai eu une idée géniale, je crois qu'on va gagner le gros lot.

Zoé posa le verre, défit son turban et se pencha en avant, laissant ses cheveux roux lui couvrir le visage et ses seins ballotter. Elle sécha ses boucles et rejeta la tête en arrière. Puis, elle s'assit sur le canapé, prit le verre et but une gorgée, savourant la fraîcheur de la boisson.

— Je te préviens, dit-elle sèchement, je ne rentre pas dans tes combines scabreuses, je n'ai pas envie de finir en taule.

Léo esquissa un mouvement du bras qui se voulait conciliant.

— *Calmos !* Attends que je t'explique, dit-il en s'asseyant à côté d'elle. Il n'y a aucun risque.

Il prit l'ordinateur portable sur ses genoux et l'ouvrit à la page Facebook.

— Encore cette histoire de sosie ! cria Zoé, énervée.

Elle fut interrompue par un bruit de cataracte qui se déclenchait chaque fois que les voisins du dessus tiraient la chasse.

— Tiens, au fait, Escartepigne est vraiment un salopard, dit-elle. Il a fait une bourde cette nuit. Un bébé est mort par sa faute. Et tu sais quoi ? Il veut tout mettre sur le dos de la sage-femme.

— Intéressant, fit Léo, ça pourra toujours nous servir !

— Qu'est-ce que tu veux dire ? Qu'est-ce qu'on a à voir là-dedans ? demanda Zoé, les yeux arrondis d'incompréhension.

— Laisse-moi t'expliquer mon plan. Voilà, tu prends la place de la nana, je zigouille son mec. Tu touches l'assurance vie, on se met à la colle, et à nous la belle vie dans les beaux quartiers ! lança Léo, triomphant.

— C'est ça ton arnaque pour ramasser du pognon ? T'es complètement barge ! s'esclaffa Zoé en faisant tourner son index sur sa tempe.

— Pas si barge que ça, riposta Léo, vexé.

Il fit défiler les photos sur l'écran.

— Putain, merde, regarde ça, cette nana, c'est toi chiée, carrément classe !

— Oui, peut-être sur l'image. Suppose que je prenne sa place, tu crois que son mec se laisserait bluffer ? Il suffirait que j'ouvre le bec pour qu'il se rende compte que je ne suis pas sa meuf. Je n'ai pas fait d'études, moi. Comparée à cette nana, je suis une pauvre cloche. Faire l'aristo dans ces milieux rupins, c'est pas pour moi, je ferais tache dans le paysage ! objecta Zoé.

Et avec un petit rire :

— Un âne paré ne laisse pas de braire, comme dirait mon grand-père.

— J'ai tout prévu, écoute-moi ! poursuivit Léo, tiraillé entre son désir de la convaincre et son exaspération.

Il se leva et serra son verre dans sa main en se balançant sur ses talons.

— On kidnappe la femme, fastoche, elle nous donne tout son emploi du temps sur Facebook, la conne. On la déshabille, tu mets ses fringues, ses bijoux et tu rentres chez elle à sa place. Et le tour est joué ! Ni vu ni connu !

— Et là, pauvre couillon, qu'est-ce que je fais, moi, dans une maison où je n'ai jamais mis les pieds, entourée de gens que je ne connais ni d'Ève ni d'Adam ? C'est complètement louftingue, laisse béton !

— J'ai cogité, figure-toi ! s'écria Léo sur le point d'exploser. J'ai lu sur Internet qu'un coup sur la tête pouvait provoquer une perte de mémoire, une amnésie post-traumatique, comme les toubibs l'appellent. Donc, ils mettront tes gaffes sur le compte du choc.

Zoé se figea, ses lèvres se serrèrent et frémirent aux commissures.

— De quel coup parles-tu ? demanda-t-elle sèchement en le fixant dans le blanc de l'œil.

Il s'empourpra.

— Voilà, une fois que tu auras mis les fringues de la nana, je t'assommerai pour qu'on croie que tu as été agressée.

— Super ! railla Zoé.

— On te conduira à l'hosto. Et comme tu auras le sac avec les papiers de la bourge sur toi, ils penseront que tu es la femme du toubib. Ils le préviendront et il viendra te chercher pour te ramener à la maison. Ton amnésie expliquera que tu ne reconnaisses rien ni personne. Pigé ?

Et, levant fièrement son menton de crapaud, il se regorgea comme s'il avait avalé de la levure.

— Il n'est pas bon mon plan ?

Elle haussa les épaules.

— C'est complètement débile ! Je ne marche pas, et arrête de te monter le bourrichon. Si tu veux du fric, t'as qu'à bosser !

— Pourquoi, bon sang ? s'énerva-t-il en faisant tournoyer les glaçons dans son verre. Tu as envie de continuer cette vie à la con, ton boulot merdique ? Je te le répète, c'est une occase unique.

Zoé baissa la tête et se mit à se masser les tempes. Elle commençait à fléchir. Léo observa ce changement subtil. Il ne fallait surtout pas la brusquer, ni lui laisser le temps de la réflexion. Il lui saisit doucement le menton et la força à lever les yeux vers lui.

— Crois-moi, Zoé, mon plan est béton, impossible de foirer, et puis on ira mollo, on prendra le temps de mettre tout au point, on ne se lancera pas à l'aveuglette. Essaye de ne pas voir que les mauvais côtés. Imagine la vie de rêve que tu vas mener. Une vie de princesse !

Il cliqua sur la photo du jardin avec la piscine azur. Elle la regarda sans rien dire. Le silence était ponctué par les éclats de voix de Malika et Douga, le couple malien qui se disputait comme tous les soirs.

— C'est la dernière fois que tu me frappes, salopard ! hurlait la femme.

— On va bien voir si tu n'encaisses plus ! aboyait l'homme.

Léo prit la main de Zoé.

— Tu n'en as pas marre de vivre dans ce taudis merdique ? lui chuchota-t-il.

Elle détourna le visage. Ses épaules se soulevèrent comme pour empêcher ses oreilles d'en entendre davantage.

— C'est complètement dingue ! répéta-t-elle, mais maintenant le ton n'était plus aussi péremptoire.

L'idée commençait à faire son chemin.

— Écoute, dit Léo en éteignant l'ordinateur, on ne va pas se prendre la tête avec ça. On va manger les moules farcies que je t'ai préparées et se faire une bonne soirée. En amoureux !

7

— Alors comment s'est passée ta journée ? demanda Noëlie en prenant l'attaché-case des mains de son mari.

Elle lui tendit la joue. Il lui piqua un petit baiser machinal.

— J'ai eu un coup dur. Un bébé est mort.

— Celui de la femme que tu as opérée cette nuit ?

— Oui, cette gourde de sage-femme ne m'a pas prévenu à temps, grommela-t-il.

— Elle t'a pourtant appelé dans la soirée, remarqua Noëlie, étonnée. C'est moi qui ai pris la communication et qui te l'ai passée. Et tu ne t'es pas affolé puisque tu es resté encore deux heures à jouer aux échecs avec papa.

— De toute façon, l'histoire est terminée, ces gens ne portent pas plainte ! déclara-t-il avec insouciance.

Il sourit, mais ses iris noirs, comme sans pupilles, ressemblaient à deux tunnels sombres.

Elle le regarda droit dans les yeux.

— Tu as de la chance, car ils auraient sûrement gagné le procès. Tu as bel et bien fait une faute professionnelle.

À cause de toi, ces pauvres gens ont perdu leur enfant. Je me demande comment tu peux te réjouir, c'est odieux.

Il serra les poings.

— Ne t'avise pas d'ébruiter ça ! Ce genre de ragot pourrait bousiller ma carrière, et ce n'est pas ce que tu veux, n'est-ce pas ?

Le ton était rêche à rayer le verre.

Noëlie eut peur qu'il ne la frappe.

— D'accord, acquiesça-t-elle à contrecœur, vivement choquée par les paroles de son mari.

Comment pouvait-il faire passer ses ambitions personnelles avant tout sentiment humain ? se demandat-elle, confortée dans l'idée qu'il était un monstre d'égocentrisme. Et c'était là l'homme auquel elle avait sacrifié son amour de jeunesse ! Elle le méprisait de toutes les fibres de son corps.

— Bon, n'en parlons plus. Et toi, qu'est-ce que tu as fait aujourd'hui ? fit-il avec un enjouement feint.

« Je me suis emmerdée à cent sous de l'heure, comme d'hab ! » pensa-t-elle, mais elle se contenta de répondre :

— Bof ! pas grand-chose !

— On dirait que tu n'es pas contente, remarqua-t-il. Beaucoup de femmes obligées de travailler aimeraient être à ta place et vivre dans le luxe et l'oisiveté, crois-moi !

— Je me fais du souci pour Marion qui est de plus en plus allergique aux études, au point qu'elle envisage de tout arrêter.

— Ah bon, elle veut arrêter les études ? Première nouvelle !

— Elle s'est mis en tête d'être mannequin.

— Décidément, il n'y a rien à tirer de cette gamine. On va devoir sévir. J'espère que Kevin aura une attitude plus intelligente que sa sœur.

— Je suis convoquée au collège demain par son professeur de français. Elle a eu une note minable au dernier devoir, alors que c'est sa matière forte. Je ne sais plus quoi faire, moi !

Victor balaya l'air de la main, comme pour chasser une mouche.

— Écoute, j'ai assez de soucis à gérer à l'hôpital, épargne-moi ces jérémiades. Les gosses, c'est ton problème, pas le mien.

Il s'affala dans le canapé et ferma les yeux.

— Apporte-moi un scotch ! lui ordonna-t-il.

Noëlie sentit monter une bouffée de haine, mais elle obtempéra et s'empressa de servir son seigneur et maître.

8

Noëlie vérifia sa coiffure. Elle s'assura que son sage chignon sur la nuque tenait bien. Elle s'était très peu maquillée, ne voulant pas avoir l'air frivole pour rencontrer le professeur de sa fille. Juste un peu de fard à paupières et du mascara, mais pas de rouge à lèvres. Elle poudra un peu son nez retroussé et ses joues constellées de taches de rousseur. Elle avait mis une robe noire toute simple et des escarpins à talons hauts assortis à son sac. « Finalement pour la mère d'une élève de dix-sept ans, je ne suis pas trop mal conservée », pensa-t-elle, satisfaite, en rangeant le poudrier. Elle descendit de voiture et franchit la grille du lycée.

C'était la récréation de dix heures. Un joyeux brouhaha régnait dans la salle des professeurs. La plupart étaient agglutinés autour de la machine à café. Certains péroraient devant leur gobelet fumant, assis à une longue table.

Noëlie, perdue, se tenait en retrait, regardant cette faune pédagogique bigarrée. Du coin de l'œil, elle observa un bonhomme rondouillard tiré à quatre épingles qui s'épongeait le front avec un large mouchoir à carreaux, juchait des lunettes en demi-lune sur l'arête de son gros nez, avant d'extraire en soupi-rant un paquet de copies de sa serviette et de se lancer dans ses corrections. Un grand échalas, triste comme un coq en cage, épinglait des revendications syndi-cales sur le panneau d'affichage. Un gnome aussi velu qu'un bouc, l'image même du satyre en maraude, la toisa de pied en cap et sautilla vers elle. Les yeux vice-lards braqués sur son décolleté, il demanda d'un ton égrillard :

— Vous cherchez quelqu'un, madame ?

— J'ai rendez-vous avec M. Dubois.

Il se tourna vers la table où ses collègues devisaient à bâtons rompus sur la nouvelle réforme des collèges et tapota sur l'épaule de l'un d'entre eux :

— Hé ! Antoine, veinard, ton rencard est là ! lui souffla-t-il à l'oreille.

Ce dernier, un bel homme, vêtu d'un jean et d'une veste en daim marron – teint hâlé, cheveux blonds mêlés de fils blancs en bataille, sourire charmeur accroché au visage juvénile –, se leva d'un bond et se dirigea vers elle. À sa vue, elle se troubla. N'était-ce pas son premier amour ? Mais si, c'était bien lui. Il s'appelait Antoine Dubois. Le nom Dubois était si courant qu'elle n'avait pas fait le rapprochement avec celui de son amant de jeunesse. Elle avait gardé le sou-venir d'un étudiant un peu anarchique, toujours éche-velé et mis à la diable. Les meurtrissures du temps, le front plus haut, la mâchoire plus forte, tout un réseau de rides légères et rieuses ajoutaient un je-ne-sais-quoi à son charme, le rendant plus viril.

Quand il lui tendit la main, son cœur fit un bond, mais elle ne montra pas son émotion. Bien que d'un tempérament passionné, une pudeur, venue de son éducation et du code de la société qu'elle fréquentait où l'impassibilité se cultive comme un art, lui interdisait de révéler tout ce qui touchait à sa vie intime.

— Madame Escartepigne ? demanda-t-il.

— Oui, je suis la maman de Marion, répondit-elle d'une voix un peu tremblante.

En entendant sa voix, il tressaillit. Son visage passa par toute une gamme de sentiments : la surprise, l'incrédulité et enfin la joie.

— Lili ! s'écria-t-il. Comment est-ce possible ? Je ne t'avais pas reconnue.

— Moi, je t'ai reconnu tout de suite, souffla-t-elle. Tu n'as pas changé.

— Toi non plus, c'est juste que tu es blonde maintenant ; j'avais le souvenir d'une pétulante rousse.

Il la dévorait de son regard bleu pétillant d'intelligence derrière ses petites lunettes d'intellectuel.

— Et toi, tu portes des lunettes maintenant, remarqua-t-elle pour cacher son trouble.

— Eh oui, les binocles pour corriger la fameuse presbytie de la quarantaine, fit-il avec un petit rire.

Noëlie nota que ses fossettes s'étaient creusées au fil des années.

— À la fin de la récré, on sera tranquilles. En attendant, je t'offre un café comme au bon vieux temps, lança-t-il gaiement.

Il alla au distributeur, inséra sa pièce et revint vers elle avec un gobelet brûlant rempli à ras bord. Il le lui tendit.

Elle but une gorgée. Le café était fade.

— Il a autant de goût que celui de la fac ! constata-t-elle avec un petit rire.

Le son strident de la cloche indiquant la reprise des cours après la récréation retentit. Comme une volée de pies-jacasses, les profs saisirent leur cartable et se dispersèrent, les laissant seuls dans la grande salle. Antoine l'invita à s'asseoir à une table près de la fenêtre.

— Alors comme ça, Marion est ta fille ! dit-il en prenant place en face d'elle. Elle a un sacré carafon, comme sa mère ! Mais ne te fais pas de souci, elle est intelligente, c'est juste une petite crise de ras-le-bol. Tout va s'arranger. Dire que je ne m'étais pas douté un seul instant qu'elle était ta fille ! Pourtant j'aurais dû en raison du nom d'Escartepigne qui n'est pas courant !

— Et dont tu faisais des gorges chaudes à l'époque.

— C'est vrai, mais c'était à mettre sur le compte de la jalousie. J'étais furieux que tu le préférasses au mien !

Il avait employé sciemment l'imparfait du subjonctif, comme ils s'amusaient à le faire à l'époque quand il s'écriait malicieusement : « Ah ! fallait-il que je t'aimasse ! » et qu'elle rétorquait : « Encore eût-il fallu que je le susse ! » Noëlie pouffa à ce souvenir.

— Dubois, le nom que je t'offrais avec la bague au doigt, était quand même plus original ! poursuivit-il, solennel.

— Je ne savais pas que tu étais revenu dans la région, constata Noëlie, en détournant la conversation du sujet épineux de sa rupture avec Antoine. Tu avais été muté en Lorraine, n'est-ce pas ?

— Oui, j'ai enseigné à Thionville, mais la mer me manquait. Après mon divorce, plus rien ne me retenait dans ces brumes lointaines, et les années d'exil m'avaient donné assez de points pour obtenir ma mutation dans le Sud !

— Tu as divorcé ? Tu n'étais pas heureux avec Lucile ? s'exclama Noëlie, sans dissimuler son étonnement.

Elle se souvenait de Lucile, la petite boulotte, toujours de bonne humeur, aux fous rires tonitruants, une étudiante brillante qui avait réussi haut la main son agrégation de lettres.

Antoine la dévisagea de ses grands yeux tristes.

— Tu me le demandes, Noëlie ?

Elle écarquilla les yeux de surprise :

— Allons, tu ne vas pas me dire qu'après toutes ces années...

Il hocha affirmativement de la tête et murmura, la regardant avec tendresse :

— Le premier amour dure toujours.

Elle réprima à grand-peine un hoquet de surprise :

— Tu n'as pas aimé ta femme ?

Antoine soupira, la fixant de ses yeux bleus autour desquels se creusaient de petites rides.

— Si, bien sûr, du moins au début, dit-il, le menton légèrement tremblant, mais je n'ai jamais éprouvé les sentiments que j'avais pour toi. Ni avec les autres femmes que j'ai fréquentées après notre divorce. Je n'ai pas cessé d'espérer qu'un jour peut-être...

Il cacha son visage dans ses mains. Noëlie, émue, caressa doucement sa mèche rebelle. Il releva la tête et, comme dans une eau fraîche, elle plongea dans l'azur transparent de ses iris avec l'impression qu'il voyait au tréfonds de son âme. Le trouble unique et indicible des premières amours l'envahissait, abolissant l'espace et le temps. Elle était de nouveau l'étudiante de dix-huit ans. La vie s'ouvrait devant elle. Des images jaillirent et elle sourit, se rappelant les facéties estudiantines, la préparation des examens, les dînettes dans sa piaule, les conversations à bâtons rompus à l'âge où l'on refait le monde, les sorties au cinéma, les escapades dans les calanques où ils ne cessaient de se photographier, de s'embrasser, jamais rassasiés l'un de l'autre. Les paroles qu'il lui avait chuchotées au matin de leur première nuit d'amour, près d'une cascade : « Lili, on a les mêmes goûts, on s'entend bien sur tous les plans, épouse-moi, je saurai te rendre heureuse ! »

Antoine et ses grands yeux d'épagneul triste quand elle lui avait annoncé ses fiançailles avec Victor. Antoine qui s'était marié par dépit avec une autre et qui était libre maintenant. Antoine qui ne l'avait jamais oubliée.

Leurs regards s'accrochèrent. Il lui sourit. Et elle retrouva dans son sourire toute l'intimité, le courant subtil et fort qui passait entre eux.

— Tony, murmura-t-elle.

Le surnom qu'elle lui donnait alors lui était venu spontanément aux lèvres.

Comme s'il n'attendait que sa permission, Antoine se leva et la serra contre lui. Avec prudence, craignant encore une rebuffade de sa part. Il avait peine à croire qu'elle ne le repoussât pas. Il se vit dans le miroir de ses yeux verts, image minuscule réfléchie dans les iris brillants. Elle retint sa respiration et lui donna son consentement implicite. Ses cils battirent une fois et se mouillèrent. Mais la joie dévorait ses larmes. Il la regardait avec un émerveillement incrédule.

— Je ne t'ai jamais oubliée, Noëlie ! Si tu savais comme j'ai espéré ce moment...

Ils restèrent silencieux. Le silence était ponctué par les jurons et les coups de sifflet du professeur d'EPS dans la cour. Bouleversée, Noëlie enfouit sa tête dans le creux de son épaule, avec le soupir las de l'enfant perdu et enfin retrouvé. Un trouble familier renaissait au fond d'elle-même, une contraction de tout son être, un vide qui appelait celui qu'elle avait aimé et sacrifié au bon vouloir de son père. Elle sentait le même courant en lui, percevait les battements de leurs cœurs. À l'unisson.

— Je t'aime, Tony, souffla-t-elle.

Dans sa tête se bousculaient les questions qu'elle aurait voulu lui poser, mais le moment était mal choisi. Dans le couloir régnait l'agitation qui précède les sonneries. Elle l'embrassa goulûment tandis que les murs gris, les tableaux d'affichage, les gobelets, les tables et les chaises tourbillonnaient. Des talons claquèrent. Ils se séparèrent. Déjà, la porte s'ouvrait livrant passage à une prof attifée comme une pauvresse, une sorte de terreur animale dans le regard. Le prototype du prof chahuté.

— Un élève de quatrième m'a traitée de pute ! se plaignit-elle avant de disparaître dans les toilettes.

— Eût-il dit péripatéticienne, il eût été dans le vrai ! souffla Antoine à Noëlie, les yeux pétillant de malice.

— Cette femme est une petite vertu ? demanda Noëlie, amusée.

Antoine partit d'un bel éclat de rire. Et, prenant un ton docte :

— Avec l'immense culture qui est la vôtre, je m'étonne, chère madame, que vous ignorassiez que « péripatéticien » signifie « promeneur » d'après le nom des disciples d'Aristote qui, à l'instar du maître, dispensaient leur cours en se promenant sous les ombrages. Terme qui s'applique tout à fait à notre digne collègue atteinte de bougeotte, comme le prouvent ses incessantes sorties avec les élèves qui lui évitent le huis clos infernal de la salle de classe avec les monstres déchaînés !

Noëlie éclata de rire à son tour. Elle retrouvait, ravie, la complicité qui les unissait autrefois. Comme s'ils n'avaient jamais été séparés. Peu à peu, la salle se remplissait. Antoine arracha une page de son calepin. Sous ses coordonnées, il nota de sa petite écriture nerveuse :

Je ne renoncerai jamais à toi... Plus jamais. Je t'aime, ma Lili. Mille baisers coquins. Tony.

— N'hésitez pas à m'appeler si votre fille a un problème, lâcha-t-il, sérieux comme un apôtre, en lui tendant la feuille, tandis qu'une lueur d'espièglerie s'allumait dans ses yeux.

9

— Putain, Zoé, viens voir ça ! La bourgeoise veut s'acheter un sac à main, tu ne devineras pas à combien.

Zoé s'approcha de l'ordinateur et se pencha pour lire ce que Noëlie avait marqué le matin même sur sa page Facebook :

JE CRAQUE POUR CE SAC, VOUS LE TROUVEZ COMMENT ? J'AI DÉJÀ LES BOTTES ASSORTIES, ELLES SONT CLASSE ! ☺

Suivait un lien qui conduisait dans une grande maroquinerie.

— Ouais, il est pas mal, ce sac ! Clique sur le lien que je voie le prix.

— Tu l'estimes à combien ?

— Ben, j'en sais rien, moi. Le mien m'a coûté 5 euros à Emmaüs. Je dirais au pif 150 euros.

Léo cliqua sur le lien en ricanant.

— Tu es loin du compte ! Regarde !

Le lien s'ouvrit sur la photo du sac. À côté du commentaire – *Simple et élégant : sac en fin cuir de veau noir par Hermès* –, on pouvait lire 1 580 euros.

En voyant la somme, Zoé faillit s'étrangler.

— Ah ben, ça alors ! Incroyable ! Il faut être sacrément friqué pour se payer un machin pareil ! C'est bien plus que ce que je gagne par mois à l'hosto en bossant comme une dingue !

— Tu pourras bientôt te l'offrir, ma chérie ! s'écria Léo avec un ricanement qui ressemblait au braiment d'un âne découvrant une carotte.

L'éclair fulgurant qui avait illuminé les circonvolutions brumeuses de son cerveau s'était mué en obsession. Usurper l'identité de Noëlie Escartepigne en prenant sa place ! Une idée fixe qui s'était mise à proliférer comme une tumeur.

Il avait réuni une documentation complète sur Noëlie. À force de la lire et de la relire, il la connaissait par cœur. Il avait eu en revanche beaucoup de mal à gagner Zoé à sa cause. Zoé qui avait les pieds sur terre et qui était têtue comme une mule. Même si elle aimait jouer avec l'idée et s'enchanter du projet, il demeurait pour elle un jeu de l'esprit, un roman, un rêve qui ne verrait jamais le jour. Elle s'était butée et s'entêtait à répéter que c'était complètement barge et irréalisable.

Depuis dix jours, Léo était sans arrêt revenu à la charge, ne lui laissant aucun répit, exposant inlassablement les rouages de ce qu'il appelait son « génial complot », son « chef-d'œuvre d'intelligence » en se frappant sur le cœur, siège du génie ! Mais pour Zoé, lasse de l'entendre ressasser sa litanie de raisonnements, c'était la pire connerie ! De plus, contrairement à lui, bien qu'elle se gaussât du conformisme et des valeurs bourgeoises étriquées, elle avait un sens moral bien à elle. Elle s'obstinait à penser que chausser les souliers de quelqu'un n'était rien d'autre que d'être un faussaire et qu'il fallait être tombé bien bas pour s'abaisser à une telle supercherie. Elle écoutait les explications de Léo, les yeux mi-clos, le visage crispé, figée dans un refus de tout le corps. Il avait eu beau lui prouver par A plus B que le projet était adroit et ne comportait aucun risque, elle faisait non de la tête, comme une femme soudain décidée à rompre. Il bouillait intérieurement devant son obstination. Il avait même eu souvent envie de la frapper pour l'y contraindre. Mais la violence n'aurait servi à rien, car il ne fallait surtout pas la braquer. Finalement, son enthousiasme communicatif et les arguments toujours plus persuasifs qu'il lui assénait avaient fini par vaincre ses réticences. Mais c'était surtout le fait de ne pas avoir à teindre ses cheveux qui l'avait convaincue en dernier ressort.

Noëlie avait en effet annoncé récemment sur Facebook sa décision de reprendre sa couleur naturelle et de redevenir rousse. Le lendemain, à sa sortie de chez le coiffeur, elle avait posté une photo. Sa ressemblance avec Zoé était maintenant frappante. Les deux femmes étaient presque interchangeables. Comme de vraies jumelles. Même si Zoé était un peu plus corpulente que Noëlie.

— J'hallucine, s'était exclamée Zoé, on dirait vraiment que c'est moi !

Et elle avait refoulé ses hésitations et décidé de mettre à exécution l'idée de Léo.

Depuis, elle avait renoncé aux sucreries et déjà perdu trois kilos. Elle avait aussi passé au crible tous les commentaires de son sosie sur Facebook afin de connaître sa vie dans ses moindres détails, se livrant de l'intérieur – comme cachée dans le cheval de Troie de la mythologie – à un véritable espionnage. Elle singeait servilement ses attitudes et son langage relevé, s'appropriait ses opinions et ses pensées. Elle avait même commencé la lecture du prix Goncourt que Noëlie venait de terminer et dont elle avait fait une critique dithyrambique. En un mot, elle s'était branchée sur cette femme. Dépassant toutes les attentes de Léo, elle faisait preuve d'un don de mimétisme tel qu'elle arrivait à communier et à s'identifier totalement avec son modèle.

Restait une question épineuse : la voix. Zoé avait-elle la même voix que Noëlie ? Pour s'en assurer, Léo avait téléphoné à plusieurs reprises chez les Escartepigne en se faisant passer pour un copain de fac, mais jusqu'à présent, il n'était tombé que sur la femme de ménage ou sur les enfants qui lui avaient répondu que la patronne ou leur mère était absente.

« Elle est toujours en vadrouille, cette nana ! Mais où va-t-elle bourlinguer, bordel de merde ? » s'était-il demandé avec un soupir de rage concentrée.

Et le soir, il lui suffisait de consulter sa page Facebook pour avoir la réponse. Noëlie racontait en effet ses sorties avec force détails à ses amis virtuels : elle était allée faire du shopping dans des boutiques branchées ou au cinéma, au théâtre, à la plage, à des vernissages, des cocktails, des « expos super »...

Une existence vouée exclusivement aux loisirs qui éveillait chez Zoé le démon de l'envie.

D'autres problèmes se posaient qu'ils n'avaient pas encore résolus. Comment Léo expliquerait-il à ses potes la disparition de Zoé ? Mais surtout, quel sort réserver à Noëlie ?

Quand Zoé l'interrogeait là-dessus, il restait vague. Il disait qu'il la séquestrerait. Mais pouvait-on la retenir prisonnière indéfiniment ? demandait Zoé qui frémissait à la pensée que Léo pût avoir dans l'idée de la buter, car si elle avait fini par accepter de lui voler sa vie, elle ne voulait pas d'effusion de sang.

Léo lui fit signe d'approcher en montrant son téléphone portable collé à son oreille.

— Allô ! oui, pouvez-vous me la passer ? clama-t-il.

Et devant le regard interrogateur de Zoé, il chuchota :

— C'est la nana qui va me parler.

Il actionna la fonction enregistrement et activa le haut-parleur.

— Allô ? fit une voix distinguée.

— Madame Escartepigne ? demanda Léo en falsifiant la sienne.

— Elle-même. Qui est à l'appareil ?

Le timbre de la voix ressemblait étrangement à celui de Zoé, mais avec un accent pointu, sophistiqué.

«Comme une présentatrice des infos», songea Zoé.

— Voilà, je vous explique, je suis Théo Plantin. J'organise une rencontre entre anciens du collège Marcel-Pagnol. C'est pourquoi je vous contacte.

— Vous devez faire erreur, monsieur, je n'ai pas fréquenté cet établissement. J'ai fait mes études à l'institution du Sacré-Cœur, une école privée.

— C'est curieux, votre nom est mentionné : Noëlie Escartepigne, c'est bien ça ?

— Non, j'étais inscrite au lycée sous mon nom de jeune fille : Noëlie Nobleval.

— Ah ! Excusez-moi, j'ai dû me tromper, je vous souhaite une bonne soirée.

— De rien, au revoir, monsieur.

Léo se tourna vers Zoé.

— Eh bien, qu'est-ce que tu en dis ? Moi, je trouve qu'elle a la même voix que toi.

— Tu rigoles ! Je ne parle pas comme ça, elle parle pointu comme les rupins et les snobs, se récria Zoé.

— Tu confonds la voix et l'accent. Je te dis que vous avez la même voix. Il faudra juste que tu corriges ton accent pour faire classe.

— Tu veux que je parle comme « les gens de la pincée » ? Tu crois que c'est facile, toi ?

— On va réécouter l'enregistrement, et tu vas t'entraîner cet aprèm à répéter les phrases. Tu finiras par parler comme elle, fit-il en singeant l'accent parisien adopté par les bourgeois des quartiers chic.

— Joli week-end en perspective. Quand je pense à tous les gens qui profitent de la mer ! Et moi, niet : je dois m'entraîner à prendre l'accent snob d'une bourge pour un coup fumeux.

— Il le faut, chérie. Pense à tout le pognon qui nous attend, servi sur un plateau ! Ça vaut quand même la peine, non ? Tiens, si tu es bien sage, je t'invite ce soir au resto, et c'est toi qui commanderas les plats avec l'accent aristo. On verra si le maître d'hôtel te fait des salamalecs comme aux gens de la haute. Ce sera un bon test.

10

— Qu'est-ce qui, d'après Lévi-Strauss, marque le passage de la nature à la culture, ce qui fait de l'homme naturel un être culturel ? demanda le gros prof de philo, campé sur l'estrade.

Il avait la voix grave et rauque à force d'aboyer des questions qui demeuraient sans réponse. Les élèves restèrent immobiles et silencieux comme des taupes.

— Vous n'avez pas relu le cours ? s'énerva-t-il et il se mit à déambuler dans la classe, mains dans les poches.

Il s'arrêta devant une petite boulotte aux yeux de carpe morte.

— Mademoiselle Devache, s'il vous plaît !

L'adolescente se tortilla sur sa chaise, mal à l'aise.

— Je m'appelle Deveau, monsieur, pas Devache.

— Et c'est tout ce que vous trouvez à dire ? hurla le prof.

Il s'approcha de la fille, la bouche écumante, serrant les poings à mort comme s'il allait la frapper.

— Vous êtes d'une superficialité rare ! Je me demande ce que vous faites ici ! Vous feriez mieux d'aller garder votre troupeau de vaches ou plutôt de veaux !

Cette sortie injustifiée jeta un froid dans la classe. L'élève se recroquevilla sur sa chaise, apeurée.

— Voyons, Orsini, à vous l'honneur ! cria le prof en s'avançant vers un grand escogriffe qui mâchait son chewing-gum avec désinvolture.

Marion, qui était placée juste derrière Yann, regarda subrepticement son cours et lui souffla :

— La prohibition de l'inceste !

Elle était heureuse de pouvoir aider le BG.

— C'est la prostitution de l'insecte ! clama le grand escogriffe d'un ton assuré.

On entendit des gloussements au fond de la salle. Le prof gesticula devant eux comme un diable qui a reçu sur la tête un goupillon d'eau bénite.

— Vous le faites exprès ou quoi ? vociféra-t-il. Vous croyez qu'on va donner le bac à un ignare de votre espèce ? Orsini, je vous mets zéro. Mademoiselle Escartepigne, pouvez-vous corriger l'ânerie monumentale de votre camarade ?

Prise à partie, Marion devint écarlate.

— J'sais pas, moi, bégaya-t-elle.

Le prof singea la voix bêlante de Marion :

— Comment ça, *j'sais pas, moi* ? Votre univers mental n'est guère plus évolué que celui de l'éponge des grands fonds...

« Quel gros con ! » pensa Marion, vexée. Elle n'avait pas donné elle-même la bonne réponse pour ne pas faire ombrage à Yann. Depuis des jours, elle cherchait à draguer le beau gosse – le BG –, mais ses tentatives d'approche s'avéraient vaines. Il ne semblait pas la voir. Pourtant, elle kiffait grave et ne ménageait pas ses regards langoureux. Elle aimait son genre voyou, l'insolence avec laquelle il toisait les profs... Comment faire pour attirer son attention ? À la fin du cours, elle allait essayer de l'aborder.

Le ronron monocorde, que le prof dégurgitait depuis des lustres avec l'onction d'un curé en chaire, fut enfin interrompu par le son strident de la sonnerie, immédiatement suivi du « ouf ! » libérateur des élèves qui se moquaient des théories de Lévi-Strauss comme un âne d'un coup de chapeau. Ils rangèrent leurs affaires et s'élancèrent à l'assaut de la porte dans la bousculade et le chahut.

Marion fourra sa trousse et son classeur dans son sac à dos et passa devant le grand escogriffe en roulant lascivement ses petites fesses vers la sortie. Ses seins pointaient hardiment sous son T-shirt si court qu'il dévoilait son ventre bombé, orné d'un anneau doré au nombril. Elle s'arrêta dans le couloir devant la porte en se dandinant avec un air effronté. Yann ne tarda pas à quitter la salle.

— Quel mec pourri ! murmura-t-elle, désignant le gros prof qui s'épongeait le front avec un mouchoir à carreaux avant de remplir le cahier de textes de la classe. Et il pue comme un bouc ! poursuivit-elle en fronçant son petit nez retroussé.

Le garçon lui décocha un regard furieux.

— Pourquoi tu m'as soufflé une connerie ?

— C'était la bonne réponse, mais tu as mal entendu. Je t'ai soufflé « la prohibition de l'inceste », et tu as répété « la prostitution de l'insecte », se récria-t-elle avec véhémence.

— Ah bon ! fit-il en ricanant. C'était vachement sympa de m'aider, mais c'était pas la peine, j'en ai rien à cirer que ce connard me foute un zéro. Avec mes antisèches, j'aurai quand même le bac haut la main, comme le brevet, et sans rien branler. La gruge, ça me connaît.

— Tu triches aux exams ? C'est risqué ! s'écria Marion, pétrie d'admiration, la bouche en cœur.

— Question d'entraînement, j'ai commencé en primaire, maintenant je suis super au point.

— Moi, la triche ça me fait flipper. On peut se faire « pécho » !

— Tu devrais essayer pour le fun, l'adrénaline. Le pied, quoi ! Et on ne se fait plus chier à apprendre ces conneries dont on nous gave. Moi, je triche depuis des plombes et je ne me suis jamais fait cramer. C'est l'habitude.

Son sourire d'une oreille à l'autre encadrait des dents éclatantes.

Marion ramena une mèche de cheveux derrière son oreille.

— Dis, tu voudrais bien me montrer ? roucoula-t-elle en minaudant comme une petite fille.

— Ouais, si tu veux, j'ai des tonnes d'antisèches, mais il faut du matos et surtout de la technique. T'as qu'à venir chez moi cet aprèm et je t'apprendrai tout ça.

— O.K., mais où tu crèches ? demanda Marion qui jubilait.

— Impasse des Rhododendrons, le n° 8, tout au fond !

— Super, c'est près de chez moi, l'impasse des Mimosas.

— Cool, à plus !

11

À quinze heures, Marion descendit de son VTT qu'elle appuya à l'imposante grille flanquée de deux piliers surmontés de deux lions dorés. Elle enfonça la sonnette. L'Interphone grésilla et une voix de femme lui demanda son nom.

— Marion, une copine de classe de Yann !

Une seconde après, la grille émit un petit bourdonnement et s'ouvrit. Poussant son vélo, elle remonta l'allée qui serpentait à travers un bosquet de pins. Un dernier virage, et la maison apparut : une villa tape-à-l'œil avec ses deux pilastres et son fronton, sa tour ronde, ses balcons ouvragés, sa fontaine ornée d'une naïade en bronze sur un coquillage.

Une quadragénaire brune distinguée qui, à en juger par sa ressemblance avec Yann, devait être sa mère se tenait sur le pas de la porte. Elle portait une robe longue en lin naturel et des chaussures à brides. Ses cheveux étaient rassemblés en un chignon sur la nuque, dégageant son visage en forme de cœur. Elle l'accueillit avec un grand sourire et lui tendit la main.

— Bonjour, Marion, lui lança-t-elle d'une voix chantante. Je suis la maman de Yann. Vous êtes dans sa classe, m'avez-vous dit ?

— Bonjour, madame, marmonna Marion, intimidée par cette femme élégante, en lui serrant la main. Oui, nous devons faire un exposé ensemble.

— Eh bien, parfait. Yann fait ses longueurs, dit-elle. La piscine est derrière les massifs. Vous pouvez aller le surprendre !

Marion suivit un sentier qui se faufilait au milieu des palmiers et des massifs de rhododendrons pour déboucher sur une pelouse descendant jusqu'à une piscine bleu lagon en forme de haricot. Yann fendait l'eau d'un crawl puissant et régulier. Il releva la tête pour avaler un peu d'air et aperçut Marion. Il se renversa sur le dos et glissa vers le bord. D'une traction, il sortit du bassin. Marion admira le corps bronzé, la poitrine musclée, le ventre plat ; elle le trouvait canon.

— Salut ! fit-il, tambourinant avec une fierté non dissimulée sur ses abdominaux. Tu veux te baquer ?

— Oui, pourquoi pas ? s'écria Marion en quittant sa robe.

Elle portait un bikini rouge qui mettait en valeur son corps svelte et souple, sa croupe bien ronde et ferme, ses longues jambes et sa peau dorée. Yann la jaugea et poussa un petit sifflement admiratif.

— T'es canon ! s'exclama-t-il.

— C'est drôle, je viens de penser la même chose de toi ! Toi aussi t'es canon, rétorqua-t-elle en riant.

— Un canon, c'est boulet ! s'écria Yann en s'élançant dans le bassin où il atterrit comme une bombe en éclaboussant Marion.

Elle plaça ses bras au-dessus de la tête, se pencha en visant la surface de l'eau, leva lentement la jambe en arrière et bascula en avant dans un plongeon impeccable. Elle réapparut à l'autre bout du bassin et sourit de toutes ses dents. Yann s'était assis au bord de la piscine. Elle nagea vers lui et se tint debout dans l'eau.

— Tu nages super bien, dit-il.

— Normal, j'ai une piscine chez moi. Je peux m'entraîner.

— Tes vieux, ils sont friqués !

— Ouais, mon père est chirurgien, et le tien ?

— Commissaire !

— Et avec un père commissaire, tu pompes aux exams ! s'exclama Marion.

— Ça ne veut rien dire. Le frangin de mon paternel, il a failli faire de la taule pour un braquage ! Un mec super, mon oncle, et vachement cool, il me refile de la coke !

— Tu te shootes ?

— Ben oui, et toi tu n'as jamais touché à la came ?

— Non ! fit Marion en rougissant de son inexpérience.

Elle avait peur de passer pour une beauf.

— Ça manque à ta culture, tu vas voir, on va fumer un pétard, ça plombe le cerveau.

À la fin de l'après-midi, Marion avait non seulement percé les arcanes de l'art de la triche, mais elle avait fumé son premier joint, un peu à contrecœur pour ne pas décevoir Yann. Elle n'y avait pas pris de plaisir, au contraire. Après les premières bouffées, les posters sur les murs de la chambre de Yann avaient commencé à tournoyer. Elle avait eu chaud et soif, et puis soudain un froid glacial l'avait saisie et elle s'était mise à grelotter. Paniquée et livide, elle s'était accrochée à Yann en criant :

— Je flippe !

Il l'avait rassurée en affirmant que c'était la réaction normale la première fois. Le malaise une fois dissipé, Marion avait rosi de fierté. Elle avait franchi le pas ; Yann ne pourrait pas la trouver coincée.

Elle prit congé de Yann et de sa mère et enfourcha son vélo, ravie de sa journée.

— Enfin une jeune fille bien élevée ! remarqua Mme Orsini une fois que Marion eut disparu au tournant de l'allée. Cela change de la dernière que tu nous as amenée et qui ne m'a même pas saluée ! Que font ses parents ?

— Son père est gynéco à l'hosto.

— Quel est son nom ?

— Escartepigne !

— Le Pr Escartepigne ! s'écria sa mère. C'est un grand ponte, il est au Rotary.

Elle se rengorgea visiblement avant d'ajouter :

— Ton père le connaît ! Pas étonnant que leur fille ait de l'éducation. Je suis heureuse de te voir fréquenter enfin une jeune fille de notre monde !

12

Couché sur le flanc, les genoux au ventre, Léo revoyait activement les détails de son projet. Tout était au point pour son exécution. Il avait même choisi la date : le samedi suivant.

Zoé était fin prête ; avec une aisance étonnante et un don d'imitatrice hors du commun, elle était arrivée à singer les comportements, le langage, les tics et les mimiques d'un milieu totalement étranger au sien, au point de devenir la copie conforme de son modèle. Son double parfait. Elle avait pris un accent pointu plus vrai que nature, restituant les intonations de la voix de Noëlie avec la fidélité d'un magnétophone ; elle savait maintenant à la perfection pincer légèrement les lèvres pour émailler ses propos de mots branchés ; prendre l'air pénétré pour donner l'illusion qu'elle cogitait et la mine entendue pour éviter de se faire piéger par des questions embarrassantes ; hocher la tête de haut en bas en esquissant le rictus de connivence pour ne pas s'empêtrer dans des réponses ; ou encore recourir à quelques formules stéréotypées du style : *Pourquoi cette question ?* pour renvoyer la balle à son interlocuteur ou *Vous limitez le problème !* pour lui clouer le bec. Pour critiquer un livre, un film, un tableau ou une pièce, elle avait appris par cœur des phrases hermétiques qui ne voulaient rien dire, mais que d'aucuns feraient semblant de comprendre de crainte de passer pour ignares aux yeux des intellos qui eux non plus ne saisissaient goutte, ce qui ne les empêchait pas de se répandre en commentaires tout aussi profonds. Elle s'était entraînée à se tenir raide comme un ail et à toiser les gens de toutes hauteur, car les snobs ne regardent jamais le sol. En un mot : elle maîtrisait maintenant avec une virtuosité époustouflante tous les ingrédients de la « snoboïtude ». Léo en était soufflé. Avec son talent d'actrice, elle aurait assurément brûlé les planches ! De ce côté-là, tout était parfait.

Noëlie avait annoncé le matin même à ses amis de Facebook qu'elle irait ce soir-là au théâtre assister à une pièce « hyper intello » qui se terminerait vers minuit. Léo en avait déduit qu'elle se garerait au parking souterrain tout près du théâtre, l'endroit idéal pour une agression ! La conne, elle ne s'y serait pas mieux prise si elle avait voulu leur faciliter la tâche ! Pendant qu'elle regarderait ses conneries au théâtre, ils iraient à moto faire du repérage au parking où ils l'attendraient. Ensuite, il la prendrait par surprise. Il lui balancerait du chloroforme sur la tronche, la ligoterait et la chargerait dans le coffre de sa tire, une Golf dernier cri, cadeau de Noël du mari, dont elle avait posté une photo sur Facebook pour narguer les pauvres péquenots qui roulaient dans une guimbarde. Bientôt, elle la ramènerait moins, affublée des vieilles nippes de Zoé, enfermée dans la bicoque coupée du monde.

Une maison que Sylvio, le frangin commissaire, avait achetée au temps de son célibat, avec l'intention de la retaper, un projet abandonné après son mariage, car Hortense, sa nana, une bourge hyper snob, ne supportait pas l'isolement en pleine cambrousse. Léo avait réussi sans mal à forcer la serrure rouillée de la porte. Dieu merci, comme tout cambrioleur qui se respecte, il était passé maître dans l'art de casser une lourde ! C'était l'endroit idéal pour séquestrer la bonne femme, un coin désert au milieu du maquis. Elle pourrait s'époumoner tout son soûl, personne ne l'entendrait. Il n'y avait aucune habitation à des lieues à la ronde. Dans la bicoque, ils obligeraient la greluche à se déshabiller et Zoé enfilerait ses fringues de marque et prendrait son sac à main. Ils abandonneraient la bourge dans ce trou perdu et reviendraient en ville. Il déposerait Zoé au parking. Là, et c'était le moment critique tant redouté par Zoé, il l'assommerait, lui piquerait carte bancaire, carnet de chèques et bijoux pour laisser croire à une agression pour vol – il supposait que pour frimer au théâtre, cette snobinarde porterait ses précieux joyaux ! Il reprendrait ensuite sa moto et, sur le chemin du retour, il téléphonerait aux poulets d'une cabine publique afin de signaler qu'une femme s'était fait attaquer au parking souterrain. Après ce coup de fil, il rentrerait chez lui, peinard, pour attendre tranquillos la suite des événements.

Zoé serait conduite à l'hôpital où *son* mari viendrait la chercher pour la ramener au bercail. Le coup reçu sur la tête expliquerait ses « trous de mémoire », et elle aurait pris possession des lieux. Quant à la bourge – il s'était bien gardé de le dire à Zoé –, il la laisserait crever de faim et ferait disparaître le corps. Ni vu ni connu. Il dirait à ses potes que Zoé avait pris la tangente. Personne ne s'en étonnerait outre mesure : qu'une nana se tire était une chose banale dans la bande. Une de perdue et dix de retrouvées. Les vieux de Zoé, quant à eux, n'étaient pas du genre bileux. Ces deux pigeons sur le retour filaient leur romance dans la Drôme et se souciaient de leur petite-fille comme un poisson d'une bouée de sauvetage. Ils ne prendraient donc pas de nouvelles avant longtemps. Finalement, c'était un coup super fastoche à réaliser. Il n'y avait aucun risque puisque aucune disparition ne serait signalée, ce qu'il ne cessait de rabâcher à Zoé. Elle avait eu un trac fou quand il lui avait exposé son plan et annoncé la date, il l'avait bien senti. Elle avait tergiversé, ergoté à l'infini pour en différer encore l'exécution. Mais il n'en était pas question. Une telle occase ne se reproduirait pas de sitôt. Noëlie sortait rarement seule le soir, ils avaient un sacré bol que cette pièce à la con n'intéressât ni son mari ni son ado. Il ouvrit encore une fois la page Facebook de Noëlie et poussa un juron.

— Bordel de merde !

— Qu'est-ce qu'il y a encore ? demanda Zoé, en train de se faire les ongles.

— La nana a changé de coiffure. Il va falloir t'couper les tifs !

Zoé se précipita vers l'ordinateur et vit la dernière photo du profil avec une coupe au carré. À côté, elle avait posté la question : COMMENT ME TROUVEZ-VOUS ?

Naturellement, une flopée d'amis, experts dans l'art de manier la brosse à reluire, avaient cliqué sur « J'aime » sans lésiner sur les couches de pommade, les coups d'encensoir et de smileys.

I LIKE T'ES CANON ! ☺☺☺
UNE VÉRITABLE BOMBE ☺☺☺
CLASSE ! T'ES HYPER BELLE ! ☺☺☺
SUPER ! ♥☺☺ BIZ
TU FAIS VACHEMENT + JEUNE ! ☺☺☺☺
ON TE DONNERAIT L'ÂGE DE TA FILLE... ☺☺
G T'♥♥♥♥♥♥♥♥♥♥ BEL ANGE ADORÉ.
BELLE COMME UN ✹ ON T'ADORE ♥♥♥♥♥

— Ah non, pas ça ! Bon sang, qu'est-ce qu'il lui a pris de sacrifier ses cheveux ? gémit Zoé en s'arrachant les siens.

— Tu seras pas mal, je pense aussi que ça rajeunit, les tifs plus courts, lui affirma Léo. D'ailleurs, je trouve ta tignasse trop longue, ça fait un peu ringard !

— Tu commences à me faire chier avec cette histoire, se rebiffa Zoé, vexée. Tu m'en demandes toujours plus. J'ai appris à parler pointu comme une Parigote, à prendre des poses, à me tenir raide comme un piquet, je me suis enfilé des conneries de formules et des tonnes de sites à la con, et maintenant il faudrait que je coupe mes cheveux. J'en ai ras le cul, je ne marche plus !

— Allons, pense au fric. Qu'est-ce que tu en as à foutre de te rogner les tifs ? Tu n'auras qu'à les laisser repousser.

Zoé capitula à contrecœur.

— Je te préviens, c'est la dernière concession que je fais. Et c'est toi qui payes le coiffeur, connard !

— O.K., baby ! fit Léo d'une voix doucereuse.

Croisés sur ses genoux, ses doigts saillaient comme des griffes.

13

Noëlie contempla une dernière fois son image dans le miroir. Elle avait mis une éternité pour choisir sa tenue. Elle avait finalement opté pour une robe verte, toute simple, sans manches, un collier fantaisie et des boucles d'oreilles assorties. Comme celles qu'elle portait quand elle était étudiante. Pour Tony, pas besoin de paillettes. Au contraire. Elle avait repris sa couleur naturelle et sa coupe au carré. Tant pis si Victor préférait les blondes qui lui rappelaient Agnès, celle qu'il avait sacrifiée à son ambition. Elle retrouvait dans son reflet la jeune fille sans apprêt qu'Antoine avait aimée. Et ce soir, elle allait tromper son mari, son premier faux pas en seize ans de mariage. Son cœur battait très fort. Elle sentait se réveiller la femme qu'elle aurait dû être sans ce lâche renoncement à son premier (et seul) amour pour complaire à son père. Mais tout cela était de l'histoire ancienne. Désormais, elle était décidée à rester elle-même. Coûte que coûte.

Elle descendit dans le living. Son mari regardait les infos et Marion, affalée sur le canapé, remplissait la grille d'un sudoku.

— Où est Kevin ? demanda-t-elle.

— Il joue dans le jardin avec Carl, répondit Marion, le nez plongé dans sa feuille.

— Marion, je te charge de l'envoyer au lit dans une demi-heure. Demain, il a école ! Tu m'entends ?

— Bof, ça sert à rien de me dire ça. Il ne m'écoute jamais. Si tu veux qu'il se couche tôt, tu n'as qu'à rester ici au lieu de sortir, répliqua l'adolescente en inscrivant un chiffre dans une case.

La moutarde lui monta au nez, Noëlie se mit à tempêter :

— Mais bon sang, tu ne peux pas lever la tête quand je te parle ? Je répète : je veux que ton frère soit couché à huit heures et demie. Tu te débrouilles comme tu veux !

L'adolescente haussa les épaules sans répondre et lui jeta un regard plein d'insolence. Noëlie se contint pour ne pas lui envoyer une paire de claques.

— Tu ferais mieux de travailler ton bac au lieu de rester là à ne rien faire !

— Ah bon, je ne fais rien. Et ça, c'est quoi ? fit Marion en pointant son crayon vers sa grille.

Une vraie tête à gifles ! Noëlie serra les dents pour contenir la bouffée de rage impuissante qui la submergeait, elle aurait été capable d'assommer sa fille. Il valait mieux tirer sa révérence tout de suite.

— Bon, je m'en vais, lança-t-elle en tournant les talons. Je serai de retour après minuit !

— Sois prudente, lui recommanda Victor sans détourner les yeux de l'écran. C'est dangereux pour une femme de se promener seule la nuit, avec tout ce qui se passe en ville.

— Sois tranquille, je ne marcherai pas longtemps dans les rues, je me gare au parking du centre, à deux pas du théâtre.

— Eh bien, amuse-toi bien ! Et tâche de ne pas me réveiller en rentrant, je suis crevé. Moi, je travaille et je ne peux pas me payer le luxe de faire la grasse matinée.

Percevant dans les propos de son mari une agressivité confuse et surtout le reproche latent de sa vie oisive, elle se retint pour ne pas lui jeter à la figure que, si elle ne travaillait pas, c'était parce qu'elle avait dû interrompre ses études pour s'occuper de la maison et des gosses. Mais plutôt que de se lancer dans une vaine polémique, elle tourna les talons.

— Salut ! lança Marion, plongée dans son sudoku.

Une phrase d'André Gide, tirée des *Nourritures terrestres*, vint à l'esprit de Noëlie quand elle referma la porte : *Familles, je vous hais ! Foyers clos, portes refermées...*

14

— Zoé, passe-moi des bas.

— Des bas ? Pour quoi faire ?

— Des cagoules ! Il faut planquer nos têtes pour que la meuf ne puisse pas nous reconnaître.

Zoé sortit du tiroir de la commode une paire de collants qu'elle lança à Léo. Il prit des ciseaux, les coupa et fit deux trous à la place des yeux et une fente au niveau de la bouche. Il enfila un bas sur son visage, plaça les trous devant ses yeux et se regarda dans l'armoire à glace.

— Pas super, comme cagoule, mais ça ira quand même. Je vais te faire la tienne.

— J'ai acheté des provisions, annonça Zoé. J'ai préparé une Thermos de café et des sandwichs. Dis-moi, elle aura un lit pour dormir, au moins ?

— Ouais, mais c'est pas un hôtel 3 étoiles. Le sommier est un peu défoncé. Sylvio y passait la nuit avant son mariage quand il partait deux jours chasser la bécasse. Il y a plus de vingt ans. Bien sûr, il n'y a ni électricité ni eau courante.

— Comment elle fera pour se laver sans eau ?

— Elle restera crade. La crasse n'a jamais tué personne, ça conserve !

— Elle ne pourra pas s'échapper par les fenêtres ?

— Non, mon frangin les avait condamnées en clouant des planches pour éviter que des clodos aillent squatter le palace !

— Je vais ajouter une lampe électrique. On ne peut quand même pas la laisser dans le noir. Il te faudra lui porter du ravitaillement au moins tous les deux jours. Mais on ne pourra pas la garder là éternellement. Tu as réfléchi à ça ?

— Rassure-toi, je trouverai une solution, éluda Léo.

15

— J'ai encore faim de toi ! souffla Noëlie à l'oreille d'Antoine, la voix vibrante d'émotion.

Ils étaient allongés sur le dos, la main dans la main, comme des gisants de pierre dans une cathédrale, tout au bonheur d'être ensemble. Les yeux mi-clos, elle se serra contre lui.

Après une dînette improvisée, une autre faim s'était allumée dans leurs regards, les faisant rire sans raison, donnant à leurs propos une sourde chaleur. Jusqu'à présent, ils n'avaient eu que des fragments de journée, des morceaux de matinée ou des lambeaux d'après-midi pour se retrouver dans un café discret du vieux port. Aujourd'hui, pour la première fois, ils savou-raient quelques heures volées à la nuit, si douce aux amants. Dehors régnait la pénombre. Seuls des sons veloutés entraient par la fenêtre ouverte. À l'intérieur, la lampe sur la table de chevet les nimbait d'un halo doré.

Antoine attira le visage de Noëlie vers le sien et posa ses lèvres sur ses yeux, sur sa bouche. Elle avait les lèvres douces et fraîches. Ses cheveux l'inondèrent d'une pluie tiède qui sentait la terre brûlée et l'orage. *Un hémisphère dans une chevelure*, ce poème en prose de Baudelaire, tant de fois expliqué à ses élèves, jaillit dans son esprit.

— Tu me plais davantage en rousse ! Tu es plus naturelle, comme autrefois, remarqua-t-il, le regard bleu animé d'un éclat intense.

Tout en elle était musique : la perfection sculpturale de ses seins, les courbes pleines et gracieuses de ses hanches. Sa main parcourut la peau satinée, effleura les cuisses galbées, lisses comme un galet sur lequel passe et repasse la mer, et s'attarda tendrement sur la toison aux reflets roux.

Elle ferma les yeux, puis les rouvrit pour s'assurer qu'elle ne rêvait pas, qu'ils étaient bien là, tous les deux. Les années de séparation abolies. Puis elle les referma. Le souffle court, elle se cambra. Le sang battait de plus en plus vite dans ses veines. Elle prononça son nom, tandis qu'il l'agrippait. Elle gémit sous ses baisers et s'abandonna tout entière, le corps ondulant dans le balancement des vagues qui explosaient en elle, qui enflaient, de seconde en seconde, pour se déchaîner en une tempête qui l'emporta loin, très loin, dans un océan de vertiges. Exactement comme autrefois. Quand la vie s'ouvrait devant elle, pleine de promesses, avant qu'elle ne s'engluât dans l'étouffoir d'un mariage non désiré, les poumons pleins de cendres. Et voilà que, soudain, elle la sentait sourdre à nouveau par-delà les années mortes. Une vie toute neuve, débarrassée de ses scories. Elle l'aspirait de toutes ses forces, inhalait avec délices les bouffées d'un air plus pur. Comme si elle rejoignait sa propre jeunesse et que renaissait miraculeusement la jeune fille qu'elle avait été.

Antoine poussa un cri et retomba sur le dos, hors d'haleine. Ils restèrent enlacés un long moment sans rien dire. Comme s'ils craignaient de faire un accroc dans le tissu délicat de l'atmosphère. Puis, Noëlie se redressa sur un coude.

— Mon mariage avec Victor a été la bêtise de ma vie, murmura-t-elle.

— Tu ne l'aimais pas ?

— Non.

— Pourquoi t'être mariée avec lui, alors ?

— C'est difficile à expliquer. Je me sentais coupable vis-à-vis de papa qui rêvait pour moi d'une carrière dans la médecine. Épouser son interne le plus brillant était un peu une façon de me dédouaner à ses yeux, si tu vois ce que je veux dire. J'avais déçu ses espérances, mais il pouvait au moins se glorifier du succès de son gendre. Quand j'ai rompu avec toi, cela a été un déchirement, je savais inconsciemment que je renonçais au bonheur, d'autant que j'avais percé Victor à jour : je ne l'intéressais que parce que j'étais la fille du grand patron. Pour lui, il n'y avait que la carrière qui comptait. Il m'a d'ailleurs avoué plus tard qu'il avait connu l'amour avant moi. Une pauvre fille qu'il a sacrifiée à son ambition.

Elle poussa un soupir.

— J'étais trop jeune, je n'ai pas osé imposer ma volonté et je n'ai jamais été heureuse avec Victor.

— Moi aussi, je me culpabilise. J'ai mal agi à l'égard de Lucile. Elle méritait d'être aimée pour elle-même, mais je ne l'ai épousée que par dépit. À la fin, c'était devenu intolérable pour tous les deux et on a dû se séparer. Pourtant, je n'avais rien à lui reprocher. C'est une femme formidable à tous points de vue. Son seul défaut : elle n'était pas toi !

— Tu es resté longtemps marié ? demanda Noëlie.

— Quatre ans. J'ai décidé de partir le jour où elle a manifesté le désir d'être mère. Un enfant m'aurait enchaîné pour toujours dans ce mariage raté, car je n'aurais pas voulu lui infliger les affres d'un divorce. Je sais ce que c'est, j'ai assez souffert de celui de mes parents, quand mon père a laissé tomber ma mère pour une autre.

— On s'est retrouvés, c'est l'essentiel ! s'écria Noëlie. Je n'ai jamais été aussi heureuse.

— Moi non plus, mais qu'allons-nous faire, maintenant ? Sommes-nous condamnés à ne nous voir qu'en cachette, à la sauvette ?

— Franchement, je n'en sais rien. Sans les enfants, je n'hésiterais pas une minute à quitter Victor pour vivre avec toi. Mais ils y sont, et même si, je te l'avoue au risque de te choquer, je n'ai pas la fibre maternelle, j'ai conscience qu'ils ont besoin de moi, surtout Kevin qui est encore petit.

Ses yeux s'embuèrent.

— Je ne sais plus où j'en suis.

Silencieux, il prit son visage dans ses mains, l'embrassa sur le front, les joues, les yeux. Noëlie aurait voulu capturer ce moment comme les papillons qu'elle attrapait, enfant, dans son filet, rester à jamais avec son premier amour.

16

— Minuit ! souffla Léo en regardant sa montre, elle ne devrait plus tarder. Prépare ta cagoule !

Dans la lumière blême, son visage ressemblait à celui d'un macchabée.

Ils étaient descendus au troisième niveau du parking souterrain et s'étaient cachés derrière un 4x4, garé à côté de la Golf de Noëlie. Ils attendaient là depuis une demi-heure.

Soudain, ils entendirent un bruit de moteur, des phares balayèrent le parking.

— Une voiture, planque-toi ! souffla Léo.

Ils s'accroupirent derrière le 4x4.

— J'ai la trouille, gémit Zoé dont le cœur battait à tout rompre.

La voiture, une Twingo, vint se garer à côté de la Golf de Noëlie. Un couple en descendit. La femme consulta sa montre.

— Minuit pile, c'est parfait, je suis dans les temps ! s'écria-t-elle d'une voix haut perchée.

Léo pencha la tête pour regarder le couple.

— Merde, c'est la bourge, et elle n'est pas seule ! ragea-t-il.

Zoé ouvrit la bouche, mais il lui fit signe de se taire.

— Tu es sûre que ton mari ne soupçonnera rien ? demanda l'homme.

— Penses-tu, j'ai pris mes précautions. J'ai annoncé aux copines de Facebook que j'allais ce soir au théâtre. On ne sait jamais, s'il surfait sur ma page. En plus, j'étais certaine qu'il ne voudrait pas m'accompagner. Il a horreur du théâtre moderne. Sa culture s'arrête à Marivaux ! Demain, je le soûlerai avec des commentaires pointus et des détails sur la pièce.

— Le pauvre, il va attraper une indigestion d'avant-garde japonaise !

Ils éclatèrent d'un rire sonore qui ricocha sur les murs nus du parking. Puis il y eut un long silence. Zoé avança la tête avec précaution et eut une étrange sensation de dédoublement en voyant, à seulement deux mètres d'elle, son double en chair et en os dans les bras d'un bel homme à la crinière blonde ébouriffée. Elle resta figée, la bouche ouverte, contemplant ce couple avec l'impression de se regarder elle-même. Comme dans un rêve. Léo la tira en arrière.

— Elle lui roule une pelle, lui chuchota-t-elle à l'oreille.

Ils attendirent un moment.

— Eh bien, bonne nuit, mon chéri ! cria enfin Noëlie, avant de monter dans sa voiture.

— Bonne nuit, mon cœur. Prends bien soin de toi. Et n'oublie pas de m'envoyer un texto dès que tu es rentrée, répondit l'homme.

Quelques minutes plus tard, Léo et Zoé entendirent la Golf qui démarrait. Ils virent ensuite l'homme remonter dans la Twingo qui quitta à son tour le parking.

— Bordel de merde ! hurla Léo, hors de lui, en brandissant le poing dans la direction de la voiture. La salope nous a bien eus. Elle nous a fait croire qu'elle allait au théâtre et elle a passé la soirée à se faire tringler par un mec ! On est de retour à la case départ. Tout est à recommencer !

17

Léo, installé devant l'ordinateur, leva les yeux sur Zoé. Son visage était hagard dans l'aveuglante lumière du soleil, ses yeux noirs injectés de sang. Après leur fiasco de la veille, il n'avait pas fermé l'œil de la nuit. Il étudiait la page Facebook sur laquelle Noëlie informait la planète de ses activités.

— Cette bonne femme, elle est super douée pour raconter des craques ! Lis-moi ça !

Zoé s'approcha du portable et lut le message que Noëlie avait posté le matin même sur sa page.

HIER AU THÉÂTRE JE SUIS ALLÉE D'ÉTONNEMENT EN ÉTONNEMENT AVEC LA PIÈCE BRANCHÉE, INVENTIVE, PROVOCATRICE, À LA FOIS THÉÂTRE ET CIRQUE... EN UN MOT MAGNIFIQUE, HALLUCINANT, BLUFFANT !

— Son toubib est un bouffon. À moi, elle ne me ferait pas gober des mythos !

Zoé remarqua pour la première fois sur le visage de Léo de fines rides qui allaient du nez à la bouche et un petit pli d'inquiétude qui semblait s'être creusé durant la nuit entre ses sourcils.

— C'est bien beau, tout ça, mais maintenant que j'ai donné ma démission à l'hosto, de quoi on va vivre ? demanda-t-elle avec hargne.

Sans lui laisser une chance de répondre, elle leva une main manucurée.

— T'as intérêt à te secouer les puces sinon je me tire, j'en ai marre de tes combines à la con !

— Bordel, Zoé, on ne va pas laisser tomber ! Elle a le feu aux fesses, cette nana, je te prends le pari qu'elle va bientôt repartir baiser avec son mec. On aura une autre occase, et plus tôt que tu ne le crois, tu peux être tranquille. Dès qu'elle tire une nouvelle carotte et qu'elle annonce une sortie au cinoche ou ailleurs, cette fois, on ne tombera pas dans le panneau, c'est moi qui te le dis. On ne lui laissera pas quitter la maison, on la chopera chez elle.

Zoé haussa les sourcils.

— Comment ça ? Tu vas t'introduire chez eux ? Tu crois peut-être qu'on entre dans cette baraque comme dans un moulin !

— Non, on se postera devant la grille, et dès qu'elle aura avancé sa bagnole, j'ouvrirai sa portière. Et pour éviter qu'elle crie, je lui foutrai un coton de chloroforme sur le visage, elle tombera dans les pommes, et hop ! On l'embarque dans le coffre illico presto et ni vu ni connu. Ensuite, le scénario sera le même que prévu ! On enferme la gonzesse dans la bicoque, je te ramène au parking du centre vers minuit et je t'assomme !

— Beau programme, ironisa Zoé. En attendant, qu'est-ce que je fais, moi, sans boulot ?

— T'en avais ta claque de l'hosto, de quoi tu te plains ?

— Ouais, mais si ton projet foire, je me retrouve au chômage, merde ! On va vivre d'amour et d'eau fraîche, pauvre con ?

— En attendant la flotte, file-moi une bière !

Elle ouvrit le réfrigérateur et fut assaillie par une odeur de lait tourné. Elle attrapa un pack de six bouteilles derrière une carcasse de poulet dont il ne restait que des lambeaux de viande sèche sur des ossements grisâtres.

Léo l'avait suivie, les mains dans les poches. Elle lui tendit une bouteille. Il la décapsula, avala une gorgée. Sa pomme d'Adam saillait comme la phalange blanchie d'un doigt replié.

— J'en ai marre de tout ça. Je sens qu'on fait une connerie, je veux tout arrêter, lança-t-elle, épuisée par l'angoisse et le trac qui ne la quittaient plus depuis des semaines.

— T'en fais pas, baby, tu vas bientôt rouler sur l'or ! dit-il.

D'un seul mouvement, il posa sa bière sur le plan de travail et l'attrapa pour l'attirer dans ses bras.

— J'ai envie de baiser ! murmura-t-il en la plaquant contre le réfrigérateur qui se mit à bourdonner et à cliqueter.

Elle réussit à lui échapper, le sang battant à ses tempes.

— Va te faire foutre ! cria-t-elle.

18

— Eh bien, félicitations, tu t'es enfin décidée à te mettre au travail, ton devoir est parfait ! déclara Antoine en tendant sa copie à Marion avec un large sourire.

Marion regarda sa note, 18, et sans lever le petit doigt pour ingurgiter toutes « ces conneries dont elle n'avait rien à carrer ! », comme le disait Yann. C'était sa troisième excellente note en une semaine, depuis qu'il l'avait initiée à l'art de la triche. Maintenant, tout baignait. Depuis cet afflux de bons résultats, l'humeur de ses parents était au beau fixe.

L'après-midi passé chez Yann avait été très productif. En bon mentor, il lui avait donné un nombre incalculable d'astuces et de techniques, des plus simples aux plus sophistiquées, du papier glissé dans le capuchon du stylo à la triche high-tech : le mobile pour se connecter directement à Internet – plus efficace que le papier ! –, les SMS pour communiquer avec un pote à l'extérieur. Il avait même exhibé une montre spécialement conçue pour « rendre les études plus faciles », permettant de stocker des antisèches sous forme de textes numériques dans une mémoire intégrée. Il lui avait promis de l'accompagner dans la boutique où il se l'était procurée. Marion était comme sur un petit nuage.

Yann lui fit le V de la victoire avec ses doigts. Ravie, elle lui retourna un clin d'œil malicieux. À la sonnerie, elle se précipita vers le garçon.

— C'est super, grâce à toi, mes notes remontent en flèche !

— Et sans rien foutre ! ricana Yann. Attends un peu d'avoir la montre ! Si tu veux, on peut aller l'acheter tout de suite.

Ils sortirent du lycée et montèrent dans la Mini de Yann.

Marion constata avec satisfaction que ses copines, groupées devant l'arrêt du bus, bavaient d'envie. Elle leur adressa un signe de la main. Yann enclencha *Welcome to Detroit City* et la voix du rappeur américain Trick Trick envahit l'habitacle.

— Ça, ça décoiffe ! fit-il.

Ils roulèrent jusqu'au centre. Yann se gara dans une rue derrière l'hôtel de ville. Marion était fière d'être aux côtés du « beau gosse » qui marchait avec la grâce et l'aisance d'un athlète. Il était doté d'une élégance naturelle. Il portait un jean et un blouson en cuir d'un luxe discret. Un léger sourire flottait sur ses lèvres et ses yeux noirs étincelaient.

La boutique ne payait pas de mine, mais on y trouvait les objets les plus insolites. Un Asiatique corpulent, l'air rusé, se tenait derrière le comptoir. Yann demanda à voir les « montres à triche ». Si Marion était gênée, il affichait quant à lui une désinvolture et une candeur désarmantes.

Le gros homme leur présenta différents modèles qu'il posa devant eux sur le comptoir. Yann les étudia en connaisseur et conseilla à Marion de prendre la blanche, d'après lui plus féminine. Elle suivit son conseil et sortit son carnet de chèques. Le vendeur méfiant exigea une pièce d'identité.

Elle ouvrit son porte-cartes. Le regard de Yann tomba sur une photo de famille.

— Tu connais Zoé ? s'exclama-t-il, étonné.

— Zoé ? Non, fit Marion, les yeux ronds. Qui c'est ?

— Cette nana ! dit Yann en désignant Noëlie sur le cliché.

Marion partit d'un éclat de rire.

— Cette nana, comme tu dis, c'est ma mère !

— Ta mère ? Pas possible, passe-moi la photo !

Marion retira la photo de la fenêtre en plastique et la lui tendit. Il l'examina attentivement pendant quelques minutes avant de la lui rendre.

— Incroyable, c'est le sosie de Zoé ! s'écria-t-il.

— Qui c'est, Zoé ? demanda Marion, intriguée.

— C'est la meuf de Léo, mon oncle, le frère de mon paternel, celui qui me refile la coke. Elle est canon et vachement sympa.

— Elle ressemble tant que ça à ma mère ?

— C'est la même, sauf que Zoé, elle est rouquine.

— C'est drôle, parce que ma mère a repris sa couleur naturelle. Maintenant, elle est rousse, elle aussi !

— Ça alors, c'est dingue ! Elles doivent être pareilles ! Écoute, j'aimerais bien voir ta vioque pour pouvoir comparer.

— Si tu veux, tu n'as qu'à me raccompagner à la maison et tu la verras. Elle sera contente de te connaître. Elle aime surveiller mes fréquentations. Elle est super chiante.

— Comme la mienne ! D'ailleurs, tu lui as tapé dans l'œil, elle te trouve bien élevée.

Yann leva l'index et, avec la bouche en cul-de-poule, il ajouta, singeant l'accent affecté de sa mère :

— C'est une jeune fille de notre monde !

— Tu vas plaire aussi à ma mère. Elle pense que tu as une bonne influence sur moi parce que j'ai de bonnes notes depuis qu'on sort ensemble !

— Ouais, et elle n'a encore rien vu. Attends d'avoir la montre, ils vont être bluffés, tes vieux !

Marion tendit sa carte d'identité et son chèque au vendeur, puis ils quittèrent le magasin.

Lorsqu'ils arrivèrent devant la grille, elle actionna la télécommande du portail et lança :

— Au fait, Yann, j'y pense, surtout ne parle pas à ma mère de son sosie.

— Ah bon, pourquoi ça ?

— Depuis qu'elle a ouvert un compte Facebook, elle a pris la grosse tête. À presque quarante balais, elle poste des photos d'elle presque à poil pour montrer qu'elle est encore baisable ! C'est le *shame* ! Elle se croit la plus sexy. C'est pour ça qu'avoir un sosie, ça lui foutrait la rage !

— Ça va, je la bouclerai, et toi non plus, tu n'en parles pas à ma vioque parce qu'elle ne peut pas piffer Zoé et Léo. Elle les trouve trop vulgaires. Elle dit que c'est de la racaille. Et en plus si mon père savait que je vois son frangin, il me tuerait. Il m'a interdit de le fréquenter ! C'est la « tehon » de la famille.

19

Assise sur une banquette en velours à une petite table ronde devant le long miroir fixé au mur, Noëlie jouait machinalement avec son verre de Martini blanc en observant les glaçons s'entrechoquer quand Antoine entra dans le restaurant. C'est là qu'ils s'étaient donné rendez-vous la veille. Il était tôt, et il n'y avait que peu d'affluence.

— Bonjour, ma chérie, je suis un peu en retard parce que j'ai donné à mes élèves un devoir sur table, et il y a toujours des retardataires pour rendre les copies !

Il se pencha, déposa un baiser sur la joue de la jeune femme et s'installa en face d'elle.

— Tu sais quoi ? Ta fille bat tous les records, hier 18, et aujourd'hui 17 à l'interrogation écrite que j'ai rendue ce matin.

— Si elle rédige ses dissertations comme elle parle, je doute un peu de la qualité de son style ! gloussa Noëlie.

Ils furent interrompus par la serveuse qui venait prendre leur commande. Ils optèrent tous les deux pour des fruits de mer, spécialité de la maison, et une salade de fruits.

— En tout cas, Marion semble décidée à travailler et je m'en félicite, reprit-elle. Je pense que son nouveau copain n'est pas étranger à la chose.

— Cédric ?

— Non, celui qui est venu chez nous s'appelle Yann.

La serveuse leur apporta le plat de crustacés qu'ils attaquèrent de bon appétit.

— Eh bien, elle fait des conquêtes, ta fille ! J'en étais resté à Cédric. Tant mieux si elle l'a laissé tomber, il ne fichait rien. En revanche, sous ses airs désinvoltes, Yann est un bosseur.

— Depuis qu'elle sort avec lui, elle a l'air de prendre son travail plus au sérieux et je m'en réjouis. Au demeurant, il m'a fait une très bonne impression.

— Tu l'as vu ?

— Oui, il est venu hier à la maison. Je l'ai d'abord trouvé bizarre. Quand Marion me l'a présenté, on aurait dit qu'il avait une apparition : il m'a regardée en ouvrant des yeux comme des soucoupes, au point que j'étais dans mes petits souliers. Mais il a de l'éducation. Je suppose qu'il sort d'un milieu aisé.

— Yann est le fils du commissaire Orsini.

— Ah bon ! Me voilà rassurée ! C'est une excellente référence, Victor le connaît, c'est un membre du Rotary. Et je peux laisser aller Marion sans crainte chez un flic ! observa Noëlie avec un petit rire.

Ils continuèrent à bavarder, n'entendant ni le bourdonnement feutré des conversations, ni le cliquetis des couverts, ni le tintement de la vaisselle. Leur table était comme un radeau sur l'océan.

126

— Dommage que tu aies un conseil de classe ce soir. Mon mari passe la nuit à l'hôpital et j'aurais eu quartier libre !

— Et demain soir ?

— Non, demain, il reste à la maison. Mais attends... il me semble qu'on repasse au Prado *Magnolia*, un film hermétique que j'avais vu à sa sortie. Tout à fait le genre intello dont Victor a horreur. Je lui dirai que je tiens à tout prix à le revoir, et comme il dure trois heures, on aura du temps à nous...

Antoine regarda la femme aimée, perdue et retrouvée. Avec son bustier ajusté qui mettait en valeur ses seins ronds et sa taille fine, sa chevelure flamboyante et son petit nez retroussé semé de taches de rousseur, elle ressemblait tant à la jeune étudiante dont il avait été si éperdument amoureux que les années passées loin d'elle semblaient s'être évanouies. Comme si les aiguilles d'une l'horloge magique tournant à rebours lui faisaient remonter le temps et revivre le sortilège des premières amours. L'émotion dont il était la proie était la même, le battement de cœur qui le faisait trembler était l'écho de celui d'autrefois. Il hocha la tête en souriant.

— Ta proposition me plaît beaucoup, lui murmura-t-il. Dommage qu'il faille attendre demain.

Il lui prit la main et leva son verre.

— À nous deux !

Rouge et frémissante de bonheur, elle approcha son verre du sien.

— Je t'aime, mon chéri !

Leurs yeux brillaient comme des escarboucles. Le maître d'hôtel qui les observait de loin leur fit un petit sourire complice. La serveuse apporta les desserts, et

Antoine lâcha la main de Noëlie. Ils dégustèrent la salade de fruits en silence.

Après avoir bu le café, Antoine regarda l'heure.

— J'ai cours à deux heures, il faut que j'y aille ! soupira-t-il en se levant.

Il régla la note et ils sortirent du restaurant.

Sur le trottoir, Noëlie se mit sur la pointe des pieds et l'embrassa tendrement sur les lèvres.

— J'ai envie de toi, chuchota-t-elle.

Le bras droit d'Antoine enlaça sa taille, l'attirant si près de lui qu'elle percevait les pulsations de son cœur, comme s'ils se fondaient l'un dans l'autre.

— Moi aussi ! souffla-t-il.

Il se détacha d'elle à regret et la regarda intensément de ses yeux pénétrants.

Brusquement, elle sentit un voile noir l'envelopper, sombre et sinistre. Elle frissonna, les yeux fermés. Ses oreilles bourdonnaient. Elle entendit vaguement la voix alarmée d'Antoine.

— Noëlie, ça ne va pas ? Que se passe-t-il ?

Elle lutta contre les ténèbres qui l'enserraient, ouvrit les yeux et lui adressa un pâle sourire.

— Ce n'est rien. Ça va aller.

— Que s'est-il passé ? Tu es toute blanche.

— Je ne... je ne sais pas trop, répondit-elle en humectant ses lèvres sèches. Tout d'un coup, j'ai eu comme un mauvais pressentiment, comme si j'allais vivre une scène horrible sans savoir de quoi il s'agissait. Comme dans un film d'épouvante.

— Écoute, je dois absolument partir, rentre tranquillement et repose-toi. Je te promets que demain tu ne vivras pas un cauchemar, mais le plus beau des rêves bleus !

20

— Ça y est, c'est pour ce soir ! hurla Léo. La conne, elle vient d'annoncer à ses copains qu'elle sortait seule ce soir au Prado pour voir un film super intello.

Zoé leva les yeux du magazine qu'elle feuilletait, étendue sur le canapé défoncé.

— Je te préviens que si ça foire encore ce soir, je ne marche plus.

— D'accord, fit Léo avec un geste apaisant, mais pourquoi veux-tu que ça foire ? Je te promets que tout va rouler, ma poule ! Cette fois-ci, on récupérera la nana devant chez elle.

Zoé haussa les épaules.

— Bof, moi, j'y crois plus à ton truc, ça va encore rater.

— Écoute, Zoé, tu sais quoi ? Tu te fais belle et je t'invite dans un resto du bord de mer.

— T'as le fric ?

— T'en fais pas pour ça, éluda Léo, ne voulant pas avouer qu'il venait d'empocher une coquette somme en dealant de la coke.

Une heure plus tard, ils étaient installés au Relais des pêcheurs, près d'une des grandes baies avec vue sur la mer. Il y avait des plantes vertes à foison, des coquillages, des bouées et des filets accrochés aux boiseries et un miroir le long du comptoir où étaient punaisées des dizaines de cartes postales. Ils consultèrent la carte. Quand le garçon apparut, Zoé commanda le menu gastronomique avec un accent pointu qui aurait fait pâlir d'envie une Parisienne germanopratine de souche. Léo admira son port de tête arrogant, sa mimique suffisante et son ton autoritaire pour s'adresser au garçon. Avec sa coupe au carré, son maquillage impeccable, son chemisier en soie, sa jupette noire et ses escarpins à talons, elle ressemblait à s'y méprendre à la bourgeoise de Facebook. On leur servit les entrées et ils attaquèrent la rosette de saumon arrosée de vin blanc.

— C'est un petit avant-goût des plaisirs qui t'attendent, baby ! lui lança Léo avec un sourire radieux.

— À condition que tout se passe bien, fit-elle d'une voix déraillant un peu.

Le garçon leur jeta un regard rapide, puis détourna discrètement les yeux.

— C'est la peur qui me fait dire ça, Léo, poursuivit-elle en baissant la voix. Je flippe. Imagine qu'un détail me trahisse chez ces gens, je fais quoi, moi ?

— Tu pourras te permettre toutes les gaffes imaginables, la rassura Léo d'un ton détaché, puisque tu te feras passer pour amnésique. Visionne-toi au plumard avec ce chirurgien qui se la pète grave !

Il était fou de jalousie à cette idée, mais il voulait la faire rire pour éviter la crise de nerfs.

— Justement, c'est ça qui me fout les jetons. Il risque de s'apercevoir que je ne suis pas sa légitime. Un mec sait comment sa nana se comporte au pieu. Y a des choses qui ne trompent pas !

— Il ne perdra pas au change, le couillon, tu baises comme une déesse !

C'était gagné : Zoé éclata de rire et, le vin aidant, le repas se déroula gaiement. Après le café, Zoé suggéra d'aller faire une promenade sur la plage.

— Je n'ai pas vu la mer depuis une éternité, soupira-t-elle. On vit sur la côte et on n'en profite pas, si ce n'est pas malheureux. Et puis marcher au grand air me permettra de décompresser.

— O.K., mais il faut que j'aille pisser avant.

Zoé l'attendit, assise à la table. En regardant autour d'elle, elle aperçut une femme debout à côté du comptoir qui la fixait avec insistance. Une grande brune vêtue d'une jupe courte révélant des genoux cagneux et d'un chemisier à fleurs.

— Salut, Noëlie ! lança-t-elle en s'approchant de la table. Alors comme ça, tu t'encanailles ?

— Pardon ? fit Zoé d'une voix pincée, imitant l'expression d'une actrice des *Feux de l'amour*, une série qu'elle suivait régulièrement et dont elle avait vu un épisode le matin même.

La femme la dominait, un petit sourire ironique sur son visage osseux.

— Je parle du mec avec qui tu as déjeuné, il a une gueule de voyou !

— Détrompe-toi, répliqua Zoé en prenant son accent pointu à couper au couteau, c'est un cousin de Victor. Il est avocat. En vacances, il adore jouer les mauvais garçons !

À cet instant, Léo sortit des toilettes. Il se figea en voyant Zoé converser avec une inconnue.

— Je te présente Vincent, dit Zoé à la brune.

Léo trouva qu'elle parlait avec beaucoup d'aisance. Il tendit la main à la femme.

— Enchanté, fit-il d'une voix de stentor en se mettant au garde-à-vous.

— Bon, fit Zoé, il faut qu'on y aille, on est pressés.

— Eh bien, au revoir, lança la femme.

Elle fit demi-tour et s'en alla au pas de charge.

Léo prit le bras de Zoé et ils sortirent du restaurant. Dehors, la chaleur les frappa de plein fouet. Ils se mirent à marcher en direction de la plage.

— Bravo, Zoé, tu vois, tu l'as bien eue, cette conasse. Un super bluff. Elle n'y a vu que du feu. T'es super au point !

— Oui, mais j'ai flippé grave. Elle est complètement naze, cette gonzesse.

Des autochtones et quelques étrangers profitaient du temps estival de ce mois de mai particulièrement chaud cette année. La plage était peuplée de mères de famille avec leurs jeunes enfants, d'étudiants et de lycéens en goguette, mais surtout de retraités. Léo et Zoé quittèrent leurs chaussures et se mirent à marcher au bord de l'eau sur le sable humide.

— J'ai envie de me baigner, dit Zoé.

— T'as ton maillot ?

— Non, mais ça fait rien, j'ai trop envie ! J'y vais en slip et en soutif. Les gens, je les emmerde !

Elle se débarrassa prestement de ses vêtements et avança dans la mer dans ses sous-vêtements noirs. Léo se déshabilla à son tour et la rejoignit en boxer. Ils s'ébattirent un bon moment dans l'eau fraîche et revinrent s'allonger sur le sable doré. Grisés par le soleil et l'air marin, ils ne tardèrent pas à sentir une agréable torpeur les envahir.

— On est bien, soupira Zoé.

— Ce sera bientôt ton quotidien, ma poule, lui souffla Léo.

Il glissa un bras autour d'elle, installa la tête de la jeune femme au creux de son épaule. Un bref instant, elle se détendit. Elle se sentait en sécurité contre Léo.

— Abandonnons ce projet à la con ! lui souffla-t-elle. Je pourrais me refaire embaucher à l'hosto, et toi, tu essayerais de trouver un boulot. On n'a pas besoin d'être riches pour être heureux.

— Ne dis pas de conneries, Zoé. Comment peut-on être heureux quand on bosse comme des Noirs pour des queues de cerises ? Le bonheur, c'est le fric, crois-moi. Ceux qui prétendent le contraire sont les rupins, bourrés aux as ! Et tu seras d'accord avec eux. Quand tu auras goûté au luxe, tu ne pourras plus t'en passer. Allez viens, il faut y aller, on a encore des choses à mettre au point.

Ils se levèrent et se rhabillèrent. Puis, ils escaladèrent le petit tertre qui menait à la route. Léo s'arrêta devant une Mercedes décapotable.

— Ouah ! s'exclama-t-il en caressant le côté de la voiture.

Il se pencha vers l'intérieur.

— Des banquettes en cuir. La classe ! Imagine que cette tire soit à nous et qu'on parte tous les deux pour des vacances de rêve, avec du fric à gogo qu'on pourrait dépenser au casino ou dans les palaces de la côte !

— Ouais, elle est super, cette bagnole, concéda Zoé.

— T'auras la même, baby, et à nous la vie de château !

Et, dans son enthousiasme, il embrassa Zoé à pleine bouche.

21

Quand Noëlie reprit conscience, elle était désorientée. Elle ouvrit les yeux, mais ne vit que du noir. Elle avait la gorge sèche et l'impression d'étouffer. D'abord, elle ne se rappela rien et se crut dans son lit. Puis elle sentit le sol métallique et des vibrations qui la secouaient et elle entendit le bruit d'un moteur. Paniquée, elle comprit qu'elle se trouvait dans le coffre d'une voiture – sa propre voiture – qui roulait sur un chemin cahoteux. Les secousses lui donnèrent une atroce envie de vomir. Les images de l'agression dont elle avait été victime en sortant de chez elle la heurtèrent de plein fouet.

Elle venait de franchir le portail de son jardin lorsque la portière s'était violemment ouverte. Un homme l'avait saisie à bras le corps. Elle avait vu sa tête recouverte d'un bas dans lequel avaient été pratiquées des fentes pour les yeux, la bouche et les narines. Il lui avait plaqué quelque chose d'humide sur le visage. Elle avait senti une odeur âcre. Le produit lui avait piqué les yeux, le nez et la gorge. Ses yeux s'étaient emplis de larmes et elle avait perdu connaissance.

Depuis combien de temps roulaient-ils ? Elle n'aurait su le dire. Elle voulut regarder l'heure au cadran phosphorescent de sa montre et souleva son bras ankylosé, mais sa Rolex avait disparu. Elle se mit à trembler de terreur, se remémorant les atrocités que les psychopathes infligeaient à leurs victimes dans les innombrables thrillers qu'elle avait dévorés ou dans les faits divers sanglants dont se repaissent les médias. Une nouvelle secousse la fit ballotter et sa nausée s'aggrava. Une crampe embrasa sa jambe gauche. Elle tenta de crier, mais le son resta coincé dans sa gorge. Un faible râle sortit de sa bouche et elle retomba presque inconsciente. Puis la voiture prit un virage et les pneus se mirent à crisser comme s'ils roulaient sur du gravier. Son corps tressauta. La bile monta et elle faillit vomir. La voiture s'arrêta brusquement. Elle glissa et sa tête alla heurter la paroi métallique du coffre. Le moteur fut coupé. Elle entendit une portière claquer. Quelqu'un sortait. Le coffre s'ouvrit. Figée de terreur, elle vit la silhouette de l'homme cagoulé se découper au-dessus d'elle contre le ciel nocturne.

— Si vous m'obéissez, il ne vous arrivera rien, dit-il d'une voix rauque, mais si vous tentez de vous échapper, je vous crève les yeux.

Et il agita un couteau devant son visage.

— Vous allez sortir du coffre et faire ce que je vous dirai.

— Ne me faites pas de mal, gémit-elle, je vous en supplie !

— Sortez !

Elle bougea ses bras et ses jambes ankylosés. En vain.

— Sortez ! répéta l'homme en la menaçant de son couteau.

— Je ne peux pas.

L'homme tira ses bras et elle s'extirpa à grand-peine de la voiture. Elle fut prise de tremblements et ses nausées s'intensifièrent. Elle aperçut une petite maison basse dans la clarté blême de la pleine lune. Une silhouette plus mince que celle de l'homme – certainement une femme –, armée d'une lampe de poche, tentait d'ouvrir la porte. Elle portait elle aussi une cagoule qui dissimulait ses cheveux et les traits de son visage.

— Ouvre, bordel ! piaffa l'homme.

— Merde, je n'y arrive pas, riposta la femme avec un accent des faubourgs marseillais à couper à la machette, la serrure est rouillée... Ah ! ça y est !

La porte s'ouvrit et, d'une bourrade, l'homme la poussa brutalement vers la maison.

— Attention à la marche ! lui cria-t-il au moment où elle allait franchir le seuil.

Trop tard. Elle trébucha et serait tombée s'il ne l'avait pas retenue.

Une odeur de moisi, de champignon et d'eaux usées la saisit à la gorge. À la lueur vacillante de la lampe de poche, elle distingua le mobilier sommaire : une table branlante, une chaise, un coffre à bois, un réchaud et un lit.

— Va chercher le ravito, ordonna l'homme à la femme qui sortit de la pièce et revint avec un sac qu'elle posa sur la table.

— Y a de quoi bouffer pour deux jours ! lui annonça-t-il.

— Vous n'allez pas me laisser là ! protesta-t-elle, au bord de l'évanouissement.

Brandissant son couteau, il lui intima l'ordre de se taire.

— Maintenant, je vais sortir et vous allez vous foutre à poil.

Elle le regarda, interdite, tremblant de tous ses membres.

— Je n'ai pas l'intention de vous violer, soyez tranquille ! ricana-t-il.

— Pourquoi voulez-vous que je me déshabille ? balbutia-t-elle.

— Vous allez mettre ces fringues à la place des vôtres ! aboya-t-il en lui tendant un jean, un T-shirt, des baskets et des sous-vêtements à moitié déformés par les nombreux lavages.

Il lui colla le couteau sous le nez.

— Et vous avez intérêt à vous magner le popotin !

Il quitta la pièce, la laissant seule avec la femme.

— Faites ce qu'on vous a dit ! lui lança cette dernière sèchement.

Elle obéit, ôta son chemisier et fit glisser sa jupe à ses pieds.

— Les sous-vêtements et les bijoux aussi ! lui cria la femme en se détournant.

Terrorisée, elle se déshabilla entièrement avant d'enfiler prestement la culotte, le soutien-gorge et les vêtements usagés. La femme l'effrayait moins que l'homme. Peut-être se laisserait-elle fléchir plus facilement ? Il fallait en profiter tant qu'elle était seule avec elle.

— Vous m'avez kidnappée pour une rançon ? demanda-t-elle d'une voix larmoyante.

Elle titubait un peu, un sanglot sec lui secouait les épaules. Sa question ne reçut aucune réponse. Elle joignit les mains.

— Laissez-moi partir ! supplia-t-elle. Je vous jure que je ne vous dénoncerai pas, je vous donnerai tout ce que vous voudrez, mon mari est chirurgien, il a de l'argent !

La femme eut un mouvement d'hésitation, comme si elle allait fléchir.

— Madame, je vous en supplie ! Laissez-moi partir ! l'implora-t-elle encore.

Mais la femme recula, ramassa les vêtements abandonnés sur le sol, le sac à main où elle rangea les bijoux et sortit sans un mot.

— C'est parfait, remarqua l'homme en entrant dans la pièce. Vous avez des fringues confortables. Sûr, elles ne sont pas de marque comme les vôtres, mais ici vous n'aurez pas besoin de vous la péter !

Il souleva le couvercle d'un coffre, en extirpa deux draps et une couverture qu'il jeta sur le lit, puis, montrant le paquet sur la table, il lança :

— Vous avez de quoi dormir et de quoi bouffer pour deux jours. En plus, on vous laisse la torche.

— Vous n'allez pas m'abandonner là ! gémit-elle en se tordant les mains.

— Si, et inutile de gueuler, la maison est isolée ! répondit-il.

Il regarda l'heure et elle remarqua qu'il portait sa Rolex. Il avait dû la lui enlever quand il l'avait enfermée, sans connaissance, dans le coffre de la voiture.

— Il faut se magner si on veut être dans les temps ! grommela-t-il en bousculant la femme.

Il tira la porte à lui, tandis qu'un énorme rire le pliait en deux.

22

Antoine scruta une dernière fois son reflet dans le miroir. Il lissa sa mèche rebelle et quitta la salle de bains. Revigoré, il se laissa tomber sur le canapé avec un soupir de satisfaction. Il avait pris une douche et s'était rasé de frais. Il s'était débarrassé de ses vêtements poussiéreux et mouillés de sueur pour un pantalon en lin beige et une chemise bleu ciel. Il s'étira avec un sentiment de bien-être.

C'était l'instant magique qui précède un plaisir imminent, le pressentiment d'une plénitude, l'impatience folle, la soif qu'on éprouve à l'instant où la coupe ne touche pas encore les lèvres, où le cœur palpite dans l'attente du bonheur : l'apparition de la femme aimée.

Il venait de passer plus de deux heures à faire le ménage à fond. Une corvée, certes, mais compensée par le plaisir de voir l'appartement propre. Un F3, hérité d'une vieille tante, veuve sans enfants, qui l'avait pris en affection et couché sur son testament. Il l'occupait depuis sa mutation dans la ville phocéenne.

Il s'y était tout de suite senti chez lui et l'avait transformé à son goût. Il avait fait abattre la cloison entre l'ancien salon et la salle à manger et il disposait maintenant d'une grande pièce qui faisait office de pièce à vivre, à la fois living, bureau et bibliothèque. L'ensemble était coquet tout en demeurant quelque peu austère, à cause des livres qui tapissaient deux pans entiers de mur. Exposé au sud, il était ensoleillé et donnait sur un patchwork de jardins avec des pelouses et des massifs de fleurs. Au-delà des toits, on apercevait le clocher de la cathédrale et, le matin, il entendait le son joyeux des cloches.

Il avait lavé le sol à fond, passé l'aspirateur sur la moquette, rangé la vaisselle qui traînait dans l'évier de la cuisine, fait disparaître le linge sale au fond du panier de la salle de bains. Il avait ensuite dépoussiéré ses rayonnages de livres et empilé les papiers et les copies en attente de correction sur son bureau. Maintenant, tout rutilait. L'odeur de cire, d'eau de Javel et de lessive se mêlait aux effluves qui sortaient de la kitchenette. Il alluma une bougie parfumée au jasmin qu'il posa sur la table basse. Il avait exercé ses talents de cuisinier et préparé un tartare de saumon avec des pommes de terre vapeur et une salade de cresson. Et pour le dessert, une tarte au citron. Son regard inspecta la pièce, attentif au moindre détail. Tout était prêt pour la petite dînette en amoureux : la table était dressée sur une nappe provençale, avec deux chandeliers et un bouton de rose dans un vase. Sur la table basse devant le canapé, il avait posé un seau à champagne, deux flûtes et un ramequin d'olives. Il ne lui restait plus qu'à attendre Noëlie.

Il regarda sa montre. Il était presque vingt et une heures.

Elle serait bientôt là. Elle avait dû se garer vers vingt heures trente au parking du centre-ville et être allée acheter le billet de cinéma – son alibi en cas d'enquête du mari. Elle avait ensuite dix minutes de marche pour arriver chez lui. Il saisit la télécommande et alluma la télé. Il zappa au hasard, comme on feuillette un magazine dans la salle d'attente d'un dentiste ou d'un médecin. Aucune émission ne retint son attention et il éteignit l'appareil. Il prit un roman polonais, découvert le matin chez un bouquiniste, qu'il tenta de lire sans parvenir à autre chose qu'à fixer les pages d'un œil hagard. Il ne cessait de revenir en arrière pour s'apercevoir qu'il n'avait pas enregistré un mot de ce qu'il avait lu. Il finit par reposer le livre sur la table. Un nouveau coup d'œil à sa montre lui apprit qu'il était vingt et une heures quinze. Il retourna à la fenêtre pour la dixième fois. Noëlie ne devait pas être loin.

En pensant à elle, il fut parcouru d'un agréable frisson. Tout lui plaisait chez elle, ses yeux, son petit nez retroussé, ses taches de rousseur, sa fossette au menton, son port de tête et sa façon de rejeter ses cheveux en arrière quand elle riait. Mais ce qu'il appréciait surtout, c'était la complicité qui existait entre eux. Il avait hâte de la prendre dans ses bras et de la serrer très fort contre lui.

Après son divorce, il avait goûté la solitude. À son retour du lycée, il aimait retrouver son appartement désert et calme, traîner des heures dans son bain, manger sur le pouce devant ses copies ou un programme de télé, aller se coucher à l'heure qu'il voulait ou écouter de la musique jusque tard dans la nuit.

N'avoir aucun compte à rendre à personne. Et pourtant, depuis qu'il avait revu Noëlie, il ne rêvait plus que d'une chose : partager sa vie avec elle. Sans elle, la vie n'était plus que du temps mort. Le temps des horloges découpant une existence où la moindre occupation devenait une corvée : la corvée du travail – les cours, les préparations, les copies, les banalités et les blagues échangées en salle des profs avec les collègues –, mais aussi la corvée du loisir. Il n'arrivait plus à se concentrer sur un roman et ne prenait plus de plaisir à faire son jogging ou à aller à la plage. Sans Noëlie, tout perdait sa saveur. Il n'était plus qu'attente et souvenir. Il oscillait entre deux plénitudes dans un présent sans consistance, vide, mort.

Seule Noëlie pouvait lui rendre la vie...

Il alla boire un verre d'eau dans la cuisine. La pendule murale indiquait vingt et une heures quarante-cinq. Noëlie aurait dû être là. Il commença à s'inquiéter. Peut-être avait-elle été obligée de faire la queue devant le cinéma ? Mais non, c'était impossible, ce genre de film hermétique n'attirait pas les foules. Il consulta une nouvelle fois sa montre. Vingt et une heures cinquante-cinq. Cela devenait angoissant. Il se mit à faire les cent pas, réfléchissant. Elle avait sûrement eu un empêchement. Peut-être était-elle malade ? Mais dans ce cas, elle lui aurait envoyé un texto. Si elle l'avait fait, il n'avait pas entendu le bip.

Il saisit son portable et vérifia. Il n'avait reçu aucun mail et sa messagerie vocale était vide.

Un éclat de rire strident transperça l'air – un son qui lui rappela le crissement aigu de la craie griffant un tableau noir. Antoine retourna à la fenêtre et écarta le rideau. Sur le trottoir, un groupe de jeunes éméchés,

qui semblaient avoir du mal à se tenir debout, se tor-
daient de rire en regardant un comparse vomir tripes et
boyaux dans le caniveau. Le garçon se redressa et boi-
tilla en s'appuyant sur l'épaule d'un des types, et la
bande de copains se remit en marche dans un concert
de gloussements qui retentissaient dans la nuit comme
ceux d'un troupeau de pintades. Antoine laissa retomber le rideau et retourna d'un pas traînant vers le sofa.

À vingt-deux heures quinze, n'y tenant plus, il
décida d'aller au parking vérifier si la voiture de
Noëlie s'y trouvait. Il enfila son blouson et dévala
l'escalier. Il sauta dans sa Twingo garée devant l'immeuble et fit feu des quatre pneus vers le parking du
centre-ville.

Il inspecta tous les niveaux. La Golf n'était nulle
part. Il saisit son portable, composa le numéro de celui
de Noëlie, mais fut dirigé vers la boîte vocale. Après
le bip, il lui laissa un message :

— Je t'attends, où es-tu ?

Il rentra chez lui, rongé par l'anxiété. Il se versa un
verre de vin blanc, ôta ses chaussures, posa le portable
sur la table basse et se recroquevilla au fond du divan,
parmi les coussins, malade d'inquiétude.

23

— Je flippe ! souffla Zoé.

— Y a aucune raison, le plus dur est derrière nous ! grommela Léo.

— Parle pour toi ! se rebiffa Zoé, le plus dur est devant moi ! Si je me fais démasquer, c'est la taule.

— Cesse de chougner, de toute manière, maintenant c'est trop tard, on ne peut plus se dégonfler, inutile de mouiller !

Zoé ne répondit pas. Elle se remémora l'enlèvement et frissonna...

Après avoir garé la moto au parking souterrain, ils avaient gagné à pied le quartier chic de la Corniche. Cagoulés, ils s'étaient postés tout près de l'imposante grille, avec sa plaque de bronze où brillait en lettres d'or le nom de la villa des Escartepigne : *Beauséjour*.

— Ton futur palais ! lui avait soufflé Léo en ricanant.

Au bout de l'allée déserte, ils avaient aperçu la masse imposante de la maison se découper dans la pénombre. Avec ses fenêtres éclairées et ses parties noires, la façade ressemblait à un damier géant. À cette heure crépusculaire, elle prenait une allure menaçante, et Zoé avait senti grandir le malaise qu'elle éprouvait depuis le matin. Léo avait approché de ses yeux sa montre à cadran lumineux.

— Huit heures vingt, avait-il murmuré, elle ne va pas tarder.

Il avait enfilé ses gants en latex et ajusté sa cagoule. Puis, il avait sorti une boîte de savon en plastique contenant un coton imbibé de chloroforme qu'il s'était procuré sur Internet.

Ils avaient vu des phares se rapprocher, et la Golf s'était arrêtée devant le portail qui s'était ouvert avec un grésillement.

— C'est elle ! avait murmuré Léo d'une voix rauque, comme souterraine.

Zoé s'était figée, et Léo avait inspiré longuement comme pour se donner du courage. La voiture s'était avancée et avait franchi le portail qui s'était lentement refermé derrière elle. C'est à cet instant précis que Léo avait bondi de l'ombre comme un prédateur aux aguets. D'un coup sec, il avait tiré la portière du conducteur. Zoé avait distingué une mêlée confuse et un hurlement étouffé. Elle avait aperçu la silhouette de la femme qui se débattait furieusement. Léo avait brandi son coton qu'il lui avait plaqué contre le visage ; elle avait entendu un gémissement, puis plus rien. Elle avait vu Léo saisir la femme inanimée à bras le corps et la transporter dans le coffre.

— Merde, avait-il grommelé, elle a perdu une godasse. Ramasse-la !

Elle s'était exécutée.

— Heureusement que je m'en suis aperçu, des détails comme ça peuvent tout foutre en l'air, avait-il remarqué en remettant l'escarpin à talon au pied de la femme inconsciente.

Il avait refermé le coffre et lui avait fait signe de monter en voiture. Il s'était mis au volant après avoir ôté sa cagoule et il lui avait ordonné d'enlever la sienne. Il avait failli caler en embrayant et ils avaient quitté l'impasse. Tout s'était déroulé en un temps record et personne ne les avait vus. Léo s'était vite familiarisé avec la conduite de la Golf. Ils étaient sortis de la ville en évitant les boulevards. L'habitacle sentait bon le cuir et le parfum.

— C'est *Heure bleue* de Guerlain, un parfum de femmes friquées, le tien, maintenant ! avait ricané Léo.

— Comment tu le sais ? avait-elle demandé, étonnée.

— Elle l'a écrit sur Facebook, elle a même dit que sa fille lui en avait offert un flacon pour la fête des Mères !

Elle avait regardé les platanes de la départementale qui défilaient comme des spectres. Ils avaient traversé un village et leurs phares avaient éclairé le portail d'une église. Quelques rares lampadaires projetaient une lueur blême sur les trottoirs déserts. Le bar-tabac, signalé par son losange rouge, était encore éclairé. Elle avait deviné des silhouettes d'hommes accoudés au comptoir. Ils avaient ensuite atteint la campagne. Ils étaient passés devant des haies, des vergers, des champs de tournesol et de lavande. Les lumières des mas faisaient des petits carrés blancs dans la nuit, comme un tableau de Magritte. Puis ils avaient tourné dans un chemin de terre. Dans la lueur des phares, la bicoque oubliée au milieu des friches lui avait donné une impression poignante d'abandon. Elle avait frémi à la pensée qu'ils allaient y enfermer la femme qu'ils transportaient dans le coffre et dont le seul tort était de lui ressembler étrangement. Léo avait arrêté la voiture et ils avaient remis leurs cagoules avant de descendre. Il lui avait tendu la grosse clef et lui avait demandé d'ouvrir la porte. Sa main tremblait tellement qu'elle avait eu du mal à la tourner dans la serrure rouillée.

Quand Léo avait poussé Noëlie dans la pièce, elle avait été bouleversée. La femme lui donnait l'hallucinante impression d'être son reflet dans un miroir. Regarder une photo sur Facebook et se trouver en face de son double en chair et en os, cela faisait une sacrée différence. Déjà, une semaine auparavant, elle avait eu un choc lorsqu'elle l'avait aperçue fugitivement dans les bras de son amant sous l'éclairage blafard du parking souterrain. En l'observant maintenant de près, elle avait eu une étrange sensation de dédoublement : le visage qu'elle voyait était le sien. Un visage avec le rouge à lèvres qui bavait et le mascara qui avait coulé, comme si elle avait pleuré. Elle avait été submergée par un sentiment de pitié, mais surtout de honte.

— Madame, l'avait supplié Noëlie en joignant les mains, laissez-moi partir, je vous jure que je ne vous dénoncerai pas, je vous donnerai tout ce que vous voudrez, mon mari est chirurgien, il a de l'argent !

En entendant ces mots prononcés par une voix qui était la sienne, elle avait été sur le point de craquer. Elle avait dû se faire violence pour ne pas céder. Elle avait pris les vêtements de Noëlie et s'était changée devant la bicoque.

Dans son élégante tenue, rien ne la distinguait plus de la bourgeoise telle qu'elle était une heure plus tôt, quand elle s'apprêtait à retrouver son amant.

— Je crois voir la bourge, avait jubilé Léo en la détaillant de la tête aux pieds.

Puis il avait tiré la porte, tordu de rire.

L'oreille tendue, ils avaient écouté. Noëlie remuait légèrement, comme une petite souris en cage. Il avait donné un tour de clef. Quand ils étaient remontés dans la Golf, le cri rauque d'un oiseau de nuit avait troué le silence.

— Alors, clama Léo, tu vois comme c'était fastoche ? Pas de quoi fouetter un chat !

La voiture cahotait durement sur le chemin de terre. Il conduisait avec assurance. Une fois qu'ils eurent regagné la route goudronnée, il prit de la vitesse et se mit à siffloter.

— Elle est super, cette caisse ! lança-t-il. Quand je pense qu'elle va être à toi !

— Tu oublies que je ne sais pas conduire ! répliqua Zoé.

— Tu pourras le mettre sur le compte de ton amnésie et prendre des leçons de conduite ! Tu n'auras même pas à passer le permis puisque tu auras celui de la bourge.

Elle ne dit rien. Les lumières et les ténèbres se succédaient sous ses yeux. Au loin, la ville rougeoyait. Léo prit le boulevard extérieur. La circulation était fluide. Ils roulèrent en direction du centre-ville. Aux

151

abords du parking, les rues étaient désertes. L'horloge du beffroi indiquait vingt-trois heures quarante-cinq.

— Eh bien, on est dans les temps, constata Léo, satisfait. J'avais tout réglé comme du papier à musique !

Il franchit la barrière du parking, prit la rampe d'accès qui menait au troisième sous-sol en faisant ronfler le moteur ; la voiture s'immobilisa avec une secousse. Zoé détacha sa ceinture, tâtonna pour trouver la poignée de la portière, la poussa et tituba dans l'air vicié du sous-sol. Sous la lumière blanchâtre des néons qui dessinait des ombres inquiétantes sur les murs tagués, l'immense salle ressemblait à un bunker. Léo descendit à son tour et vérifia qu'il s'était bien garé hors du champ de toute caméra de vidéosurveillance.

Zoé transpirait et tremblait de tous ses membres.

— Je me sens mal, gémit-elle, secouée de nausées.

Elle tomba à genoux sur le sol goudronné et vomit.

Léo lui mit la main sur le front.

— Ça va passer ! C'est le stress. Tout va rouler !

Toute transpirante, elle vomit encore. Léo lui essuya la bouche avec un mouchoir en papier.

— Bon, maintenant, tu vas me filer les bijoux, la carte bancaire et le porte-monnaie. Il faut que ça ait l'air d'une agression pour vol.

Zoé obtempéra. Elle sortit du sac à main de Noëlie les bijoux – le collier de perles, la bague ornée d'un gros rubis, les boucles d'oreilles et le bracelet en or –, retira la carte bancaire et cinq billets de 50 euros du portefeuille en crocodile et lui tendit le tout qu'il fourra dans la poche de son jean.

— La montre, je l'ai déjà ! lança-t-il en désignant la Rolex qu'il avait ôtée du poignet de Noëlie pour la

152

fixer au sien, juste pour le plaisir de porter une montre de luxe.

Il l'examina.

— Putain, cette Rolex, elle vaut au bas mot 5 000 euros ! siffla-t-il.

Il se gratta la tête.

— Il nous reste encore une chose à faire. Tu vas envoyer un texto à son mec pour lui dire que tu as eu un empêchement de dernière minute. Il ne s'agit pas que ce connard se pointe et fasse tout foirer. File-moi le portable.

Il fit défiler la liste des favoris : *Victor... Marion... maman/papa... Agathe... Élodie... Antoine...*

— Ah ! Antoine, ça doit être le nom du mec. La garce, elle s'est bien gardée de le mentionner sur Facebook.

Il tendit l'appareil à Zoé qui écrivit son SMS :

G U 1 EMPÊCHEMT 1POSIBL 2 VENIR CHEZ TWA CE SOIR A12C4 BIZ N

Il le lut, pressa la touche d'envoi et le message partit. Il lui tendit le portable qu'elle remit dans sa poche.

24

L'iPhone bipa. Antoine, affalé sur le canapé, le saisit et lut le texto. Il fronça les sourcils. Tout d'abord, il n'y comprit rien, peu habitué au langage SMS. Il le relut en prononçant tout haut chacune des lettres et arriva ainsi à le traduire :

J'AI EU UN EMPÊCHEMENT. IMPOSSIBLE DE VENIR CHEZ TOI CE SOIR. À UN DE CES QUATRE, BISES N

Ce texte ne pouvait pas être de Noëlie. Il la connaissait suffisamment bien pour savoir qu'elle n'aurait jamais employé ces abréviations barbares, ni la tournure « à un de ces quatre », car elle avait horreur de massacrer la langue française. Elle aurait écrit : « Tony, ayant eu un empêchement, je ne pourrai pas venir chez toi ce soir. Je t'embrasse N. »

Perplexe, il relut le rébus affiché sur l'écran. Non, ce message n'avait pas été rédigé par Noëlie. C'était impossible, inimaginable. Quelqu'un d'autre l'avait écrit à sa place en utilisant son mobile. Peut-être le lui avait-on volé ? Ce qui pouvait expliquer son silence : sans son portable, elle n'avait eu aucun moyen de le joindre. Mais pourquoi le voleur aurait-il pris la peine de lui envoyer ce SMS ? Cela ne tenait pas debout. De plus, si Noëlie avait eu un contretemps – le vol de son sac à main par exemple, avec son portable dedans – et qu'elle ait dû rentrer tout de suite, elle n'aurait pas manqué, une fois chez elle, de lui téléphoner de son fixe, c'était une chose certaine.

Plus il réfléchissait, moins il comprenait la situation. Et plus son angoisse grandissait. Il avait dû arriver quelque chose à Noëlie, c'était la seule explication. Jamais elle ne lui aurait posé de lapin. De cela, il en était sûr.

25

— Maintenant, baby, je suis désolé, mais il me faut
t'estourbir, ça ira vite, tu verras trente-six chandelles
et ce sera le noir. Tout de suite après, je passerai un
appel anonyme aux poulets pour signaler l'agression.
Tu peux être tranquille, les secours seront vite là !

Léo l'embrassa tendrement.

— Ah ! autre chose : tu me téléphones dès que tu
peux pour me mettre au parfum, et surtout tu planques
bien ton portable. C'est uniquement par ce biais qu'on
sera en contact. O.K. ?

Zoé opina. Elle prit le portable qu'il lui tendait et le
fourra dans la poche de sa jupe.

Léo pointa brusquement son index vers un coin du
parking.

— Regarde ça ! cria-t-il.

Elle tourna la tête et il en profita pour lui asséner un
coup violent. Elle tituba sur le côté, se cogna la nuque
contre la voiture, battit des bras en vain et s'étala sur
le sol, les bras en croix. Immobile. Elle ne bougeait
plus. Son regard était vitreux, dénué d'expression,
semblable à celui d'un poisson de carême échoué sur

le rivage. Il s'agenouilla à côté d'elle, lui caressa la joue.

— Je me tire, tout va bien se passer, courage, baby !

Il pouvait maintenant passer à la deuxième étape : téléphoner à la flicaille. Mais d'abord récupérer sa moto à l'étage inférieur.

Cinq minutes plus tard, il quittait le parking en pétaradant, heureux de retrouver sa bécane. S'envoyer à pattes le trajet de plus d'une heure vers la somptueuse villa de la bourge l'avait épuisé ! La veille, il avait longtemps tourné pour trouver une cabine publique survivant au boum du mobile. Il en avait repéré une non loin de la gare, à deux pas du parking. Ne voulant rien laisser au hasard, il avait appelé son portable depuis la cabine pour s'assurer qu'elle n'avait pas été vandalisée, et ce dernier avait vibré. Elle était donc en état de marche. Il s'y engouffra, fouilla dans sa poche, sortit la pièce d'un euro préparée à cet effet et l'inséra dans la fente. Il mit ses gants en latex et entoura le combiné d'un mouchoir pour déguiser sa voix. Trop de précautions valaient mieux qu'une, avec ces tests d'ADN, on pouvait toujours se faire gauler ! Il prit le papier sur lequel il avait noté le numéro du commissariat et le composa. On décrocha à la première sonnerie.

— Commissariat de police.

— Je voudrais signaler une agression au parking du centre, troisième étage, lança-t-il d'une voix d'outre-tombe. Vous y trouverez une femme inanimée à côté de sa voiture.

— Pouvez-vous nous donner votre nom, monsieur ?

Léo raccrocha brusquement, ouvrit la porte et s'éloigna de la cabine à grandes enjambées. Il enfourcha sa moto et démarra. Le processus était enclenché. Il ne lui restait maintenant plus qu'à attendre, peinard !

26

— À l'aide, à l'aide !

Son cri ricocha sur les murs, et Noëlie comprit qu'il ne lui servirait à rien de hurler. Ses lèvres étaient d'ailleurs tellement sèches que les bouger lui provoquait une douleur intense. Elle avait un goût amer dans la bouche. Dans la chaleur d'étuve, l'air était irrespirable. Combien de temps pouvait-on se débattre seul dans les ténèbres ? Elle se souvint alors de la torche que son ravisseur lui avait laissée. Tâtonnant vers la table, elle la trouva et l'alluma. Le décor était sinistre. Des toiles d'araignées pendaient du plafond. Le sol et les meubles rudimentaires étaient recouverts d'une couche épaisse de poussière. Il fallait à tout prix qu'elle s'échappe. Elle tituba vers la porte et tira sur le loquet de toutes ses forces, mais en vain. Elle alla à la fenêtre qu'elle réussit à ouvrir, mais elle ne put pousser les planches qui l'obstruaient. Désespérée, elle revint vers la porte et cogna contre le bois avec son épaule, sans se soucier de la douleur. Elle continua à frapper jusqu'à ce qu'elle tombe, épuisée, sur la terre battue. En larmes.

Son esprit vagabondait entre incompréhension et visions d'horreur. Qui étaient ses ravisseurs ? Pourquoi l'avaient-ils conduite ici ? Voulaient-ils une rançon ? Ou simplement la torturer et la tuer ? Elle repensa aux films d'épouvante et à toutes les tortures infligées aux victimes de séquestration par leur kidnappeur. Elle était morte de soif. Elle avait dans la bouche le goût salé des larmes.

Elle s'approcha de la table et ouvrit le sac. Il contenait des sandwichs et trois bouteilles d'eau thermale. Elle en décapsula une et but goulûment, si vite que l'eau se mit à dégouliner le long de son menton. Elle s'étouffa et toussa. Puis elle reprit quelques gorgées avec la sensation d'être toujours aussi assoiffée.

La soif étanchée, elle se sentit un peu mieux. Refoulant le désespoir, elle tenta de réfléchir. Si elle voulait s'en sortir, il fallait garder les idées claires. Ses ravisseurs l'avaient fournie en provisions, cela signifiait donc qu'ils n'avaient pas l'intention de la laisser mourir de faim. Tôt ou tard, ils reviendraient. Elle envisagea plusieurs scénarios pour les duper : faire semblant d'être morte, simuler une crise d'épilepsie et leur envoyer de grands coups de pied. Mais à quoi bon ? À deux, ils finiraient par la terrasser et ils se vengeraient. Sans arme, elle était à leur merci. Le mieux n'était-il pas d'essayer d'ouvrir un dialogue ? Elle avait lu quelque part que les bourreaux étaient moins violents quand ils avaient établi un lien avec leurs otages. Elle pourrait tenter de les raisonner. Leur proposer de l'argent et leur promettre de ne rien révéler à la police. Mais ils n'étaient sûrement pas nés de la dernière pluie et ils la tueraient.

Elle pensa à Antoine, à Victor et à ses enfants. Elle avait besoin de leur parler, d'entendre leurs voix. Victor ne s'apercevrait de sa disparition que le lendemain quand il rentrerait. Il devait avoir sa soirée libre, mais il avait été appelé pour une urgence et passerait certainement la nuit à l'hôpital. À son retour, il se ferait du souci en ne la trouvant pas à la maison. Très méthodique, il commencerait par téléphoner à ses parents, puis à ses amies proches et à ses relations, et finalement à la police. Sauf que personne ne savait où elle se trouvait, même pas elle-même. Comment retrouveraient-ils sa trace ? Et à supposer qu'ils parviennent jusqu'à elle, serait-elle toujours vivante ? Épuisée, elle se traîna jusqu'au lit, se laissa tomber sur la paillasse puante et éclata en sanglots.

27

Quand Zoé refit surface, une douleur intense explosa dans sa tête. Son crâne lui donnait la sensation d'être dans un étau. Elle émit une sorte de bêlement de souffrance. Elle ouvrit les yeux et aperçut des murs gris qui baignaient dans une clarté blafarde. L'air était lourd, chargé de relents d'essence, de caoutchouc et de poussière. Elle tâta le sol : il était dur. Tandis qu'elle reprenait conscience, les souvenirs revenaient par bribes...

L'enlèvement de son sosie, la bicoque, le retour et le parking souterrain où elle s'était sentie si mal. L'odeur aigre lui rappela ses vomissements. Elle avait ensuite écrit un texto, puis elle se souvint qu'un coup violent l'avait atteinte à la tête. Comme le lui avait annoncé Léo, elle avait vu trente-six chandelles avant d'être comme absorbée par un tourbillon noir. Il lui avait assuré que les secours ne tarderaient pas. S'ils n'étaient pas encore là, c'était la preuve qu'elle n'était pas restée longtemps inconsciente. Maintenant, elle allait devoir simuler l'amnésie. Jouer serré pour ne pas se trahir.

Couchée sur le dos, immobile, elle attendit. Le temps semblait s'étirer. Enfin, elle entendit une sirène au loin qui se rapprochait de plus en plus. Puis les gyrophares diffusèrent une lueur vacillante dans le parking, comme celle d'une bougie, tandis que le bruit grossissait et devenait assourdissant. Une ambulance, suivie d'une voiture de police, se gara près de la Golf. Deux aides-soignants en surgirent et se penchèrent sur elle. Ils prirent son pouls et sa tension.

— Comment vous sentez-vous ? demanda l'un d'eux.

Elle resta de marbre, le fixant, les yeux exorbités.

— Elle est en état de choc ! hurla l'infirmier. Vite !

Ils l'enveloppèrent dans une couverture, l'allongèrent sur un brancard qu'ils installèrent dans l'ambulance. L'urgentiste lui brancha une perfusion. Et l'ambulance, sirène en action, démarra en trombe et sortit du parking.

Le lendemain matin, à son réveil, Zoé ne savait plus où elle était. Une odeur d'éther imprégnait l'air. Elle regarda autour d'elle et discerna des murs d'une blancheur aveuglante, une armoire blanche, une table à roulettes et un fauteuil bleu clair. Des rais de lumière filtraient entre les lattes des persiennes à demi closes, projetant des barres horizontales sur le sol. Comme les barreaux d'une prison. Elle reconnut une chambre d'hôpital, identique en tous points à celles qu'elle avait nettoyées durant son travail de fille de salle. Elle souleva lentement la tête.

L'horloge murale indiquait huit heures. Il faisait jour, c'était donc le matin. Elle avait passé la nuit ici. Un picotement attira son attention et elle aperçut le dessus de sa main droite piqué d'une aiguille reliée à une perfusion par un long tube très fin. Elle avait vu des goutte-à-goutte intraveineux sur les patients de l'hôpital et de la série télévisée *Urgences*, mais jamais sur son propre corps. Elle était vide, insensible et ankylosée. Peu à peu, les événements de la veille défilèrent. Elle revécut le rapt de Noëlie et la scène au parking avec le coup que lui avait asséné Léo et qui expliquait son mal au crâne. Elle tâta sa tête et sentit un bandage. Des larmes se mirent à couler sur ses joues. Elle était seule, abandonnée, elle aurait voulu que Léo fût là. Elle lutta contre l'envie soudaine de bondir hors du lit et de fuir l'hôpital. Retourner vivre chez ses grands-parents à la campagne. Mener une vie saine, au grand air, loin de tout cet imbroglio et de ce nœud de mensonges.

28

« Victor a dû signaler ma disparition à la police. Maintenant, ils ont commencé les recherches et ils vont me retrouver ! » se répétait Noëlie comme un mantra pour ne pas devenir folle.

Elle avait la tête lourde après avoir somnolé quelques heures sur le lit. Elle s'était éveillée en sueur, désorientée, avec un mal de crâne lancinant. La chaleur était intolérable et l'air irrespirable. Elle avait la gorge de plus en plus sèche et, surtout, elle se sentait sale. À l'odeur de moisi s'ajoutait celle de ses excréments, car il lui avait bien fallu faire ses besoins. À sa grande honte, elle avait été contrainte de se soulager dans le seau qu'elle avait trouvé dans un coin. Elle alluma la torche et se leva tant bien que mal. Elle marcha en titubant vers la table où son ravisseur avait posé le sac à provisions. Elle s'empara d'une bouteille d'eau et en avala la moitié. Elle en aurait bu davantage, mais ses réserves diminuaient, et il fallait à tout prix l'économiser. Elle avait cru comprendre qu'il repasserait dans deux jours.

Quelle heure était-il ? Une lueur passait à travers les planches disjointes clouées devant la fenêtre. On devait être le matin. Dimanche matin. Ce jour-là, quand Victor n'était pas à l'hôpital, il lui montait son petit déjeuner au lit, sur un plateau. Une habitude qui avait perduré après seize ans de mariage. Il se levait tôt pour faire son jogging. Au retour, il s'arrêtait à la boulangerie acheter les croissants du dimanche pour toute la famille. Il lui portait les siens avec un grand bol de café au lait et un jus d'orange. Il allait ensuite se doucher et revenait s'asseoir à côté du lit, la regardant dévorer son petit déjeuner dominical. Ils parlaient alors des petits événements de leur vie quotidienne, surtout des enfants. Bien qu'elle fût parfaitement consciente qu'il lui jouait la comédie du mari aimant, le *bonus pater familias* de l'image d'Épinal – les regards qu'il jetait à la dérobée à sa montre ne lui échappaient pas –, elle était obligée de reconnaître qu'elle goûtait ces rares instants qui lui donnaient l'illusion d'un ménage uni. Dans son enfer, sa vie antérieure, qu'elle avait jugée insipide et étouffante, lui paraissait le paradis. Dire qu'elle avait été assez folle pour se sentir enfermée dans sa peau comme dans une oubliette ! L'enfermement, elle le vivait aujourd'hui, et sans aucun moyen de fuite ! Elle prit conscience qu'elle n'avait pas eu à se plaindre. Qu'elle s'était comportée comme une enfant gâtée, jamais satisfaite, qui convoite sans cesse quelque chose et en demande toujours plus. Elle pensa à son mari. Même s'il ne l'aimait pas, il lui procurait un sentiment de sécurité. Elle n'était pas seule, elle se sentait protégée, à l'abri du besoin. Et ne lui avait-il pas offert tout ce qu'une femme peut désirer : une vie facile, deux enfants, la respectabilité ? Et récemment encore la Golf dernier cri en remplacement de celle qu'elle avait emboutie, sans compter les bijoux dont il la couvrait. Si elle avait épousé Antoine à l'époque, serait-elle plus heureuse maintenant après seize ans de cohabitation ? Le temps n'aurait-il pas érodé leur passion ? Et même si elle quittait Victor pour vivre son amour au grand jour, survivrait-il au ronron quotidien ? Leur désir ne se nourrissait-il pas d'interdits ? De l'attrait du fruit défendu ? Sans compter les souffrances qu'elle infligerait aux enfants qui aimaient leur père...

Elle s'ébroua comme si elle sortait d'un rêve et retourna s'allonger sur la paillasse. Dans le noir, recroquevillée dans la position fœtale, la tête entre les mains, elle poursuivit son examen de conscience purificatoire, comme elle le faisait enfant, avant de s'endormir. Avait-elle été une bonne mère ? Certes, elle manifestait de la sollicitude et veillait à la santé et à l'éducation de ses deux enfants. Elle désirait leur donner toutes les chances de réussite. Pourtant, si elle ne négligeait rien qui touchât à leur bien-être matériel ou à leur avenir, elle ne les câlinait que rarement. Elle était une mère distante. D'ailleurs, elle n'avait jamais ressenti le besoin de procréer. À quoi bon se reproduire ? Le don de la vie n'allait-il pas de pair avec le cadeau empoisonné de la mort ? On voulait des enfants non pas pour eux – le non-être était préférable à l'existence et à son cortège de maux et d'ennui –, mais pour soi, par égoïsme, pour combler le vide de sa propre vie, lui donner un sens, peut-être aussi par orgueil, pour se perpétuer avant la farce finale qui se joue en solo entre quatre planches.

Si elle avait mis des enfants au monde, c'était encore une fois contre son gré. Elle n'avait pas osé aller à contre-courant des clichés et des idées reçues sur la femme assignée depuis la nuit des temps au rôle de ventre reproducteur. Elle n'avait pas osé clamer haut et fort son horreur de la maternité et de tout le tintouin qui va avec de peur de se faire taxer de monstre ! Sa vie de femme mariée avait été une suite ininterrompue de faux-semblants : cela avait commencé lors d'une fausse-couche, six mois avant la naissance de Marion. Cette grossesse interrompue lui avait procuré un immense sentiment de libération, mais devant les mines attristées de son entourage, elle avait dû simuler le chagrin et endosser le masque de la *mater dolorosa*. Lors de ses deux grossesses, elle avait arboré la mine béate de la femme enceinte qui vit un « instant magique », alors qu'elle avait vécu cet état comme un cauchemar, une maladie honteuse. Elle s'était sentie rongée de l'intérieur par un parasite envahissant qu'elle avait eu envie d'extraire, comme on le fait d'une écharde. Les accouchements avaient été un supplice. Quand la sage-femme avait déposé le nouveau-né sur son giron, elle n'avait rien ressenti du tout, si ce n'est un sentiment de dégoût. Allaiter lui avait fait horreur, elle avait eu l'impression de se transformer en vache laitière. Pouponner n'avait pas été non plus sa tasse de thé, elle l'avait fait avec le sentiment de perdre son temps. Contrairement à ses copines gnangnan, qui béaient d'admiration devant leur progéniture et que les progrès d'un bébé – premiers pas, premières dents, bons mots... – suffisaient à transporter vers les sommets de la béatitude, s'occuper de ses enfants avait été pour elle une rude besogne, pour ne pas dire une corvée. Elle n'aimait pas les bébés, ces petites machines à engloutir et à déféquer. La plupart du temps, elle les confiait à des nounous ou à des jeunes filles au pair pour se réserver des plages de liberté, loin des pleurnicheries. Plus tard, lorsqu'ils avaient grandi, elle perdait vite patience. Elle jouait avec eux par devoir, sans y prendre le moindre plaisir. Elle abhorrait l'univers enfantin, les caprices et les criailleries. Elle détestait leur moue quand ils boudaient ou leurs minauderies de singes savants quand ils faisaient les intéressants. Elle n'exigeait jamais rien pour ne pas avoir à se battre contre des refus d'obéir, elle leur cédait souvent par paresse. Lorsqu'ils pleuraient, elle ne savait pas les consoler. Si leur grand-mère était là, c'était vers elle qu'ils se tournaient quand ils avaient un bobo ou un petit chagrin, comme si sa seule présence les apaisait. Et maintenant que sa fille était entrée dans l'adolescence, elle ne la supportait plus. Ses regards insolents lui donnaient envie de lui tordre le cou. Au lieu d'être attentive à ses proches, elle préférait jacasser sur son portable avec ses copines écervelées, rester des heures à ragoter ou parler fringues ; elle allait à la plage ou passait des heures à lézarder au soleil. Elle fréquentait assidûment l'esthéticienne, la manucure et le coiffeur ; elle flânait dans des boutiques, furetait dans les colifichets et claquait des fortunes pour des vêtements et des sacs de marque qu'elle ne portait la plupart du temps qu'une ou deux fois dans la saison pour épater la galerie ; enfin, elle se réfugiait dans un monde virtuel peuplé d'inconnus qui caressaient son ego dans le sens du poil. Malgré ses velléités d'écriture et de lecture – un ou deux livres sérieux qu'elle lisait en sautant les pages ardues qui la fatiguaient –, elle ne faisait plus aucun effort intellectuel. Elle feuilletait des magazines idiots, résolvait des mots fléchés ou remplissait quelques grilles de sudoku. Elle était devenue une larve !

« J'ai été une mauvaise épouse et une mauvaise mère, je suis passée à côté des vraies valeurs, je suis une femme superficielle. Une ratée, pensa-t-elle en éclatant en sanglots. Si jamais je sors d'ici, je fais le vœu de changer, de me soucier de ma famille et de lui prodiguer tout mon amour. »

29

Zoé entendit des voix approcher et retint sa respiration. La porte s'ouvrit. Une jeune infirmière brune, aux cheveux coupés à la garçonne, entra avec un chauve en blouse blanche, un médecin qu'elle avait déjà croisé quand elle nettoyait les couloirs et les salles d'opération. Il se pencha vers elle pour examiner son visage. Il pointa une lampe dans ses yeux et testa si ses pupilles réagissaient à la lumière. Il lui prit ensuite la tension artérielle et vérifia son rythme cardiaque.

— Eh bien, tout va bien, ce matin ! lança-t-il, la gratifiant d'un large sourire. Votre mari va venir vous chercher.

— Où suis-je ? demanda-t-elle en ouvrant des yeux de chouette éblouie par le soleil.

— Vous ne vous souvenez pas ? s'étonna le docteur. Vous êtes à l'hôpital.

— À l'hôpital ? répéta Zoé, l'air perdu.

— Vous avez subi une agression, cette nuit, au parking du centre-ville et on vous a conduite ici. Vous aviez une blessure à la tête qui a nécessité des points de suture. On vous a donné un somnifère et vous avez dormi comme un bébé.

— Je ne me souviens de rien, souffla Zoé.

— C'est une amnésie due au traumatisme. Cela arrive parfois. Bientôt, tout rentrera dans l'ordre, lui expliqua-t-il.

Le Dr Escartepigne pénétra à cet instant dans la chambre. Zoé remarqua le regard plein d'adoration que lui lançait l'infirmière.

— Comment va-t-elle ce matin ? demanda-t-il au médecin, sans regarder l'infirmière.

— Physiquement ça va, mais elle semble en état de choc. Elle ne se souvient de rien. Nous allons lui faire passer un scanner.

— Très bien, dit celui qui était censé être son mari.

Zoé avait souvent eu l'occasion de le croiser dans les couloirs, et même de se trouver face à face avec lui dans l'ascenseur, mais il ne lui avait jamais accordé un seul regard. Elle ne l'avait jamais vu sans sa tenue de chirurgien. En tenue de ville, il lui parut plus grand que dans son souvenir. Il portait un pantalon gris et une chemisette bleue à col ouvert ; ses épaules étaient légèrement voûtées. Elle remarqua ses larges mains aux doigts étonnamment minces et aux ongles soigneusement entretenus. Des mains de pianiste. Elle le trouva très beau avec ses cheveux noirs assez longs, ses yeux sombres et ses lèvres pleines. Il avait le visage anxieux. Une barbe naissante assombrissait ses joues et de profonds cernes mauves indiquaient qu'il n'avait pas dû fermer l'œil de la nuit. Elle le vit se précipiter vers elle.

Et s'il ne reconnaissait pas « sa » femme ? À cette pensée, la panique la pénétra par tous les pores de sa

176

peau. Elle se sentit transpirer à grosses gouttes. Elle eut un mouvement de recul.

— Noëlie, je te fais peur ? Tu ne sais pas qui je suis, c'est ça ? demanda-t-il en voyant son visage rempli d'effroi.

Elle chercha vainement quoi dire, paralysée par la timidité. Quand elle voulut parler, il ne sortit de ses lèvres qu'un galimatias inintelligible. Les seules choses qu'elle était capable de produire, c'étaient la transpiration et l'odeur de la peur.

— Tu n'as rien à craindre de moi, Noëlie, répéta-t-il d'une voix à la fois douce et forte.

Il lui fallait dire quelque chose. Elle essaya si fort de réfléchir pour ne pas faire de gaffe que son cerveau ne fut plus qu'une masse inerte incapable de penser. Elle eut du mal à trouver assez de voix pour souffler :

— Je ne vous connais pas, monsieur.

C'était la vérité. Cet homme, elle ne le connaissait que de vue ! Elle essaya de dire autre chose, mais elle ne parvint qu'à battre des paupières et ses lèvres tremblèrent.

Il se pencha et l'embrassa tendrement sur le front.

— N'aie pas peur, la rassura-t-il, tu recouvreras la mémoire.

Il eut un petit rire et ajouta :

— Au demeurant, je suis ton mari, tu peux m'appeler Victor et me tutoyer !

Il la prenait sans nul doute pour Noëlie, ce qui tranquillisa Zoé. Voir cet homme qu'elle avait considéré jusqu'ici comme un ponte inaccessible la prier de l'appeler par son prénom et de le tutoyer lui paraissait relever d'un tour de magie.

— Si le scanner est normal, je te ramène à la maison tout à l'heure, poursuivit-il. Tous les souvenirs reviendront bientôt, une fois que l'effet du choc se sera dissipé.

L'infirmière frappa et vint annoncer que le radiologue l'attendait en salle d'IRM. « Son » mari l'aida à sortir du lit et à s'asseoir dans le fauteuil roulant que l'infirmière poussa dans le couloir.

— Je t'accompagne ! dit-il.

Et il marcha à côté d'elle jusqu'à l'ascenseur qu'ils empruntèrent pour descendre en radiologie. Dans le corridor, Zoé aperçut sa copine Nina qui tirait un chariot de nettoyage d'un placard de rangement. Elle était pâle et semblait submergée de fatigue. Zoé lui avait fait ses adieux. Elle lui avait raconté qu'elle avait rompu avec Léo et qu'elle comptait retourner vivre chez ses grands-parents.

Zoé connaissait bien, pour l'avoir nettoyée, la salle d'examen où ils entrèrent. Elle était occupée en son centre par le scanner, une grosse machine en forme de tunnel. Le radiologue la fit s'étendre sur une longue table, la pria de garder les bras le long du corps et de ne pas bouger. Zoé, qui était claustrophobe, redoutait l'instant où le lit mobile allait s'enfoncer dans le cylindre.

— J'ai peur d'étouffer ! cria-t-elle au bord de la panique.

Victor la calma en lui serrant la main.

— Ce sera vite fait, détends-toi, tu n'as rien à craindre.

— J'ai peur ! répéta Zoé, tremblante.

— Ferme les yeux et imagine-toi à Tahiti, sur une plage sous les cocotiers !

Il lui fit un petit signe d'encouragement tandis qu'elle avançait progressivement dans le tunnel. Bientôt, elle se trouva dans les entrailles sombres de la machine qui se mit à ronfler. Elle fut saisie de terreur. « Ne pas s'affoler ! » s'exhorta-t-elle.

Elle avait la chance d'entamer une vie nouvelle. Il fallait la saisir. Beaucoup tueraient pour avoir une telle opportunité. Mais était-ce vraiment une chance ? Tout reposait sur un acte criminel. Elle n'avait certes pas tué, mais elle avait usurpé la vie d'une autre. Elle frissonna à la pensée de la femme enfermée dans la bicoque. Que deviendrait-elle ? Léo ne pouvait pas la séquestrer *ad vitam æternam*. Tôt ou tard, il faudrait bien résoudre ce problème. La libérer était impossible. Léo n'aurait alors qu'une solution : la faire disparaître, autrement dit la tuer. Et ça, elle ne le voulait pas. Plutôt croupir en prison. Coincée dans une cellule sombre comme maintenant dans le ventre de cette machine monstrueuse. Elle préférait la justice des hommes aux flammes de l'enfer. Ses grands-parents l'avaient élevée dans la foi catholique, et elle croyait au péché et à la damnation. À cause de Léo, elle n'irait jamais au paradis.

Et, soudain, elle sentit la table se remettre en marche ; on la libérait enfin. Elle émergea dans la salle d'examen.

— Tu vois, c'est fini, ce n'était pas si terrible, lui dit joyeusement son mari en lui tapotant la main.

Il l'aida à descendre et l'installa dans le fauteuil qu'il fit rouler jusqu'à sa chambre où elle regagna son lit. Il sonna et demanda à l'infirmière d'apporter à sa femme un copieux petit déjeuner. L'infirmière s'exécuta, obséquieuse. Elle revint peu de temps après avec un plateau. Décidément, tout le monde était aux petits soins pour elle. N'était-elle pas l'épouse d'un grand patron, respecté de tous ?

« Son » mari lui prépara deux tartines beurrées à la confiture et lui versa un bol de café au lait. Comme elle avait faim, elle déjeuna de bon appétit.

— On t'a volé tes bijoux et ta montre, lui dit-il. Je te rachèterai les mêmes.

— Ce n'est pas la peine ! bredouilla-t-elle, peu accoutumée aux largesses.

Il jeta un coup d'œil furtif vers l'infirmière, comme un acteur qui s'assure que son public est tout ouïe, avant de poursuivre d'une voix onctueuse :

— Si, je veux que cette agression ne soit plus qu'un mauvais souvenir et que tout redevienne comme avant. Même mieux. La peur que j'ai eue de te perdre m'a ouvert les yeux. J'ai trop fait passer mon travail avant ma famille. Désormais, je serai plus présent.

— J'ai des enfants ? demanda Zoé, continuant à jouer son rôle d'amnésique.

— Oui, nous en avons deux. Marion, une ado, et Kevin, un garçon de huit ans.

Il se tourna vers l'infirmière qui s'affairait autour de la potence à perfusion :

— Christine les a vus, ils sont beaux, n'est-ce pas ? Elle opina avec un sourire mielleux.

— Ils sont magnifiques !

Assurément, si le grand patron lui présentait un singe et une guenon, elle s'extasierait comme devant Apollon et Vénus !

Il tira un portefeuille de sa poche, en sortit une photo qu'il lui tendit en riant.

— Tiens, voilà notre tribu au grand complet !

Un rideau de cheveux bruns lui tomba sur le front, créant une impression de négligence désinvolte, sans qu'il se départît pour autant de l'aura d'autorité et de dignité qui forçait le respect.

Elle prit la photo et vit les enfants sur la plage. Elle avait déjà eu le loisir d'observer cette image que Noëlie avait postée sur Facebook. Elle étudia longuement le cliché, faisant semblant de découvrir « ses » enfants.

— C'est vrai qu'ils sont beaux ! s'écria-t-elle, admirative.

Le médecin revint annoncer que son scanner était parfaitement normal.

— Cela confirme mon diagnostic, énonça-t-il d'un ton pontifiant. Amnésie traumatique temporaire.

— Eh bien, si tout est normal, il n'y a pas de raison de te garder ici, dit « son » mari. Christine va t'aider à t'habiller et je te ramène à la maison !

30

Victor aida Zoé à s'installer dans la voiture et prit le volant.

— Où habite-t-on ? demanda-t-elle timidement.

— Impasse des mimosas, dans le quartier résidentiel de la Corniche. Là, il n'y a pas de malfrats et tu ne risqueras pas de te faire agresser, marmonna-t-il.

Maintenant qu'ils étaient seuls, sans témoins de leur bonheur conjugal, le ton de sa voix parut à Zoé moins chaleureux. Il ne faisait plus aucun effort de conversation, se contentant de fixer la chaussée. Elle s'adossa au siège en cuir de la BMW qui aurait fait verdir Léo de jalousie. Les rues défilaient. La verdure des avenues résidentielles remplaçait peu à peu l'implacable goudron du centre-ville. Ils prirent une route escarpée, ponctuée de vues magnifiques sur la surface miroitante de la mer.

Depuis qu'elle était dans la voiture qui la ramenait « chez elle », Zoé avait du mal à cerner ses émotions. Elle s'attendait à éprouver de l'angoisse. Mais non, voilà qu'elle ne ressentait qu'une grande excitation, une intense sensation de liberté. Elle était transportée d'impatience.

— Il me tarde de voir les enfants ! s'écria-t-elle avec une joie enfantine.

— Tu vas les voir bientôt, on arrive ! lui répondit-il.

Elle crut percevoir une pointe d'énervement dans sa voix. Il freina, les freins crissèrent et il s'arrêta devant la grille juste à l'endroit où elle s'était tenue la veille avec Léo dans l'attente de kidnapper son sosie. À ce souvenir, elle devint écarlate. Victor actionna la télécommande. Le portail émit le même petit bruit de diapason que le soir précédent et s'ouvrit. Ils remontèrent l'allée de cyprès qui, dans leur alignement parfait, évoquaient un cimetière, et la maison apparut : une grande villa bâtie en pierres ocre, au toit en tuiles romaines, avec un péristyle à arcades qui débouchait sur un large perron. Zoé ouvrit de grands yeux, éblouie par tant de luxe.

À gauche, un bosquet de pins parasols et une rocaille avec des plants de thym, de romarin, de lavande et d'herbes aromatiques ; à droite, une pelouse vert tendre, bordée d'une haie de bougainvilliers pourpres, aussi vaste qu'un terrain de golf, qui glissait en pente douce vers l'azur d'une piscine à débordement d'où l'eau s'écoulait en cascade. Un hamac se balançait doucement entre deux pins sylvestres. Sous un parasol rouge, près du bassin où s'ébattaient les deux enfants, un homme aux cheveux argentés était plongé dans son journal. Il leva les yeux, les aperçut et leur fit un grand signe avant de s'extirper de sa chaise longue et de venir vers eux. Sur la terrasse qui longeait la façade arrière et sur laquelle donnaient trois portes-fenêtres, une femme d'un certain âge, minuscule comme une statuette en porcelaine de Saxe, s'affairait autour d'une table. Elle faisait penser à une poupée, mais une poupée vieillie, parcheminée. Elle lâcha les couverts et se précipita vers la voiture.

— Qui est-ce ? demanda Zoé.

— Ta mère. J'ai invité tes parents à déjeuner pour fêter ton retour. Les pauvres, ils n'ont pas fermé l'œil de la nuit, tant ils étaient anxieux !

Comme une douche écossaise, la frayeur succéda à la joie qu'elle avait éprouvée durant le trajet, et ce fut la peur au ventre qu'elle descendit de voiture. Elle tenta de sourire, mais l'angoisse lui raidissait les lèvres. Elle était comme étranglée dans un carcan de gêne et d'appréhension. Une crainte nouvelle envahissait son corps, tel un torrent d'eau glacé. Une mère ne pouvait pas ne pas se rendre compte qu'on lui avait substitué son enfant, d'autant que les yeux noirs et perçants de la femme censée être sa mère dénotaient une vive perspicacité. À son grand soulagement, la vieille dame la serra très fort.

— Ah ! ma chérie, on a eu si peur ! Tu es saine et sauve, Dieu soit loué !

L'homme qu'elle avait aperçu sur la pelouse s'approcha d'elle à son tour. Il avait un visage long aux traits anguleux. Son nez fort à la courbure aristocratique, rougi par un coup de soleil, tranchait avec la pâleur de son visage ridé. Ses grands yeux gris étaient surmontés de sourcils broussailleux et d'une crinière blanche en bataille qui lui donnait un air de vieil adolescent. Tiré à quatre épingles, il portait un costume gris en tweed, une chemise blanche et un nœud papillon rouge. Zoé eut d'emblée l'impression de l'avoir déjà vu, puis elle se rappela que c'était dans un débat télévisé sur la pilule contraceptive. Elle l'avait trouvé brillant et plein d'humour. Il avait éclipsé tous les invités du plateau de l'émission médicale.

— Tu ne peux pas savoir à quel point je suis heureux de te voir ! Tu nous en as donné des émotions ! s'exclama-t-il d'une voix chaude et grave, la prenant à son tour dans ses bras.

Zoé sourit, elle commençait à se sentir mieux. Si les parents eux-mêmes n'avaient pas mis au jour l'imposture, elle pouvait être tranquille.

— Vous êtes mes parents, fit-elle d'une petite voix. Pardonnez-moi, je n'ai aucun souvenir.

— Nous sommes au courant de ton état, dit le père. Rassure-toi, ma chérie, cela n'a rien d'inquiétant après l'agression que tu as subie. La plupart des cas d'amnésie due à un choc se résolvent spontanément, ce n'est qu'une question d'heures ou de jours. Mais je comprends à quel point ta perte de mémoire doit être angoissante pour toi.

La mère leva sa main veinée de bleu et effleura la joue de Zoé avec la légèreté d'une plume.

— Écoute papa, ma chérie, ton amnésie n'est que temporaire. Et tu peux lui faire confiance. Ton père est un célèbre professeur de médecine, clama-t-elle fièrement avant de la serrer de nouveau dans ses bras maigrelets.

— Tu devrais employer l'imparfait, la corrigea son mari, amusé. Je suis maintenant un vieil homme dépassé qu'on a mis au rancart ! C'est mon gendre qui a pris la relève !

Des appels montèrent du jardin.

— Maman ! maman !

— Voilà les enfants ! dit la vieille dame en agitant une main diaphane.

Zoé regarda dans la direction d'où venaient les cris et vit *ses* deux enfants qui sortaient de la piscine. Un labrador noir gambadait derrière eux. Ils foncèrent vers elle et lui sautèrent au cou. C'étaient Marion et Kevin, bronzés, en maillots de bain, les cheveux dégoulinants. Le labrador se mit à flairer les mollets de Zoé avec de petits grognements.

— On dirait que Carl ne reconnaît pas maman, remarqua l'adolescente, étonnée.

L'estomac de Zoé se souleva, elle eut un vertige. Mais elle se reprit. Ce n'était pas le moment de flancher, il lui fallait affronter toutes les difficultés et elle n'allait quand même pas se laisser déstabiliser par ce clebs. Elle se pencha vers le labrador qu'elle connaissait grâce à une photo postée par Noëlie sur Facebook, Carl sur le dos au bord de la piscine, accompagnée de la légende : Notre Carl qui a une vie de chien.

— Tu ne me reconnais pas, vilain ? s'écria-t-elle avec une indignation feinte en lui tapotant le dos.

Elle aimait les animaux et elle savait qu'on n'avait rien à craindre des chiens de cette race qui n'étaient pas méchants. En guise de réponse, le labrador lui tendit instantanément la patte.

— Par qui tu t'es fait attaquer, maman ? demanda le petit garçon.

Zoé constata qu'il avait les yeux noirs de son père.

— Je l'ignore, répondit-elle. Mon agresseur était masqué.

La mère porta ses mains à son cœur dans un geste théâtral.

— Faut-il être lâche pour agresser une faible femme ! Dans quel siècle vivons-nous ? De plus en plus de malfrats s'attaquent aux femmes, arrachent leurs chaînes en or et leurs sacs à main. Et on ne fait rien contre l'insécurité croissante.

— Tu ne te souviens de rien, maman ? s'enquit l'adolescente.

— Non, j'ai perdu la mémoire !

— Il vous faudra être très gentils avec maman, elle a subi un choc qui lui a fait oublier tout son passé, leur recommanda leur père en lui caressant affectueusement la main.

Zoé nota que, maintenant qu'ils n'étaient pas en tête à tête, il se montrait de nouveau tendre et affectueux.

— Tu ne savais plus que tu avais des enfants ? demanda timidement Kevin.

Zoé secoua la tête.

— Je ne me souviens de rien !

— Mais alors tu ne nous aimes plus ! s'affola le garçonnet.

— Mais si, votre maman vous aime, gros bêta ! Mais c'est juste qu'elle est perturbée, le rassura sa grand-mère. Il vous faudra être très sages pour qu'elle guérisse vite. Bon, ma chérie, je crois que tu devrais aller prendre un bain et te changer.

— C'est une bonne idée, dit Victor. Mais au fait, il faut que je te fasse visiter ta maison, je suppose que tu ne sais plus où est la salle de bains.

— C'est drôle de faire visiter la maison à maman comme à une étrangère ! s'écria Marion.

Et elle éclata d'un rire rauque, totalement dépourvu de gaieté.

— Viens, ma chérie ! lui dit Victor et, passant son bras autour de sa taille, il la guida vers la porte.

Il s'effaça pour la laisser entrer. Zoé hésita. L'espace d'une seconde, elle eut l'impression de pénétrer dans une tombe. Elle respira à fond, se força à mettre un pied devant l'autre et avança. Sa frayeur était palpable, bien qu'elle se fût efforcée de la cacher.

— Tu n'as aucune raison d'avoir peur, la rassura Victor. Tu es chez toi, et personne ne te fera de mal. Tu ne risques rien.

Le cœur battant, Zoé avança dans le hall. Il était lumineux avec ses murs ocre, égayés de tableaux de paysages colorés, de part et d'autre d'un escalier central en chêne clair.

— Avant de monter à l'étage, je vais te montrer le rez-de-chaussée, annonça Victor.

Zoé acquiesça et il ouvrit une porte vitrée à double battant.

— Ici, c'est le living !

En entrant dans la pièce spacieuse, elle eut une sensation de lumière. Le soleil du matin pénétrait à flots par les grandes baies qui ouvraient sur la terrasse et la pelouse. Son regard accrocha une grande toile composée de milliers de petits cubes multicolores. Elle le trouva beau. Elle vit une grande cheminée en pierre, des rayonnages de livres et des objets en terre cuite dans une vitrine, un aquarium peuplé de petits poissons de toutes les couleurs, un piano et une foison de plantes vertes en pots. Il y avait un canapé et des fauteuils en cuir blanc, une table basse en verre et un immense écran plasma accroché au mur. C'était la première fois qu'elle se trouvait dans une pièce aussi somptueuse. Un cri d'admiration s'échappa de ses lèvres.

— C'est magnifique !

— Normal que tu le trouves beau, c'est toi qui as fait la décoration intérieure ! Preuve que tu n'as pas perdu ton bon goût esthétique ! remarqua Victor avec un petit rire.

Ils passèrent dans la cuisine qui donnait elle aussi sur la terrasse ombragée par une glycine où elle vit une table, des chaises de jardin et une balancelle aux coussins en tissu provençal. Cette pièce lui plut tout de suite. Elle formait un contraste absolu avec sa minuscule kitchenette, l'évier où s'empilait en permanence la vaisselle sale et le fourneau toujours encombré de plats où croupissaient des restes de nourriture. Ici, tout était impeccable. Le plan de travail, les boiseries en merisier des éléments et du buffet, la gazinière, le four dans lequel cuisait une tourte, tout rutilait. Sur le sol carrelé de tomettes rouges, on ne voyait aucune miette, ni aucune tache sur les murs enduits à la chaux aux teintes mates et claires. Les carreaux blancs derrière le plan de travail étaient décorés à intervalles réguliers de pommes rouges peintes à la main, assorties aux motifs du torchon et des maniques qui pendaient à un crochet près de l'évier en grès. Un rideau semblable à la nappe ourlait le haut de la porte-fenêtre. Une horloge avec une fourchette et une cuillère en guise d'aiguilles, suspendue au-dessus de la table de bistrot et des chaises en paille, ajoutait une note de gaieté.

— Là, c'est la buanderie qui donne sur le garage, lui indiqua Victor en désignant une porte. Voilà pour le rez-de-chaussée. Maintenant, on peut passer à l'étage !

Il l'entraîna vers l'escalier qui débouchait dans un large couloir.

— Ici, il y a mon bureau et quatre chambres : la nôtre, celles des enfants et la chambre d'amis.

Il montra une échelle de meunier au bout du couloir.

— Et au grenier, la pièce que tu nommes ton « jardin secret », expliqua-t-il avec le ton compassé d'un guide touristique qui fait visiter un monument historique.

Il la guida vers une porte qu'il ouvrit :

— Par ici, c'est notre chambre.

La chambre conjugale était une pièce de taille moyenne avec un grand lit recouvert d'une courte-pointe de soie vieux rose. Le sol était couvert d'une moquette bleu nuit, épaisse et moelleuse. Le mur au-dessus du lit était décoré d'estampes japonaises libertines. Zoé rougit à la pensée qu'elle allait partager la couche avec l'étranger qui se trouvait à ses côtés, ce grand ponte qui l'avait tant impressionnée à l'hôpital. Elle aperçut son reflet dans le miroir ovale de la coiffeuse en acajou. Sous sa chevelure rousse ornée d'un gros pansement, son visage apparaissait étonnamment pâle. Elle avait des poches violettes sous ses yeux verts qui paraissaient immenses.

— Je n'ai pas bonne mine ! constata-t-elle avec un soupir.

— Oui, tu es pâlotte, mais tu reprendras vite des couleurs, répondit Victor qui se tenait derrière elle.

Elle frissonna en rencontrant dans la glace son regard dur qui brillait comme celui d'un lézard.

Il posa les mains sur ses épaules avant d'ajouter :

— Demain matin, je t'enlèverai le pansement et tu te sentiras mieux.

— Est-ce que je garderai une cicatrice ? s'inquiéta Zoé.

— Ne te fais pas de souci. Les points de suture ne se verront pas, ils seront cachés par ta frange. Je te les ôterai dans dix jours.

Il fit coulisser une ouverture dissimulée sous la tapisserie.

— Ici, c'est le dressing, tu y trouveras toutes tes affaires.

Et montrant une porte voisine :

— Et là, c'est la salle de bains ! Je vais te laisser prendre un bon bain qui te revigorera. Tu pourras aussi t'allonger avant le déjeuner. On t'appellera quand tout sera prêt.

Il lui effleura la joue d'un baiser furtif et quitta la pièce.

Elle ouvrit la porte-fenêtre et fit quelques pas sur la terrasse, frappée par la beauté du paysage. Au loin, par-delà le mur blanc qui bordait le jardin, la mer scintillait à l'infini. Sur la pelouse, l'adolescente enduisait ses épaules d'huile solaire. Elle fouilla ensuite dans son sac de plage, attrapa son iPod, sélectionna sa playlist, mit les écouteurs et se coucha dans un relax, de la musique plein les oreilles. Son frère prit son élan et fit une bombe dans la piscine, aspergeant le labrador qui se mit à japper en courant autour du bassin. En se penchant, Zoé vit « ses » parents, assis à la table. Avec ses racines grisonnantes, les cheveux colorés de la vieille dame ressemblaient au plumage d'un corbeau.

— Pauvre petite, compatissait-elle de sa voix chevrotante, elle a dû subir un sacré choc pour n'avoir plus aucun souvenir. Cela doit être affreux d'être

192

parachutée tout d'un coup dans un milieu inconnu ! Car finalement on est des étrangers pour elle.

— Sa mémoire va revenir, la rassura son mari.

— Quand ?

— On n'en sait rien. Il n'y a pas de durée définie. Cela peut prendre quelques jours comme des mois.

— Pauvre petite ! répéta « sa » mère avec un soupir.

Victor s'approcha. De son poste d'observation, Zoé distinguait le sommet de son crâne légèrement dégarni. Il se pencha pour leur murmurer quelque chose. Zoé vit l'ombre de la glycine dessiner sur son dos comme des barreaux. Par une association d'idées, l'image d'une prison s'imposa à son esprit. Elle frissonna et quitta la terrasse. Dans la salle de bains, elle découvrit une vaste baignoire à jacuzzi, une cabine de douche assez grande pour deux personnes et deux lavabos jumeaux en grès rose. Elle tâtonna un moment avant de comprendre le mécanisme sophistiqué du mélangeur et fit couler le bain après avoir ajouté des perles de mousse parfumées. « Tout le confort dont j'ai rêvé », se dit-elle, et elle se demanda si elle était bien à sa place dans cette luxueuse maison.

Elle retourna dans la chambre et entra dans le dressing. Les vêtements de son sosie lui faisaient face. Elle fit glisser les cintres sur le portant et les examina avec attention. C'étaient des vêtements de marque comme elle n'aurait jamais imaginé pouvoir en porter un jour. Il y avait des robes de toutes les couleurs, des jupes, des chemisiers assortis, des pantalons, des tenues élégantes et d'autres plus décontractées. Une série de tiroirs encastrés séparaient ses tenues de celles de Victor. Elle les ouvrit tour à tour, s'émerveillant des sous-vêtements délicats en satin et en soie, de la finesse des dentelles des caracos. Un tiroir contenait des porte-jarretelles, des bas résille noirs et une guêpière. Zoé, qui n'en avait jamais porté, sourit en pensant qu'elle n'avait pas besoin de ce harnachement pour mettre un mâle en émoi. Alignées contre le mur, elle vit des dizaines de chaussures : des escarpins à talons, des ballerines, des chaussures plates et de sport.

Elle retourna dans la salle de bains. La baignoire pleine ressemblait à une barbe à papa géante. Elle quitta prestement ses vêtements et trempa son pied dans la mousse pétillante, avant de glisser son corps dans la tiédeur du bain. Ses muscles se dénouèrent. Peu à peu, la tension des dernières heures s'estompait. Les yeux clos, elle avait presque l'impression de flotter. Elle soupira d'aise...

31

— Salut, Marion, c'est Yann !

— Oh ! Yann, salut !

— Tu es libre, cet aprèm ? On pourrait aller chez mon oncle Léo et je te présenterais Zoé, et puis faire une balade en bagnole. Je connais une crique super cool où il n'y a pas un chat !

— Ça me plairait, mais je ne sais pas si je pourrai venir. Ma mère vient de sortir de l'hosto. Elle s'est fait agresser cette nuit au parking. Elle a reçu un coup sur la tête et on lui a pris tous ses bijoux et sa carte bancaire.

— Ah ! merde alors ! Et on a chopé le mec qui a fait ça ?

— Non, et maintenant, elle est complètement dans le cirage et ne reconnaît personne.

— Bon ben, je comprends. À plus !

Une belle occasion qu'elle allait laisser passer et qui peut-être ne se présenterait plus, ragea Marion. C'était trop bête !

— Attends, Yann, je vais quand même essayer de venir ! Après tout, ma mère n'a pas besoin de moi.

Tu n'as qu'à passer me chercher vers deux heures. Mon père et mes grands-parents sont là, elle n'est pas seule.

— O.K., à tout à l'heure !

Marion posa le portable et monta dans la pièce où travaillait son père. Elle frappa un petit coup et entra.

Il était assis devant son ordinateur qui trônait sur un imposant bureau Empire en noyer comportant une multitude de tiroirs. La cloison derrière lui était occupée par des rayonnages bourrés d'ouvrages médicaux. Un stylo Montblanc apparaissait sous une revue de médecine ouverte sur la table. Il leva les yeux. Deux billes de marbre d'un noir intense.

— Qu'est-ce qu'il y a ? grommela-t-il en voyant sa fille. Je ne veux pas être dérangé, j'ai un article à préparer pour le colloque médical de samedi prochain et j'ai pris du retard. Ce matin, je n'ai rien pu faire.

— Je viens te demander la permission de sortir cet après-midi avec un copain de la classe.

— Je n'aime pas te voir traîner avec des garçons. Et à trois semaines du bac, tu ferais mieux de penser à ton travail.

— Mais justement, c'est pour travailler qu'on doit se rencontrer. On a un exposé en bio à faire ensemble et on n'a pas le temps de bosser dans la semaine avec les cours. En plus, il m'aide, c'est un des meilleurs de la classe !

Victor poussa un soupir d'impatience.

— Tu crois que c'est le moment de quitter ta mère ? Elle a besoin d'être entourée pour retrouver ses repères.

— Il y a mamie et papy pour s'occuper d'elle. Alors je peux bien aller chez lui. Ce n'est pas loin de chez nous ni du commissariat.

— Du commissariat ? demanda-t-il, étonné.

— Oui, son père est commissaire de police.

— Commissaire de police, dis-tu ? C'est le fils de M. Orsini ?

— Oui, il s'appelle Yann Orsini. Tu connais son père ? s'enquit Marion, ravie du tour que prenait la conversation.

— Oui, il est membre du Rotary, j'ai souvent eu l'occasion de discuter avec lui. Bon, eh bien, tu peux y aller, mais je veux que tu sois rentrée à six heures, pas plus tard.

— D'accord, papa, promis. Yann vient me chercher à deux heures.

— Bon, maintenant, tu devrais aller aider ta grand-mère à mettre le couvert. On ne va pas tarder à déjeuner. Et tâche de te montrer aimable avec ta mère. Il lui faut beaucoup d'amour et de sollicitude.

— Oui, papounet !

Marion déposa un petit baiser sur la joue de son père et descendit à la cuisine, ravie.

32

Antoine n'en pouvait plus d'attendre. Il avait passé la nuit sur le canapé, le portable à côté de lui. Ses vêtements étaient fripés. Il redressa à grand-peine son grand corps courbaturé. À la vue de la table qu'il avait dressée la veille avec tant de soin, son cœur se serra. Il alla dans la cuisine. Les plats préparés étaient toujours dans le four. Il restait du café dans la cafetière, il le réchauffa et remplit une tasse qu'il emporta dans le séjour. Il s'assit et la but à petites gorgées. Le café lui sembla amer. Il reposa la tasse sur la table et se redressa, s'obligeant à réfléchir au moyen d'avoir des nouvelles de Noëlie. La meilleure idée qui lui vint fut de téléphoner chez elle. S'il tombait sur Marion, il raccrocherait sans rien dire, car elle pourrait reconnaître la voix de son prof de français. Si c'était le mari qui répondait, il lui débiterait une histoire plausible. Il lui dirait qu'il était un membre de l'association des anciens étudiants de lettres et qu'il désirait contacter sa femme pour mettre à jour ses coordonnées.

Il envisagea de reprendre une tasse de café avant d'appeler, mais cela ne ferait que repousser l'échéance.

Un café de plus ne rendrait pas l'appel chez Noëlie plus facile, pensa-t-il avec lassitude. Il composa le numéro des Escartepigne en prenant la précaution de masquer son propre numéro. Il se leva et déambula nerveusement dans la pièce, le portable à l'oreille. La sonnerie se déclencha plusieurs fois, puis ce fut le silence ponctué de parasites. Antoine eut l'impression de faire un saut dans les ténèbres, comme s'il était en contact avec une zone interdite. Ce fut la voix chevrotante d'une femme d'un certain âge qui répondit à l'appel.

— Al... all... allô ?

Antoine fut pris de court.

— Bonjour, madame. Je désirerais parler à Mme Escartepigne. C'est de la part de l'association des anciens étudiants de lettres.

— Je suis désolée, ma fille ne peut pas venir au téléphone. Elle se repose et je ne peux pas la déranger.

La voix était triste, un peu cassée.

Antoine comprit qu'il avait affaire à la mère de Noëlie. Il l'avait rencontrée un jour quand il sortait avec sa fille. Il se souvenait d'une sexagénaire brune à la peau mate, petite et délicate, à l'ossature de moineau. Il se remémora son étonnement, tant il avait trouvé la mère et la fille dissemblables. Noëlie avait une robuste constitution, les cheveux roux et le teint laiteux. Elle était spontanée, souriante et chaleureuse, alors que sa mère, raide et pincée, lui avait fait l'effet d'un bloc de glace. Elle l'avait reçu certes courtoisement autour d'une tasse de thé. Mais derrière le ton aimable qu'elle affectait, il avait senti une distance et une sécheresse qui l'avaient mis mal à l'aise. Elle lui avait posé une foule de questions sur ses projets d'avenir et il avait bien senti que ses réponses ne trouvaient pas d'écho.

Quel âge pouvait bien avoir cette femme aujourd'hui ? Il fit un rapide calcul. La rencontre datait de presque vingt ans, elle devait donc avoir aujourd'hui près de quatre-vingts ans.

— Elle est souffrante ? demanda-t-il, inquiet.

— Elle s'est fait agresser cette nuit. Elle sortait du cinéma et avait regagné sa voiture au parking du centre-ville. C'est là qu'a eu lieu l'agression. Elle a reçu un coup à la tête. Et depuis, elle est frappée d'amnésie. Elle ne reconnaît plus personne, expliqua-t-elle, un sanglot dans la voix.

Pris de vertige, Antoine sentit le sol se dérober sous ses pieds. Il se laissa tomber sur le divan.

— Eh bien, madame, je vous remercie, et surtout je vous prie de bien vouloir m'excuser de vous avoir dérangée dans un moment aussi difficile.

— Vous ne pouviez pas savoir ! Je pense qu'il est inutile que vous rappeliez ma fille avant plusieurs jours. Elle est encore sous le choc et elle aura besoin de beaucoup de repos pour se remettre. Au revoir, monsieur, dit aimablement la mère de Noëlie avant de raccrocher.

Antoine tremblait de tous ses membres. Il avait du mal à assimiler l'information. Ses pensées se précipitaient.

Que faisait Noëlie à minuit dans le parking ? Qu'avait-elle fait entre-temps ? Et que signifiait le SMS qu'il avait reçu juste avant l'agression ? Ce message n'avait pas été écrit par Noëlie, il en était certain. C'était incompréhensible. Cela aurait pu ressembler à un enlèvement, mais ce n'était pas le cas, puisqu'il venait d'apprendre par sa mère que Noëlie était chez elle. Sans mémoire, et donc sans aucun souvenir de ce qui lui était arrivé. Il eut beau réfléchir, il fut incapable de trouver une réponse cohérente. Livré à l'incertitude et au chagrin, il s'abattit sur le lit où il avait été si heureux avec la femme aimée. Il chercha son parfum et son odeur, tandis que ses yeux s'emplissaient d'eau sous ses paupières serrées.

33

Les tripes nouées, Léo appela l'hôpital, se présentant comme un ami de la famille Escartepigne. À l'accueil, on le mit en relation avec le service où Noëlie avait été hospitalisée.

— Oui ? fit une voix peu amène.

— Je désirerais avoir des nouvelles de Mme Escartepigne.

— Qui êtes-vous ?

— Un ami de la famille.

La voix se radoucit aussitôt.

— Mme Escartepigne présente des troubles de la mémoire, mais après un scanner satisfaisant, elle a été autorisée à rentrer chez elle avec son mari.

Avec un soupir de soulagement, Léo coinça le portable contre son épaule et alluma une cigarette.

— Est-ce grave ?

— C'est une amnésie provisoire due au choc. D'après le professeur, la mémoire devrait lui revenir dans quelque temps.

— Eh bien, madame, je vous remercie de m'avoir donné ces renseignements, car nous étions très inquiets.

— Au revoir, monsieur. Nous espérons tous que votre amie se rétablira bien vite.

Léo lâcha son portable avec un cri d'allégresse. Il jubilait. Ça avait marché, l'imposture avait réussi. Le mari n'y avait vu apparemment que du feu. Il les avait roulés dans la farine, tous ces bourges qui se la pétaient grave ! Et pour cela, il fallait en avoir dans la cervelle, être vachement futé ! Ne rien laisser au hasard, réfléchir au moindre détail, anticiper les événements, les plier d'avance à sa volonté, calculer, supputer, minuter, étudier sur le papier, mais aussi sur le terrain. En un mot, il était génial ! Il avait monté le rapt comme une opération de corps franc. Et de la même manière que le chef remonte le moral de ses troupes, il avait dû lui aussi entretenir celui de Zoé. Zoé qui, souffrant mille tourments, rongée d'angoisse et de trac, n'avait cessé d'ergoter, de réfuter ses arguments, de formuler sans arrêt de nouvelles objections et de lui mettre des bâtons dans les roues, prête chaque minute à rendre les armes.

Tout en continuant à se congratuler sur son brillant succès, il se versa un grand verre de scotch qu'il but cul sec. Il trépignait d'impatience dans l'attente d'un coup de fil de Zoé.

Il était resté toute la nuit à l'affût, miné par l'anxiété, comme un malade attend le résultat de ses analyses. C'était une question de vie ou de mort. Comme elle ne l'avait pas appelé de l'hôpital, il supposait qu'il y avait toujours eu quelqu'un à son chevet. Mais il était sûr qu'elle le ferait dès qu'elle en aurait l'occasion. Elle n'avait d'ailleurs pas intérêt à le faire moisir cent sept ans. Un poing fermé sous le menton, regardant dans le vide – l'attitude du *Penseur* de Rodin que Zoé maîtrisait maintenant à la perfection –, il se mit à réfléchir à la suite des opérations. C'était surtout Noëlie qui lui posait un problème. La laisser mourir de faim le gênait. Pourtant, il serait bien obligé de s'en débarrasser d'une manière ou d'une autre. Il faudrait aussi liquider le mari. Pour toucher l'assurance vie, Zoé devait être veuve. Mais serait-il capable de tuer un homme ? Imaginer un crime et le commettre, ce n'était quand même pas tout à fait la même chose. Il était certes un loubard que les scrupules n'étouffaient pas, mais il n'était ni un criminel ni un sadique. Il n'aimait pas faire ou voir souffrir les gens.

Il fut soudain assailli de doutes. Ne s'était-il pas fourvoyé dans une machination qui le dépassait ? N'était-il pas encore temps de faire machine arrière ? Il pourrait demander à Zoé de le rejoindre, ils iraient libérer la femme et l'abandonneraient après lui avoir fait enfiler les vêtements chic que porterait Zoé en quittant la maison du toubib. Ils la déposeraient en ville, elle rentrerait chez elle, et tout le monde mettrait son histoire rocambolesque sur le compte du coup reçu sur la tête. Elle pourrait toujours protester de la véracité des faits rapportés, elle n'aurait aucune preuve à fournir. Zoé reprendrait son travail à l'hôpital et il chercherait un boulot. Il vivrait en accord avec sa conscience. Une vie honnête. C'était possible. Preuve : son frère Sylvio avait réussi à s'en sortir. Il était heureux avec sa femme et son fils. Un fils que lui, son oncle, avait initié à la drogue. Par jalousie. Décidément, il était le dernier des salauds ! Pourtant s'il le voulait, il était encore temps de devenir un mec clean. Un beauf. Mais dans ce cas, adieu la fortune ! Il n'avait pas fait d'études comme son frangin et il ne pourrait jamais trouver un bon taf. Et ils seraient condamnés, Zoé et lui, à trimer toute leur vie avec un job de merde et à crécher dans cet appartement dégueu ! Non, bordel, ils méritaient mieux. Il fallait mettre son projet à exécution, coûte que coûte. Ne pas faiblir. Les cris perçants de ses voisins chassèrent à cet instant ses dernières faiblesses. Pour se changer les idées, il allait maintenant retrouver ses potes et leur annoncer que sa gonzesse s'était tirée. Ils le consoleraient et il noierait son chagrin dans l'alcool. Il se leva et mit ses baskets.

C'est alors qu'on frappa à la porte. C'était sûrement un pote.

— Minute, j'arrive ! cria-t-il en nouant les lacets.

Il ouvrit. Ses yeux s'agrandirent. Yann, son neveu, accompagné d'une fille, se tenait dans l'embrasure.

— Salut, Léo ! s'écria Yann. C'est Marion, ma copine.

— Salut, fit Léo. J'allais sortir, mais entrez un moment. Je suppose que tu viens chercher de la coke.

— Ouais, si tu en as, je suis preneur, mais on ne venait pas pour ça, on voulait voir Zoé. Elle n'est pas là ? demanda Yann en balayant la pièce du regard.

Léo afficha une mine affligée et se racla la gorge.

— Elle s'est tirée ce matin chez ses vieux dans la Drôme !

— Dommage, fit Léo. Elle revient quand ?

— J'en sais rien ! On s'est disputés et elle a foutu le camp. Mais qu'est-ce que tu lui voulais ?

— Juste pour que Marion la voie ! C'est le sosie de sa mère.

Léo se figea, les yeux arrondis. Si Yann lui avait amené le diable en personne, il n'aurait pas réagi

206

autrement ; il passa de la stupeur à l'incrédulité, puis à l'étonnement. Il regarda Marion et la reconnut : c'était la fille de la bourge. Elle avait posté de nombreuses photos de sa progéniture sur Facebook, année après année. « Merde, ça peut tout foutre en l'air ! » pensa-t-il, paniqué. Il avala sa salive avec difficulté, se mordit la lèvre.

— Ah bon, fit-il. On a tous un sosie, c'est bien connu !

— Mais à ce point, c'est bluffant, poursuivit son neveu en enfonçant le clou. Quand j'ai vu sa vioque, j'ai cru halluciner ! On dirait la même femme en double exemplaire.

— C'est dommage que votre copine ne soit pas là, j'aurais voulu voir si je la confondrais avec ma mère, lança Marion.

Pour détourner la conversation, Léo ouvrit un tiroir et en tira une enveloppe.

— Tiens, prends ça, c'est de la bonne came !

Et avec un gloussement :

— Fais gaffe que ton paternel ne te chope pas ! Il serait capable de me foutre en taule, le frangin. Bon, il faut que j'y aille.

— Merci, Léo. Nous, on va passer l'aprèm à la plage. Tu me fais signe quand Zoé reviendra !

— Message reçu ! fit Léo en se mettant au garde-à-vous. Allez, *bye* ! Amusez-vous bien, les djeuns !

Une fois qu'il fut seul, il se laissa tomber sur le canapé, accablé par l'étrange coïncidence. Pourquoi son neveu avait-il dégoté pile la fille de cette bourgeoise ? « Putain, y a pas assez de nanas sur terre ? » Il se versa un autre verre qu'il vida d'un trait et, brusquement, le jeta de toutes ses forces dans la pièce. Le projectile s'écrasa au pied de l'armoire.

— Merde, merde ! cria-t-il.

Puis il se frotta les tempes et se mit à réfléchir à ce fait nouveau. Au fond, cela ne changeait rien à son plan. Il suffirait d'annoncer à son neveu que Zoé avait rompu définitivement et qu'il ne savait pas où elle se trouvait. Il porta les éclats de verre dans la poubelle, nettoya le sol et quitta l'appartement.

34

— Alors comment t'as trouvé mon oncle ? demanda Yann.

— Trop sympa. Mais quand tu as parlé de ma mère, on aurait dit qu'il flippait grave.

— Ouais, il était peut-être gêné parce que sa nana s'est tirée. C'est naze pour un mec de se faire larguer par sa meuf. Viens, on va se baigner.

Yann mit son masque de plongée et ses palmes et ils s'élancèrent dans l'eau de la petite crique déserte, une étroite bande de sable blanc en forme de croissant. La mer était calme. Des vaguelettes venaient mourir sur la plage. L'eau offrait une palette de nuances de vert émeraude, de turquoise et de bleu profond. Elle était si limpide qu'on pouvait voir des bancs de poissons sous la surface. Ils nagèrent vers le large, puis Yann s'enfonça lentement dans l'eau. Marion suivit des yeux le bout de son tuba et, quand il eut disparu, elle regagna la plage. Elle s'étendit sur le sable chaud, les bras sous la tête, et fixa l'horizon. Elle se sentait bien. Au bout d'un moment, elle vit émerger le corps bronzé, ruisselant du garçon, tel Poséidon surgissant des fonds de la mer et du ciel. Il se débarrassa de ses palmes ainsi que de son masque et se laissa tomber près d'elle.

— Tu es canon ! dit-il, en posant sur elle ses yeux noirs étincelants.

Il farfouilla dans la poche de son jean.

— Un pétard avant de s'envoyer en l'air, ça fait un effet bœuf, tu vas voir.

Marion, qui n'avait jamais couché avec un garçon, se raidit. Elle n'osait pas avouer à Yann qu'elle était encore vierge de peur de paraître gourde et coincée.

— Qu'est-ce que tu as ?

— Je ne me sens pas très bien.

— Attends, je vais te filer un petit remontant.

Yann sortit un chalumeau et l'enveloppe que lui avait donnée Léo. Il la tapota et fit glisser une mince traînée de poudre blanche sur le dos de sa main et la lui présenta.

— Avec ça, ça ira mieux !

Déconcertée, Marion regarda la poudre et eut honte de son ignorance. Yann allait la trouver nulle et la larguer pour prendre une copine plus hype. Toutes les filles de la classe étaient folles de lui, il n'aurait qu'à claquer des doigts.

— Allez, vas-y ! Qu'est-ce que tu attends ? insista Yann.

— Je n'en ai jamais pris, c'est pas comme un joint, je ne sais pas comment faire, bredouilla-t-elle.

— S'cuse me, chantonna-t-il, j'oubliais que t'as jamais sniffé !

Il se rapprocha et lui montra comment inspirer la poudre lentement et profondément. Puis il en fit autant, passa ensuite un bras autour de l'épaule de Marion et l'installa tout contre lui.

— Ça va ? demanda-t-il.

— Oui, répondit-elle, alors qu'elle voyait tout tourner.

Ils demeurèrent silencieux. Yann la serra contre son corps chaud aux muscles durs et pencha la tête vers elle. Sa bouche prit la sienne et ses doigts commencèrent à taquiner son mamelon. Elle ne résista pas. Elle sentait son cœur battre. Mais quand les doigts de Yann se glissèrent à l'intérieur de ses cuisses et écartèrent le bas de son bikini, elle posa sa main sur la sienne et l'arrêta.

— Ne fais pas ça, supplia-t-elle, les joues écarlates.

— Ne fais pas quoi ? Tu ne veux pas baiser ? demanda-t-il, étonné.

Elle n'en avait pas envie, mais elle se garda bien de le lui dire. Malgré sa peur, elle capitula.

— Si, mais... euh...

Elle hésita un moment et rougit.

— Ben, je n'ai jamais fait l'amour, voilà... articula-t-elle.

Il éclata d'un rire tonitruant.

— T'es encore pucelle ! Et tu flippes, c'est ça ?

— Oui, lui avoua-t-elle.

— Détends-toi, alors.

Elle soupira. Il prit ce soupir pour un signe de désir. Sa bouche et ses mains se mirent à la caresser partout à la fois. Elle se trouva bientôt nue. Puis il fut nu, lui aussi, et il s'allongea sur elle. Avec un gémissement étouffé, elle s'agrippa à lui. Il se souleva sur les bras et la pénétra brusquement. Elle poussa un cri aigu, puis se mordit la lèvres, honteuse, craignant de l'avoir contrarié. Elle ne ressentait aucun plaisir, seulement l'impression qu'un tisonnier brûlant lui déchirait les entrailles. Elle n'avait qu'un désir : partir. Mais le poids de Yann l'empêchait de bouger, lui meurtrissait les seins. Elle essaya de soulever les hanches, mais il était trop lourd pour elle et le mouvement accentua la douleur. Elle refoula ses larmes, resserra les bras autour de lui et enfonça ses ongles dans son dos en espérant qu'il y verrait un signe de jouissance.

— Tu m'aimes ? murmura-t-elle.

C'était presque un sanglot. Il continua à la labourer avec une sorte de fureur, encore et encore, puis un gémissement lui échappa, suivi d'une succession de plaintes de plus en plus faibles jusqu'à ce qu'enfin, immobile et silencieux, il s'abattît sur elle. Au bout d'un moment, il tourna la tête et émit un petit ricanement.

— Alors, tu as pris ton pied ? demanda-t-il.

Il se leva d'un bond, ramassa son maillot et l'enfila.

— Je vais me baigner, dit-il, et il s'élança vers la mer !

Marion resta allongée, fixant le ciel. Déçue. Elle aurait voulu qu'il la serrât contre lui, qu'il lui chuchotât des mots tendres, comme dans les séries télévisées ou les magazines pour midinettes. Une larme roula sur sa joue. Elle perçut les cris des mouettes qui ressemblaient à des sanglots d'enfants, le soupir des vagues sur la plage, et elle fut saisie du désir de se plonger dans la mer, de se purifier. Les jambes encore flageolantes, elle se leva et aperçut une tache de sang sur la serviette. Elle eut un petit pincement. Elle avait perdu sa virginité, et c'était pour toujours. Un peu comme si elle venait de tourner une page sur son enfance. L'eau rafraîchit sa peau brûlante et elle se sentit mieux. Yann s'essuyait sur la plage. Il lui fit un petit signe. Elle sortit de l'eau et regarda l'heure. Il n'était pas loin de dix-huit heures. Elle se sécha.

— Il faut que tu me ramènes ! dit-elle. J'ai promis à mon père d'être à la maison à six heures.

Ils se rhabillèrent en silence et regagnèrent la voiture. Avant de démarrer, Yann glissa un CD dans le lecteur et la voix âpre et féroce de Joey Starr emplit l'habitacle. Arrivé devant la grille, Yann se gara. Marion attendait un baiser ou un mot d'amour, mais il se contenta de lui lancer un retentissant :

— À plus !

— Salut ! fit-elle à son tour, l'air détaché, en ouvrant la portière.

Elle actionna l'ouverture de la grille et remonta lentement l'allée. Dans sa chambre, elle se jeta sur son lit et éclata en sanglots.

Plus tard, quand sa grand-mère l'appela pour le repas, elle entra dans la salle de bains pour s'asperger le visage comme si, en se débarbouillant, elle pouvait effacer cet après-midi. Elle se reconnut à peine dans le miroir : ses pupilles étaient si dilatées que ses yeux semblaient noirs et vides, ses lèvres étaient gonflées et même son corps lui parut transformé ! Paniquée, elle se bassina les yeux et le visage. Puis, elle descendit, résolue à garder les yeux baissés sur son assiette pour éviter le regard inquisiteur de son père.

35

Zoé s'assit au bord du lit, ne sachant que faire. Elle souleva nerveusement le réveil pour vérifier l'heure. Dix-huit heures. Après le repas, son mari l'avait raccompagnée dans la chambre avec l'ordre de se reposer. « Seul le repos fera revenir ta mémoire ! » avait-il déclaré en lui tendant un sédatif. Elle s'était allongée docilement et abandonnée à la torpeur qui s'insinuait dans ses membres avant de gagner son cerveau. Elle avait dormi tout l'après-midi.

Elle se sentait maintenant dispose, mais anxieuse. Elle alla chercher le portable de Noëlie dans la poche de la jupe qu'elle portait la veille et passa en revue les textos et le journal des appels. Antoine, *son* amant, l'avait appelée une dizaine de fois. Elle consulta la messagerie vocale et entendit sa voix inquiète. Il répétait chaque fois qu'il était mort d'anxiété et lui demandait de le rappeler. Il y avait aussi un de Léo. Il la priait de ne pas le laisser moisir plus longtemps et de le mettre au parfum le plus vite possible. Le ton était hargneux. Elle avait complètement oublié de le faire.

Elle tapa fiévreusement un bref texto : TOUT É O.K. R.A.S PENSE O RAVITO DE N. ZOÉ

Un instant, son doigt resta en suspens au-dessus de la touche « ENVOI » puis, jugeant son message trop sec, elle ajouta « biz » et l'envoya sans plus hésiter. Elle inspecta ensuite le sac à main de Noëlie : il y avait un poudrier, un tube de rouge à lèvres, un trousseau de clefs et un portefeuille contenant sa carte d'identité, son permis de conduire et des cartes de fidélité de diverses enseignes. Elle découvrit aussi un agenda. Les rendez-vous avec Antoine étaient notés d'un A majuscule avec un petit cœur accolé. À la date de la veille, on pouvait lire *cinéma A* ❤. Elle crut entendre des pas dans l'escalier. Elle fourra le portable et le carnet dans le sac qu'elle fit glisser sous le lit et se recoucha. Elle avait dû se tromper, personne n'entra dans la chambre. Elle se releva, puis se rassit, désœuvrée. Tout à coup, elle se souvint que Léo lui avait recommandé d'écrire un commentaire sur la page Facebook de Noëlie pour signaler qu'elle était moins disponible et qu'elle viendrait désormais moins souvent sur le site. Mais où se trouvait l'ordinateur ? Victor lui avait parlé du « jardin secret » de Noëlie sous les combles. Elle s'y rendit à pas de loup et découvrit avec ravissement une mansarde faite de coins et de recoins, avec un Velux dans le toit qui donnait l'étrange impression d'être suspendu entre terre et ciel. La pièce était pleine à craquer de livres. Un eMac trônait sur une table encombrée de papiers et de magazines. Elle l'alluma, mais l'ordinateur lui demanda son mot de passe.

— Zut, je ne l'ai pas ! jura-t-elle.

Il fallait le trouver à tout prix. Elle réfléchit et tapa : *Victor*, le mot de passe fut refusé. Elle essaya *Marion*,

Kevin, et se heurta toujours au même refus. Elle tapa *Carl*, le nom du labrador. Rien à faire : l'ordinateur ne démarrait pas.

— Et merde ! grogna-t-elle, énervée.

Puis, à tout hasard, elle tapa *Antoine*, et ô miracle ! l'écran noir fit place à une photo de famille sur la plage. Elle accéda à sa page Facebook sans problème, car le mot de passe avait été mémorisé. Noëlie avait reçu des réponses à son dernier commentaire dans lequel elle annonçait qu'elle allait au Prado voir le film *Magnolia*.

— TU VERRAS, C'EST BLUFFANT. LOL

— MOI, CE FILM M'A FAIT RIRE ET PLEURER, IL M'A LAISSÉ K.O. ☺

— NULLISSIME, J'AI RIEN CAPTÉ ET JE ME SUIS EMMERDÉ COMME UN RAT. DANS UN COCKTAIL, QUAND ON S'EMMERDE, ON PEUT SE RATTRAPER SUR LA BOUFFE, MAIS LÀ NIET, LE COMBLE, ON PAYE POUR SE FAIRE CHIER ! ☹

— C'EST UN FILM GÉNIAL, CEUX QUI DISENT QUE C'EST NUL SONT DES CONS !

Et cela continuait ainsi au fil de la centaine de commentaires.

D'aucuns, qui n'avaient assurément pas plus « capté » que leurs « amis », cherchaient à épater la galerie à grand renfort de copier-coller d'analyses savantes émanant de critiques de cinéma. Zoé prit la souris et tapa :

MERCI DE VOS COMMENTAIRES. J'AI PASSÉ UNE EXCELLENTE SOIRÉE AU CINÉ. LE FILM M'A PLUE, après moult hésitations, elle supprima le e et continua à taper : JE VAIS ÊTRE TRÈS PRISE DANS LES PROCHAINS JOURS ET JE NE SERAIS PAS PRÉSENTE... Elle s'interrompit de nouveau. Fallait-il écrire « serais » ou « serai » ?

Une faute grossière ne manquerait pas de la trahir, car Noëlie connaissait l'orthographe sur le bout des doigts. Elle réfléchit et se souvint du tuyau de sa vieille institutrice drômoise : remplacer le « je » par « tu »... Avec « tu », on dirait « seras » et non pas « serais ». C'était donc le futur « serai » qu'il fallait employer ici, et non le conditionnel « serais ». Elle corrigea et écrivit : JE NE SERAI PAS PRÉSENTE SUR FACEBOOK. JE VOUS DIS AU REVOIR À TOUS. À BIENTÔT ♥. Elle relut son message encore une fois. C'était bon, il n'y avait plus de faute. Elle cliqua sur « ENVOYER » et éteignit l'ordinateur.

Que faire, maintenant ? Elle était terrorisée à l'idée de descendre et d'être à nouveau confrontée à tous ces étrangers. Elle regagna la chambre et s'approcha de la porte-fenêtre qui occupait presque tout le mur, écarta les rideaux et observa le jardin. La piscine étincelait comme un diamant sous les rayons du soleil couchant. Le petit Kevin fit un plongeon, sa tête émergea à l'autre bout du bassin ; le labrador, couché sur la margelle, le suivait du regard. Son grand-père feuilletait une revue, assis sous un parasol. Elle ne vit Marion nulle part.

Elle s'installa devant la coiffeuse. Contre toute attente, elle fut étonnée de découvrir qu'elle n'avait pas mauvaise mine. Ses cheveux tombaient sur ses épaules, brillants et robustes. Son teint était clair, bien qu'un peu pâle. Quand elle n'aurait plus son pansement, elle serait exactement comme avant. Victor lui avait assuré que la rangée de points de suture qui s'étirait juste au-dessus de la naissance de ses cheveux serait invisible.

Elle rejeta la tête en arrière d'un air de défi et décida d'affronter sa nouvelle famille. Elle descendit au rez-de-chaussée. « Sa mère » s'affairait dans la cuisine, préparant le repas du soir. De délicieuses odeurs flottaient dans la maison. Zoé se rendit compte qu'elle mourait de faim.

— Alors, ma chérie, comment ça va ? demanda la vieille dame.

— Bien, je me suis reposée, répondit Zoé.

Victor sortit du salon, un verre à la main. Il lui tendit les bras et elle se blottit contre lui, comme s'il lui offrait un rempart contre le monde extérieur. Elle sentit la fragrance fraîche et boisée de son eau de toilette. Puis il l'écarta, et ses yeux noirs la scrutèrent intensément.

— Tu n'as rien à craindre, je suis un gentil mari, dit-il, avec un petit rire.

— Et le gendre dont rêvent toutes les mères ! renchérit sa belle-mère, occupée à ciseler de la ciboulette.

Victor eut le large sourire d'autosatisfaction du chat Chester d'*Alice au pays des merveilles*. Il entraîna Zoé dans le living.

— Viens, je vais te préparer un verre, nous avons le temps avant le dîner de bavarder un peu.

Il se dirigea vers le bar. Elle le contempla, pleine d'admiration. Avec son visage bronzé, son coûteux costume qui épousait parfaitement sa silhouette d'athlète, « son mari » était vraiment un bel homme.

— Je te sers du vin d'orange, ton apéritif préféré ?

Curieusement, c'était exactement la boisson qu'elle aurait choisie. Elle acquiesça.

— Ce sera parfait !

Elle avait failli dire : « C'est l'apéro que je kiffe ! », mais elle s'était retenue à temps. Il fallait soigner son vocabulaire et recaser toutes les belles expressions glanées sur les sites tels que Les bonnes manières et l'art de la conversation ou L'intelligence à la portée du con.

Il s'approcha avec le verre et le lui tendit en lui faisant signe de s'asseoir sur le canapé en face de lui. Zoé obéit, mal à l'aise sous l'intensité de son regard.

— Je comprends que tu sois désorientée, dit-il, avec un sourire, mais si tu as une question, surtout n'hésite pas à me la poser.

Il fallut à Zoé toute son énergie pour expulser les mots de sa bouche, tant elle se sentait intimidée dans ce luxueux salon. Elle porta son verre à ses lèvres et aspira une longue gorgée avant de lancer :

— J'ai quel âge ?

— Tu es née le 2 mai 1978, tu as trente-six ans.

En devenant Noëlie, elle avait donc pris un petit coup de jeune puisqu'elle était née en décembre 1977, pensa-t-elle.

— Depuis combien de temps sommes-nous mariés ?

— Ça fait un bail ! s'écria-t-il en riant. Cette année, on fêtera notre dix-septième anniversaire de mariage.

— J'étais jeune quand j'ai eu Marion, constata Zoé.

— Oui, tu avais vingt ans.

— Pouvez-vous... euh... pardon... peux-tu me parler des enfants ?

— Eh bien, Marion vient d'avoir dix-sept ans. C'est une ado qui nous a donné du fil à retordre, elle ne faisait rien en classe, mais ces derniers temps, elle semble s'être remise au travail.

— Elle est dans quelle classe ?

— En terminale, elle passe le bac dans trois semaines. Quant à Kevin, il a huit ans. Il est en CE2. C'est encore un enfant sans problèmes. Il est très gentil. Ah ! j'oubliais, il adore son chien, Carl, qui le suit comme son ombre ! Ce chien est un membre de la famille à part entière.

Une autre question flotta sur ses lèvres. Elle demanda timidement :

— On s'entend bien tous les deux ?

Il eut un petit rire.

— On se dispute quelquefois, c'est normal après tant d'années de vie commune mais, dans l'ensemble, je pense que notre mariage est heureux. Je suis enchanté de ma femme, même si parfois elle a un fichu caractère !

Le regard de Victor ne quittait pas son visage. Elle se sentit rougir et s'obligea à détourner les yeux.

— Ces questions doivent te sembler... euh...

Elle se mordit la lèvre et ravala « connes », l'adjectif qui lui venait en premier à l'esprit.

— Elles doivent te paraître idiotes, n'est-ce pas ? reprit-elle.

— Pas du tout, j'ai parfaitement conscience de l'angoisse que tu ressens. C'est comme si tu avais atterri chez des inconnus.

« C'est tout à fait le cas », pensa Zoé.

— En revanche, je te demanderai de ne pas poser de questions aux enfants, cela pourrait les perturber, surtout Kevin qui est trop jeune pour comprendre de quoi il retourne.

— Oui, bien sûr. Je voudrais encore savoir où habitent mes parents.

— Ils vivent dans leur villa à Cassis, la maison où tu as grandi. Tu y vas souvent avec les enfants. C'est un endroit magnifique avec une vue imprenable sur la mer. On accède par le jardin à une petite crique très peu fréquentée, c'est presque une crique privée. Ton père a une passion pour ses rosiers et pour la voile.

— J'ai cru comprendre qu'il faisait le même métier que toi.

— Oui, il était professeur, chef du service d'obstétrique. J'ai repris le flambeau quand il s'est retiré. Encore des questions ?

— Oui, est-ce que j'ai des frères et des sœurs ?

— Non, tes parents ne pouvaient pas avoir d'enfants, et puis tu es arrivée sur le tard, alors que ta mère avait plus de quarante ans. Tu as grandi en fille unique, couvée et adorée.

— Un petit miracle ! renchérit la vieille dame qui venait d'entrer dans le living.

— Pourquoi je m'appelle Noëlie ? Je ne suis pas née le 25 décembre !

— Non, ma chérie, mais j'ai choisi ce prénom parce que tu as été pour moi comme le plus merveilleux des cadeaux de Noël du printemps, un don du ciel ! expliqua *sa* mère.

« C'est moi qui aurais dû porter ce prénom », songea Zoé en pensant à sa mère qui était morte en couches en la mettant au monde dans la nuit de Noël.

— Je vous sers un apéritif ? demanda Victor à sa belle-mère.

— Une goutte de Suze ne sera pas de refus.

En gentleman, Victor s'affaira un moment au bar, puis tendit son verre à sa belle-mère en souriant de toutes ses dents.

— Et toi, tu as des frères et sœurs ? lui demanda Zoé.

— Non, je suis fils unique.

— Tes parents habitent près de chez nous ?

— Non, ils vivent dans un village de l'arrière-pays.

— Ton père était dans la médecine aussi ?

Victor se mordit la lèvre avant de répondre.

— Ils avaient une petite épicerie qui a fermé quand un supermarché s'est implanté. Ils sont maintenant à la retraite.

— On les voit souvent ?

— Pas très, éluda-t-il, comme s'il était gêné par la question.

— Tes beaux-parents ne sont pas à l'aise chez nous. C'est normal, ils ne sont pas de notre monde ! déclara la vieille dame d'un ton pincé.

Victor tiqua en entendant ces paroles. Zoé crut percevoir une lueur de gêne et de honte dans ses yeux, et elle eut mal pour lui. Comment « sa mère » pouvait-elle se montrer si hautaine et tenir des propos aussi méprisants sur les parents de son gendre ? Pour qui se prenait-elle ? Si elle connaissait ses grands-parents à elle, elle les taxerait certainement de pauvres ploucs indignes eux aussi de franchir sa porte. Et pourtant, ses grands-parents étaient autrement riches : eux, ils avaient le ciel et le soleil, les fleurs et les arbres. Ils avaient le regard reconnaissant de la biche craintive sortant du bois pour venir manger dans leur main, les éclairs fauves des écureuils dans le vieux tilleul, les abeilles, le hululement de la chouette, le crissement des cigales, l'appel du coucou malicieux, le chant de la source et le mugissement du torrent. Ils avaient les champs de tournesol et de lavande, la forêt aux couleurs de l'automne, les nuits étoilées... Ils avaient enfin la passion qu'ils mettaient en toute chose, ils avaient l'amour de la vie.

223

À cet instant, Marion entra par la porte-fenêtre. Quand elle aperçut « sa mère », elle se figea sur le seuil avec une expression hésitant entre l'inquiétude et l'embarras.

— Salut, mam', dit-elle enfin, d'un ton faussement enjoué.

Elle lui piqua un baiser sur la joue.

— Comment tu vas ?

— Mieux ! murmura Zoé.

Et elle détourna son regard des insondables yeux verts de l'adolescente, si pareils aux siens, qui la mettaient mal à l'aise.

— Tu as travaillé, cet après-midi ? s'enquit son père.

— Super, papounet. On a presque terminé l'exposé, répondit l'ado avec un petit rire aux intonations hystériques.

— Trop bien ! s'exclama Zoé, avant de prendre conscience de sa gaffe.

Noëlie n'aurait jamais dit ça ! Il allait falloir surveiller sérieusement son langage si elle ne voulait pas se trahir. Dieu merci, la grand-mère la tira de ce mauvais pas : se campant dans l'embrasure de la porte-fenêtre, elle cria à tue-tête :

— Vous pouvez passer à table, le dîner est servi sur la terrasse !

Kevin et son grand-père les rejoignirent et la famille s'installa autour de la table.

— Comment vas-tu, ma chérie ? demanda le vieil homme.

— Bien, répondit Zoé, intimidée par ce grand ponte qu'elle avait vu à la télé.

Le labrador se dirigea vers elle et se mit à grogner.

— On dirait qu'il ne te reconnaît toujours pas, maman ! s'écria le petit garçon.

— Ne dis pas de bêtises ! le tança la grand-mère. Il est affamé, c'est tout.

Elle appela le chien et lui tendit un os.

— Je t'ai fait ton plat préféré, ma chérie, susurra-t-elle en posant une tourte à la ciboulette au milieu de la table.

Elle la découpa et lui déposa une énorme portion dans l'assiette.

— C'est gentil, merci, bredouilla Zoé qui détestait l'arôme de la ciboulette.

Elle coupa un morceau qu'elle fourra dans sa bouche et l'avala d'une seule bouchée en buvant une gorgée de vin rouge pour le faire passer.

— Alors, comment va le monde de l'hôpital ? demanda le vieil homme à son gendre.

Et la conversation se mit à rouler sur la médecine. Victor parlait avec passion et ponctuait ses propos en fendant horizontalement l'air du tranchant de sa main, comme la baguette d'un chef d'orchestre. Zoé n'écoutait pas. Sentant le regard de « sa mère » braqué sur elle, elle faisait des efforts pour absorber la nourriture. Elle mastiquait avec une lenteur délibérée, se concentrant sur chaque mouvement, enfournant une bouchée après l'autre.

— Alors, ma chérie, tu aimes ça ? lui demanda la vieille dame.

— C'est délicieux ! répondit-elle.

— Je t'en sers une autre portion ?

— Non merci, je n'ai pas très faim, mentit-elle.

— Tu te réserves pour le dessert ? J'ai fait un clafoutis aux cerises.

Ah ! Tant mieux, elle aimait ce plat. Elle pourrait faire plaisir à « sa vieille maman » en le savourant. Elle était touchée par l'amour que cette femme lui manifestait. Jamais sa grand-mère ne lui avait accordé autant d'attention. Si elle choyait son mari, sa petite-fille passait au second plan. Amusée, elle regarda Kevin se jeter sur la nourriture qu'il engloutissait avec la voracité d'un chiot. Marion en revanche chipotait dans son assiette, l'air sombre. Elle leva les yeux et Zoé remarqua qu'ils étaient rouges, injectés de sang.

« Elle a fumé un pétard. Il faut à tout prix qu'elle arrête avant de devenir accro », pensa-t-elle.

Elle connaissait bien les effets nocifs de la drogue. Elle aimait les jeunes et avait toujours eu un bon contact avec ceux de la cité auxquels elle prodiguait parfois des conseils. Elle allait chercher à en savoir plus. Peut-être arriverait-elle à faire parler Marion. Et si elle se confiait, elle pourrait l'aider. Elle se sentait le cœur débordant d'affection pour cette adolescente à problèmes. Leurs regards se croisèrent et elle lui sourit.

36

Léo regarda l'heure. Sa montre indiquait vingt heures. Il consulta encore une fois son portable et découvrit le texto de Zoé.

— C'est pas trop tôt ! ronchonna-t-il.

Il lut son message laconique, à la fois soulagé et furieux que Zoé ne lui eût pas fourni plus de détails. Et surtout qu'elle lui demandât de ravitailler Noëlie. Elle le prenait pour son boy. Elle n'avait pas à lui donner d'ordres. S'il avait envie de laisser la bourge crever de faim, ce n'était pas ses oignons, point barre.

Dehors les ombres s'allongeaient. L'obscurité commençait à envahir la pièce. Il avait passé l'après-midi à faire la tournée des bars pour annoncer à ses potes que Zoé s'était tirée. Saisis de compassion devant sa mine défaite, ils lui avaient tous généreusement payé un verre pour l'aider à noyer son chagrin. Il était rentré chez lui passablement éméché. Maintenant, il avait l'estomac barbouillé.

Il alla à la cuisine, réchauffa le café du matin et en but une tasse qui le ravigota. Il revint s'asseoir sur le canapé défoncé, brandit la télécommande et tomba sur le bulletin d'informations. Énervé, il changea de chaîne, mais il eut beau zapper, aucun programme n'arriva à le captiver. Il lui était impossible de se concentrer sur les images qui défilaient à l'écran. Zoé lui manquait terriblement. En imaginant sa peau crémeuse, ses rondeurs, il sentit monter une poussée de désir. Les occasions de s'envoyer en l'air n'étaient pourtant pas rares, à commencer par la vieille pute décatie à qui il fournissait du shit et qui n'aurait pas rechigné à lui faire une pipe. Mais il ne voulait pas tromper Zoé.

« Il va falloir maîtriser tes pulsions, mec ! » s'intima-t-il.

Et puis il pensa à Noélie qui était le portrait craché de Zoé et il eut une envie soudaine de la revoir. Ce serait un peu comme s'il était avec Zoé puisque ces deux femmes étaient interchangeables. Il se leva, ouvrit le réfrigérateur. Il sortit du jambon et du beurre, coupa en deux une flûte de pain qu'il beurra pour faire un sandwich. Il prit deux bouteilles d'eau minérale et fourra le tout dans son sac à dos. Il saisit son casque et quitta l'appartement.

37

— Si tu le désires, je vais dormir dans la chambre d'amis, suggéra Victor. Je comprends aisément que tu sois effrayée à l'idée de partager le lit d'un inconnu !

Après le repas, alors que Zoé proposait à la vieille dame de débarrasser la table, il avait décrété qu'elle avait besoin de repos et l'avait aidée à gravir l'escalier pour la conduire jusqu'à leur chambre.

Touchée par la délicatesse de « son mari », Zoé, qui avait redouté l'instant où ils allaient se retrouver seuls dans la chambre conjugale, se sentit soulagée et débordante de gratitude.

— Comme tu veux, dit-elle d'une petite voix, mais je ne veux pas vous... euh... te chasser de ton lit !

— Eh bien, dans ce cas, je dormirai à tes côtés en tout bien tout honneur, lança-t-il d'un ton enjoué. Couche-toi, j'ai encore un travail à terminer dans mon bureau.

Il lui effleura la joue d'un baiser, avant de clai-ronner :

— Bonne nuit !

Dès qu'il fut sorti, elle ôta ses vêtements et enfila une nuisette en satin qui se trouvait sous l'oreiller. Dans la salle de bains, elle vit deux brosses dans un verre, une rose et une bleue. Elle supposa que la sienne était la rose et elle se brossa vigoureusement les dents. Elle retourna dans la chambre et se glissa sous la couette légère. Puis, elle s'abandonna à l'agréable torpeur qui précède le sommeil. Quand Victor la rejoignit, elle était profondément endormie.

Noëlie tremblait d'une terreur sourde. L'odeur et la chaleur étaient insupportables. Sa gorge n'avait jamais été aussi sèche. Elle mourait de soif et de faim. Elle aurait vendu son âme au diable pour une gorgée d'eau ou une bouchée de pain rassis. Comme ses ravisseurs lui avaient pris sa montre, elle n'avait aucune notion de l'heure qu'il pouvait être. Pour faire durer la pile, elle n'allumait la lampe que lorsqu'elle voulait se déplacer. Couchée sur le lit, dans le noir complet, elle ignorait si c'était le jour ou la nuit. Elle essaya de réfléchir...

Elle avait été kidnappée le samedi soir, elle avait somnolé pendant des heures, elle avait mangé deux fois et bu deux bouteilles d'eau. L'interstice du volet ne laissait plus passer le moindre rai de lumière. La nuit devait être tombée. C'était sûrement la nuit de dimanche à lundi. Elle avait donc passé un jour et une nuit enfermée dans cette masure.

Elle joignit les mains et fit ce qu'elle n'avait pas fait depuis qu'elle était enfant : elle pria. « Mon Dieu, venez-moi en aide. Faites que je sorte d'ici, saine et sauve. »

C'est alors qu'elle perçut un lointain ronron. Un ronflement sourd, comme le bourdonnement d'un frelon qui grossissait. Une moto approchait. Le vrombissement qui s'amplifiait, trouant la nuit, lui glaça le sang. Ses ravisseurs revenaient. Elle implora le ciel :

« Seigneur, faites qu'ils ne me fassent pas de mal et qu'ils me rendent la liberté ! »

La moto s'arrêta dans une série de pétarades. Le gravier crissa et elle entendit le cliquetis de la clef dans la serrure. Quelques secondes plus tard, le faisceau d'une torche se braquait sur elle.

Elle cligna des yeux, aveuglée, telle une chauve-souris débusquée dans une grotte par la lampe d'un spéléologue.

— Pouah, ça pue là-dedans ! dit la voix familière de l'homme, étouffée par la cagoule.

Elle le vit quitter ses gants de cuir et les poser avec son casque sur la table. Puis, il vida le contenu de son sac à dos. Elle le supplia du regard.

— Ne me faites pas mal ! murmura-t-elle d'une voix rauque.

Elle avait du mal à parler tant sa gorge la faisait souffrir.

— Je vous porte de quoi bouffer !

— J'ai soif !

Il lui tendit une bouteille qu'elle décapsula avec les dents et but goulûment.

— Merci, articula-t-elle.

Après avoir étanché sa soif, elle reposa la bouteille.

— Laissez-moi partir ! l'implora-t-elle.

Léo, qui crut voir Zoé devant lui, fut sur le point de défaillir. Submergé d'une vague de pitié, il se fit violence pour ne pas la prendre dans ses bras.

Elle dut sentir ce moment de faiblesse et esquissa un petit sourire comme si elle voulait établir un lien.

— Je ne vous ai rien fait, pourquoi me retenez-vous prisonnière ?

La voix fléchit brusquement et elle se mit à pleurer.

— Laissez-moi partir, je deviens folle ici ! Je veux sortir, vous m'entendez ?

Et comme Léo ne répondait pas, elle haussa le ton, au bord de la crise de nerfs.

— Vous comptez me garder longtemps ? Vous n'avez pas le droit ! Vous savez ce que vous risquez ?

— Vous serez libérée quand on aura la rançon.

— Ah ! vous avez pris contact avec mon mari ? demanda-t-elle, pleine d'espoir.

Si c'était le cas, Victor aurait prévenu la police. « Ils doivent avoir commencé les recherches », pensa-t-elle.

— Ne posez pas de questions !

— Soyez gentil, laissez-moi sortir un moment de ce réduit. J'étouffe, j'ai besoin de respirer.

— O.K., mais pas de conneries ! lui signifia-t-il en brandissant sous son nez le couteau qu'il tenait à la main.

Elle hocha la tête. Il la prit par le bras et lui fit franchir le seuil. Elle aspira avec délices l'air frais de la nuit, comme un plongeur qui revient à la surface. Un mince croissant de lune était épinglé dans le ciel.

— Asseyez-vous par terre ! lui ordonna-t-il.

Elle s'exécuta, scrutant les ténèbres. Seule la stridulation des grillons emplissait le silence. Elle distingua la silhouette d'un bouquet d'arbres noirâtres. Pourquoi ne pas saisir sa chance de s'échapper ? Elle pourrait prendre l'homme par surprise en lui donnant un coup de pied et s'élancer sur le chemin. Puisqu'il l'avait menacée avec un couteau, il ne devait pas avoir d'arme à feu. C'était maintenant ou jamais.

— L'air me fait du bien ! murmura-t-elle.

Elle plia les jambes et les déploya d'un coup et de toutes ses forces, visant l'entrejambe de l'homme. Il hurla. Un cri de surprise, de douleur et de rage. Elle se leva si brusquement qu'elle faillit tomber la tête la première et s'élança dans le chemin. Elle discerna un sentier escarpé sur sa droite. Elle s'y rua. La peur la faisait avancer à travers des ronces enchevêtrées sans qu'elle ressentît la moindre piqûre, mais elle s'essouffla rapidement. Les heures passées dans sa geôle lui avaient ôté ses dernières forces. Elle parvint à gravir un monticule herbeux au sommet duquel une sente cheminait vers un bois de pins. Elle le traversa sans se retourner. Elle entendait derrière elle les jurons de son geôlier qui la poursuivait, semblant se rapprocher. Affolée, elle courut plus vite, mais elle se prit les pieds dans une racine et perdit l'équilibre. Elle roula à terre sur quelques mètres avant de s'immobiliser, à bout de souffle. Elle n'eut pas le temps de se relever. Le faisceau lumineux de la torche l'éclaira en pleine face, l'aveuglant. Elle cligna des yeux et sentit l'homme la saisir à bras le corps.

— Tu pensais t'enfuir, salope ?

Elle tenta de parler, mais ne put émettre qu'un faible râle. Il l'entraîna sans ménagement vers la maisonnette, la poussa à l'intérieur. Elle essaya de s'accrocher à la porte en hurlant et tira de toutes ses forces décuplées par la rage et le désespoir. Léo s'arc-bouta, un pied calé contre le mur, ramenant à lui, centimètre par centimètre, le battant qui crissait. À bout de souffle, Noëlie la lâcha soudain, et la porte claqua comme un coup de fusil dans la nuit. Un bruit qui sonna à ses oreilles avec le grincement sinistre d'un tombeau qui se referme.

Léo donna un tour de clef, aspira un long trait d'air. Ce fut alors qu'il prit conscience de l'imprudence qu'il venait de commettre. Si sa prisonnière avait disparu dans la nature, il aurait été dans de beaux draps. Il se promit de ne plus céder à ses faiblesses.

De l'autre côté de la porte, Noëlie reprenait lentement haleine, consciente qu'elle venait de griller sa dernière cartouche. Désormais, son ravisseur se méfierait et elle ne pourrait plus se sauver. Peut-être ne sortirait-elle plus jamais vivante de ce trou. Elle fondit en larmes.

— Pitié ! balbutia-t-elle. Ne me laissez pas ici !

Léo demeura une minute derrière la porte. Il frissonna en entendant cette voix plaintive. La voix de Zoé. Même si cette femme était le sosie de Zoé, c'était une étrangère pour lui, se raisonna-t-il pour faire taire ses scrupules.

Il vérifia que la porte était bien fermée et s'éloigna. Il poussa sa moto sur le chemin et démarra sur les chapeaux de roues.

39

*DEUX SEMAINES
PLUS TARD*

— Miam, ça sent bon ! s'écria Marion en pénétrant dans la cuisine par la porte-fenêtre coulissante qui ouvrait sur la terrasse.

Le soleil matinal inondait la pièce remplie d'effluves. Zoé enfournait une tarte aux abricots. Dorés, saupoudrés de sucre, des biscuits en forme de bonshommes refroidissaient sur une grille posée sur le plan de travail à côté d'un gâteau au chocolat. Marion prit un bonhomme et le décapita d'un coup de dents.

— Hé ! Laisses-en pour cet après-midi. Kevin a invité douze copains pour son anniversaire ! protesta Zoé, feignant l'indignation.

La chaleur du four avait rosi ses joues et ses yeux pétillaient d'un éclat malicieux. Elle portait des espadrilles, une robe d'été toute simple et un tablier à bavette. Elle préférait les tenues décontractées aux vêtements luxueux dans lesquels elle ne se sentait pas à l'aise.

— Hum ! c'est vraiment bon, ça fond dans la bouche ! dit Marion.

Elle regarda Zoé et ajouta :

— On mange mieux depuis que tu as eu ton accident. Avant, tu disais que tu détestais faire la bouffe !

— Je ne m'en souviens pas, en tout cas j'adore cuisiner, inventer de nouvelles recettes, et surtout vous voir vous régaler de mes gâteaux faits maison !

— Tu sais, mam', je te préfère maintenant, même sans tes souvenirs ! Quand t'avais la mémoire, on ne pouvait rien te dire, tu nous gueulais toujours après. T'es devenue trop cool.

Ces paroles de Marion firent rougir Zoé de plaisir.

Elle vivait depuis deux semaines dans cette maison, entourée de « sa famille », et connaissait un bonheur qu'elle n'eût pas cru possible. Enjouée, elle assumait sa nouvelle vie avec une aisance d'autant plus surprenante que les mœurs de la haute société lui étaient étrangères. Elle mettait de la grâce aux tâches les plus ingrates et s'acquittait de tout avec un air de dominer les choses. Elle se serait volontiers passée de la femme de ménage dont la présence la gênait. Elle aurait voulu faire tout elle-même et ne savait pas trop quel travail lui confier. Et surtout, elle n'était pas habituée à commander, mais plutôt à recevoir des ordres. Le premier jour, Margot, une grosse femme, la mine chafouine, s'était plantée devant elle, attendant ses instructions, et elle n'avait pas su quoi dire. Elle l'avait finalement priée de faire le ménage à l'étage. La matrone, qui aurait préféré vaquer autour du fourneau, l'avait fusillée du regard. Mais Zoé, qui se sentait dans la cuisine comme un goujon dans l'eau, ne lui aurait cédé sa place pour rien au monde. Le premier repas qu'elle avait servi – une tapenade et un suprême de volaille à la provençale – avait remporté un vif succès. « Son mari » l'avait regardée, les yeux arrondis d'étonnement.

— C'est incroyable, tu es devenue un véritable cordon-bleu ! s'était-il exclamé.

Mais ce qui avait laissé Victor sans voix, c'était le spectacle de « sa femme », assise sur le petit tracteur, en train de faucher l'herbe de la pelouse déjà haute. Jamais Noëlie ne se serait abaissée à une telle besogne, préférant recourir aux services du jardinier qui venait régulièrement assurer les travaux extérieurs. Zoé en revanche prenait un plaisir intense au contact de la nature dont elle avait été privée dans l'univers de bitume et de béton de la cité. Elle taillait, tondait, arrosait, nettoyait la terrasse et les allées et entretenait la piscine. Elle aimait sentir le soleil lui chauffer le dos et respirer la bonne odeur de l'herbe fraîchement coupée qui avait pour elle un parfum d'enfance. Elle avait même décidé de faire un potager. Cultiver ses propres légumes, des légumes frais et bio, directs du jardin à l'assiette, quel délice ! Elle avait dessiné aussi un petit carré de terre pour Kevin, délimité par des piquets, comme son grand-père l'avait fait pour elle en décrétant :

— Semer et attendre la récolte, c'est la meilleure école de la patience !

Bien sûr, Kevin avait été emballé par ce projet.

Dès le premier jour, elle s'était fait aimer des enfants. Elle avait appris à Kevin de nouveaux jeux. Elle lui avait montré par exemple comment jongler à trois balles, comment casser avec l'aide d'une pierre les pignons qui jonchaient le sol sous la pinède pour en extraire les graines, comment fabriquer un sifflet avec un noyau d'abricot, faire voler un cerf-volant ou construire un château de sable. Elle savait l'écouter, rire de ses histoires, le consoler d'un petit chagrin et calmer un caprice. Elle avait pris un véritable ascendant sur lui et il lui obéissait sans la craindre, au moindre signe. Pour la fête d'anniversaire de l'après-midi, elle avait planifié un jeu de piste et un loto. Chacun des jeunes invités repartirait avec un cadeau.

Apprivoiser Marion avait été plus difficile, mais elle y était arrivée à force de patience. Persuadée que Marion se droguait, elle était entrée dans le vif du sujet dès le deuxième jour, alors qu'elles étaient allongées toutes les deux au bord de la piscine :

— Dis-moi, Marion, j'aimerais que tu m'expliques pourquoi tu te drogues !

Le visage de l'ado s'était immédiatement fermé comme si on avait tiré devant lui un store opaque. Elle avait pris un air buté.

— Qu'est-ce que tu racontes ? avait-elle grommelé.

— Je le sais, inutile de mentir. Les yeux rouges et les pupilles dilatées, ça ne trompe pas !

Marion avait haussé les épaules.

— N'importe quoi ! avait-elle rétorqué.

— Je sais de quoi je parle, lui avait déclaré Zoé, avant de poursuivre d'une voix douce : Parce que, moi aussi, j'ai fumé des joints à ton âge. C'est normal de vouloir essayer, je n'ai rien contre.

Marion avait roulé des yeux comme un caméléon, abasourdie.

— Quoi ? Tu t'es shootée, toi ? Et tu me le dis ?

— Bien sûr, et je te répète que ça ne me choque pas. Tous les ados le font au moins une fois pour essayer. Ce que je crains, c'est que tu ne deviennes accro, et si je me fais du souci, c'est parce que je t'aime et que je ne voudrais pas que tu bousilles bêtement ta vie.

Étonnée par le ton nouveau de sa mère, Marion s'était radoucie.

— C'est la première fois que tu cherches à me comprendre, avait-elle remarqué.

Ce compliment était allé droit au cœur de Zoé.

— J'ai connu quelqu'un qui a commencé comme toi à tâter de la drogue et qui a fini comme une larve, avait-elle poursuivi en pensant à Léo.

— Oh ! tu as de nouveau la mémoire ! s'était écriée Marion.

Zoé avait oublié qu'elle était censée être amnésique ! Ses neurones s'étaient affolés, cherchant désespérément une explication plausible pour justifier sa bévue.

— Je ne me souviens pas du présent, mais j'ai encore des flashs du passé lointain, quand j'étais jeune et célibataire.

— Pourtant tu n'as pas reconnu papy et mamie ! avait objecté Marion.

Décidément, cette ado était d'une logique imparable, il fallait faire preuve de cohérence.

« Faut faire gaffe ! » avait pensé Zoé.

— Non, c'est curieux, certains souvenirs ont disparu et d'autres remontent, va savoir pourquoi.

Cette explication, qui avait semblé satisfaire Marion, n'en avait pas pour autant assouvi sa curiosité.

— Qui c'était, le drogué que tu as connu ?

— Bof, un copain que j'ai perdu de vue. Il s'était coupé de toutes ses relations. Quand on devient accro, on perd le goût de tout, on reste prostré et on ne fait plus rien de sa vie.

— Tu t'es shootée à la fac ?

Zoé, qui n'avait pas fait d'études, avait failli se trahir encore une fois en avouant n'être jamais allée à l'université, mais elle s'était reprise à temps.

— Oui, entre copains, on se passait le joint de main en main aux soirées. Rien de tel pour cimenter l'amitié ! Et toi, c'est pareil ?

Marion lui avait alors raconté que c'était son copain qui l'avait poussée à se shooter, mais qu'elle avait eu des nausées.

— Si tu n'aimes pas ça, il te faut le lui dire franchement. Il n'y a pas de honte, et il comprendra sûrement.

— T'as raison, mam', je le lui dirai. Ce serait trop con de devenir accro !

Satisfaite de cette petite victoire, Zoé l'avait serrée dans ses bras.

— Si tu as un problème, tu peux m'en parler. J'ai été jeune moi aussi et j'ai fait des bêtises. Je peux te comprendre.

Profitant des bonnes dispositions de l'ado, elle avait alors abordé la question du bac. L'examen qu'elle regrettait amèrement de ne pas avoir passé.

— Tu sors beaucoup avec ton copain, et je n'ai pas l'impression que tu travailles pour ton bac ! avait-elle lancé d'un ton désinvolte pour ne pas avoir l'air de faire un sermon.

— Ouais, mais je n'ai pas besoin de bosser...

Et mise en confiance, Marion avait confié à « sa mère » tous les tuyaux de triche que Yann lui avait inculqués.

— Ne fais pas ça, c'est trop dangereux ! Imagine

un peu que tu te fasses prendre, ton avenir serait gâché ! s'était écriée Zoé, vivement choquée. Et puis, même à supposer que tu réussisses, ton bac ne correspondra à rien et tu n'auras pas le niveau pour suivre en fac.

L'adolescente s'était rembrunie.

— Sans antisèches, je serai collée. J'ai rien foutu. Les études me gavent grave...

Zoé gardait encore une dent contre ses parents qui ne l'avaient pas contrainte à continuer les siennes quand elle les avait arrêtées bêtement après la troisième, mais elle ne pouvait bien sûr pas le dire à Marion. Il ne fallait pas non plus la braquer avec un discours moralisateur.

— C'est ce que tu penses maintenant, lui avait-elle déclaré, mais si tu interromps tes études sur un coup de tête, tu pourras plus tard t'en mordre les doigts. Écoute mon conseil : tu passes ton bac sans tricher, et si tu ne l'as pas, tant pis. Un échec n'est pas un drame, tu recommenceras tout simplement l'année prochaine. Qu'est-ce qu'un an dans la vie ? Rien. Et puis avec le bac en poche, tu pourras toujours choisir ta voie. Qu'est-ce que tu veux faire plus tard ?

— Tu le sais, je te l'ai dit cent fois : mannequin, avait répondu Marion, la mine renfrognée.

— C'est un beau projet, mais c'est très difficile. La concurrence est rude dans ce métier. Et suppose que ça ne te plaise pas ou que tu n'arrives pas à percer, avec ton bac, tu auras toujours la possibilité de reprendre tes études pour faire autre chose.

— Et tu ne m'empêcheras pas d'essayer d'être mannequin ? avait demandé Marion, au comble de l'étonnement.

— Non, pourquoi ? Mais à une condition : que tu décroches ton bac d'abord, et sans triche !

Marion avait opiné, songeuse et apparemment convaincue par la justesse des arguments de « sa mère ».

— Je vais réfléchir, de toute manière tricher au bac me fait flipper. Si on se fait gauler, ça fout la honte ! C'est sûr que si je me plante, tu ne me gueuleras pas dessus ? Ni papa ?

— Non, promis, juré. Je tâcherai de parler à ton père.

— Oh ! merci, mam' !

Et depuis ce dialogue entre mère et fille, elles entretenaient d'excellentes relations. Marion n'hésitait pas à se confier à Zoé qui lui prodiguait ses conseils dictés par son bon sens et son expérience de la vie...

— Tu veux déjeuner, Marion ?

— Oui, je veux bien, dit l'ado en s'asseyant à la table.

Zoé mit deux tranches de pain dans le grille-pain et versa un grand verre de jus d'orange. Dès que les toasts furent éjectés, elle les beurra et les posa sur un plateau avec un assortiment de confitures et le café fumant, puis apporta le tout sur la table.

— Merci, mam'. Tu prends une tasse avec moi ?

— Oui, avec la préparation de l'anniversaire, je n'ai pas encore eu le temps de déjeuner ! dit Zoé en riant.

Elle sortit une tasse du placard, la remplit et prit place en face de « *sa* fille ». Elle remarqua que, malgré sa gaieté apparente, Marion avait une tristesse dans le regard.

— Il y a encore quelque chose qui te tracasse ?

L'adolescente rougit.

— Ben... c'est difficile, ça me gêne.

— Tu sais, Marion, que tu peux tout me dire.

— Eh bien... euh...

Elle fut interrompue par un hurlement venu du jardin. Zoé se précipita sur la terrasse. Kevin se tenait au bord de la piscine, en larmes. Zoé fonça vers lui et le prit dans ses bras.

— Tu es blessé ? demanda-t-elle, alarmée.

— Non, mais mon canard est crevé, regarde ! cria le petit garçon en lui montrant sa bouée dégonflée.

— Ce n'est rien, mon grand, je vais te la réparer avec des rustines comme on l'a fait pour le pneu de ta bicyclette.

Il la suivit au garage. Elle fouilla partout sans trouver les rustines.

— Et merde ! Elles sont où ? s'énerva-t-elle.

— T'as dit un gros mot, c'est pas bien, tu me répètes toujours qu'on doit châtrer son langage ! fit le garçonnet d'un air de triomphe, apparemment ravi de prendre « sa mère » en défaut.

Zoé éclata de rire :

— Ce n'est pas grave de dire des gros mots quand on est énervé. Ça arrive même aux parents !

Dix minutes plus tard, elle lui tendait en souriant son canard pneumatique regonflé. Ravi, il lui sauta au cou avant de s'élancer dans la piscine.

Elle retourna à la cuisine. Marion n'était plus là. Le téléphone se mit à sonner. Elle décrocha.

— Allô, Noëlie, c'est maman !

— Bonjour, mad... euh... maman.

— Tu vas bien, ma chérie ?

— Oui, très bien, mais je ne me souviens toujours de rien.

245

— La mémoire te reviendra, ton père en est persuadé. Je te téléphone pour savoir si tu veux que j'apporte quelque chose, des gâteaux ou des bonbons, pour l'anniversaire de Kevin.

— Ce n'est pas la peine. J'ai déjà tout préparé !

— Incroyable ! Tu t'es mise à la cuisine ?

— Oui, et j'aime beaucoup ça.

— Eh bien, ma chérie, tu es métamorphosée ! À cet après-midi. Je t'embrasse.

— Moi aussi, maman.

Zoé raccrocha, heureuse d'être entourée d'autant d'affection. Elle se sentait si bien dans la peau de Noëlie qu'elle finissait même par croire qu'elle était vraiment cette femme. Pourtant, une ombre stagnait, comme un gros nuage noir masquant le soleil, elle gâchait ce qui aurait pu être pur bonheur. Quand elle songeait aux souffrances infligées à celle dont elle avait volé la vie, le remords pesait sur sa poitrine comme une masse de plomb. Léo avait eu beau lui assurer qu'il l'approvisionnait tous les deux jours et qu'elle ne manquait de rien, elle imaginait aisément la torture atroce, à la fois physique et morale, qu'elle devait endurer, enfermée dans la bicoque insalubre. Dans ces moments-là, elle avait honte de s'être rendue complice de l'enlèvement d'une innocente. Sa conscience la poussait à tout révéler, mais reprendre son ancienne vie, qui avec le recul lui semblait un cauchemar, était impossible. Et quand elle avait un nouvel accès de scrupules, elle les refoulait, telle une autruche qui enfouit sa tête dans le sable.

40

— Bravo, Noëlie ! La fête a été une réussite !
Aujourd'hui, les enfants se sont plus amusés avec toi
qu'avec le prestidigitateur que tu avais commandé l'an
passé et qui nous avait coûté les yeux de la tête.

Zoé accueillit ce compliment de Victor avec un
large sourire.

— Oui, tout le monde est reparti content, acquiesça-
t-elle.

— Depuis ton accident, tu es plus proche des
enfants. Je les trouve plus épanouis, remarqua Victor
avant de disparaître dans la salle de bains.

Zoé se glissa entre les draps frais. Elle sourit, heureuse, en repensant à la journée...

À midi, elle avait invité « ses parents » et leur avait
servi un poulet rôti, des tomates à la provençale et des
pêches Melba. Ils s'étaient encore une fois extasiés sur
ses nouveaux talents de cuisinière. Après le repas, ils
avaient siroté le café à l'ombre du pin parasol. Puis,
tandis que « son père » faisait une petite sieste diges-
tive dans le hamac, elle avait bavardé avec « sa
mère ». Cette dernière avait évoqué les souvenirs de

leurs nombreux voyages à l'étranger. Zoé avait envié l'enfance de cette fillette choyée par ses parents. Quelle différence avec la sienne ! Avec ses grands-parents, elle n'avait certes manqué de rien, sauf d'attention et de sollicitude affectueuses : elle s'était sentie comme un boulet. Mais ne se serait-elle pas rebellée s'ils l'avaient surprotégée et couvée comme l'avait été Noëlie ? N'avait-elle pas eu au contraire la chance de ne pas être étouffée par une éducation bourgeoise, étriquée et rigide, sans largeur de vues ni fantaisie ? Elle, elle n'avait pas été l'oiseau en cage, mais l'hirondelle qui vogue dans l'azur, ivre d'espace. Pour leur rendre justice, elle devait reconnaître qu'elle avait eu une belle enfance. Libre.

Les petits invités de l'anniversaire étaient arrivés au début de l'après-midi. Grâce à son talent d'animatrice, la fête s'était déroulée sans aucun temps mort. Elle possédait de façon innée toutes les astuces pour captiver les enfants. Sachant qu'ils se lassent vite d'un jeu, elle en avait prévu toute une liste. Sous sa houlette, ils avaient fait une chasse au trésor dans le jardin, une partie de ballon prisonnier sur la pelouse et une course dans la piscine ; elle leur avait appris des comptines, le jeu de colin-maillard et de saute-mouton. Même Carl, le labrador, s'en était donné à cœur joie. Il semblait avoir adopté sa nouvelle maîtresse, les gâteries qu'il recevait dans la cuisine n'étant pas étrangères à son changement d'humeur. Maintenant, il ne grognait plus comme au premier jour. Dès qu'elle apparaissait, il se précipitait vers elle pour lui faire fête. Elle avait disposé une profusion de friandises et de fruits sur la table de la terrasse où Kevin, à l'heure du goûter, avait soufflé ses neuf bougies sous les applaudissements des copains. La fête s'était terminée par une tombola. Chaque enfant avait remporté un petit lot bien emballé dans du papier cadeau. Et quand les mères étaient venues chercher leur progéniture, Zoé leur avait offert un morceau de gâteau et des rafraîchissements.

Le chuintement de la douche s'arrêta et Victor sortit de la salle de bains en caleçon. Elle admira encore une fois son corps parfait, avec ses épaules larges, son torse musclé, son ventre plat et dur et ses hanches étroites. Elle le trouvait canon. Elle fut parcourue d'un frisson de désir où se mêlait une vénération qu'elle n'avait jamais ressentie pour Léo.

Le regard admiratif de Zoé n'échappa pas à Victor, peu habitué à susciter ce genre de réaction chez son épouse. Il crut même discerner dans ses yeux verts une petite lueur coquine, aguichante. Comme une invite. Il fut alors saisi d'un trouble. Il avait l'étrange impression de découvrir une inconnue, mutine et sensuelle.

— Tu veux bien ? chuchota-t-il d'une voix rauque.

C'était la première fois qu'il lui manifestait son désir de faire l'amour. Jusque-là, ils avaient partagé le lit conjugal « en tout bien tout honneur ». Il se couchait à ses côtés, parcourait le journal du jour et le repliait. Puis, il lui souhaitait une bonne nuit, éteignait la lampe de chevet, lui tournait le dos et s'endormait presque aussitôt. Un chaste comportement qui n'avait pas manqué d'intriguer Zoé. Elle avait soupçonné un problème au sein du couple.

— Oui, répondit-elle en un souffle.

Son corps brûlant avait soif, sa chair appelait son étreinte. En même temps, être désirée par cet homme qui n'avait jamais daigné lui jeter un seul regard quand elle était fille de salle à l'hôpital chatouillait agréablement son amour-propre et elle ne pouvait se défendre d'un sentiment de triomphe. Si quelqu'un lui avait dit à l'époque qu'elle serait convoitée un jour par ce grand ponte, arrogant et inaccessible, elle lui aurait ri au nez en le traitant de barge. Dans un bruissement de tissu, elle s'extirpa de dessous le drap en battant des jambes. Les yeux de Victor ne la quittèrent pas une seconde tandis qu'il faisait glisser son caleçon le long de ses longues jambes minces. Sans gêne, elle dévora des yeux son sexe orgueilleux.

Il s'étendit près d'elle. Elle arqua les reins, tendant sa poitrine en un mouvement provocateur.

— Tu as envie de moi, hein, Noëlie ? Dis-moi que tu as envie de moi murmura-t-il d'un ton implorant qu'elle n'avait jamais entendu chez un homme.

Léo la prenait brutalement comme allant de soi, sans s'encombrer de paroles.

— Oh oui ! cria-t-elle.

Il sentit la main qui flattait, titillait, caressait son corps, s'attardait sur les fesses, le phallus... Sa chair s'affola sous ses doigts habiles. Était-ce là la Noëlie qu'il croyait si bien connaître ? Où avait-elle appris toutes ces choses si délicieusement perverses ? Devant la métamorphose de sa prude épouse en une bacchante déchaînée qui semblait avoir la débauche dans le sang, il crut qu'il allait exploser, son désir rompit toutes les digues et le lit devint le théâtre de frénésies impudiques, sans tabou, de transports qui les emportèrent jusqu'au bout de la nuit et les laissèrent exsangues. Comme des poissons échoués sur la grève.

41

En se réveillant, Zoé s'aperçut qu'elle avait la tête au pied du lit. Elle reposait sous le coin d'un drap, l'autre était entortillé au milieu du matelas en un tas informe. Cette couche transformée en champ de bataille lui rappela l'ardeur de leurs ébats nocturnes. Elle avait su éveiller chez Victor des réactions purement animales, satisfaire ses désirs les plus osés et laisser libre cours à ses fantasmes les plus licencieux. Il s'était montré insatiable. Et elle avait adoré regarder son visage déformé par le plaisir, sentir ses muscles comme secoués par des décharges électriques, entendre les halètements rauques qui s'échappaient de sa gorge, tels des sanglots. Au petit matin, enfin rassasié, il avait déposé un tendre baiser entre ses seins en lui soufflant :

— Je n'avais encore jamais ressenti un tel plaisir.

Ces paroles l'avaient emplie de fierté. Elle avait savouré sa victoire : en amante habile et passionnée, elle avait fait la (re)conquête de « son mari », car apparemment Noëlie ne le satisfaisait pas au lit. Elle aurait voulu rester allongée là pour toujours, comblée, à glisser paresseusement ses doigts dans les cheveux ébouriffés de Victor, se délectant de son regard noyé de reconnaissance, mais après un petit somme, il s'était levé en déclarant qu'il devait finir de rédiger un article. Avant de quitter la pièce, il l'avait embrassée en murmurant :

— Merci pour cette nuit, ma chérie.

Elle se mit sur son séant, écarta les cheveux de ses yeux et regarda autour d'elle dans la chambre que les lueurs grises et diaphanes de l'aube éclairaient à peine. Pas un bruit dans la maison. Le réveil indiquait six heures trente. Elle allait devoir préparer le petit déjeuner de Kevin et de Marion. Leur père les déposait le matin à l'école et au lycée en se rendant à l'hôpital. Ensuite, elle pourrait savourer sa journée en toute quiétude, car les enfants mangeaient à la cantine, et Victor à la cafétéria de l'hôpital. Elle enfila un peignoir et descendit à la cuisine. Elle brancha la machine à café et prépara un chocolat pour Kevin et des toasts. Quand Marion entra, tout était prêt.

— B'jour, mam', lui lança l'adolescente en l'embrassant.

Zoé remarqua qu'elle avait les traits tirés et l'air épuisé.

— J'ai l'impression que ça ne va pas très fort. Quelque chose te tracasse ? Il faudra qu'on parle, lui dit-elle en posant la cafetière sur la table.

Marion opina, l'air sombre, et se remplit une tasse de café.

— Tu veux que je te beurre une tartine ? demanda Zoé d'une voix douce.

— Pas la peine, je n'ai pas faim, répondit Marion sans quitter sa tasse des yeux.

Le petit Kevin fit irruption dans la pièce en sau-
tillant comme un moineau. Il enlaça Zoé et s'assit en
face de sa sœur. Zoé posa devant lui un grand bol de
chocolat fumant et une boîte de céréales.

— On va faire un match de foot, annonça-t-il gaiement.

— Super ! dit Zoé sans quitter des yeux Marion qui
sirotait son café, la mine renfrognée.

Victor ne tarda pas à se joindre à eux. Il portait un
costume en lin et une chemise bleu ciel. « La classe ! »
pensa Zoé, lui jetant un regard plein d'adoration. Il
prit son visage dans ses mains et plongea son regard
dans le sien, un long moment.

— Je t'aime, lui chuchota-t-il à l'oreille et il l'embrassa sur la bouche.

Il se versa une tasse de café et, s'adressant aux
enfants :

— Ne traînez pas, je reçois ma première patiente
dans une demi-heure !

— C'est Margot qui viendra vous chercher, leur
rappela Zoé.

— Quand est-ce que tu conduiras de nouveau ?
demanda Kevin.

— Bientôt ! Je sens que je commence à reprendre
de l'assurance. J'ai une leçon ce matin à dix heures.

Elle comptait se promener sur la plage avant
son heure d'auto-école. Comprenant sa peur de
« reprendre » le volant, Victor l'avait inscrite à des
cours de conduite, exactement comme l'avait prévu
Léo. Elle prenait une leçon tous les jours et commençait à se sentir à l'aise. En attendant de pouvoir se servir de la voiture de Noélie, elle empruntait le vélo de
Marion pour sortir.

Enveloppée dans son peignoir, elle les accompagna jusqu'à la voiture. Elle se mit sur la pointe des pieds pour embrasser tendrement Victor. Il lui picora la joue, se glissa derrière le volant et lança :

— À ce soir, ma chérie, profite bien de ta journée ! Si tu as un problème, surtout n'hésite pas à m'appeler sur mon portable à l'hôpital !

42

Zoé sortait de la douche quand son portable sonna. Cela ne pouvait être que Léo. Elle n'avait pas envie de lui parler et décida de ne pas répondre. Elle l'imagina arpentant le minuscule appartement crasseux, son portable collé à l'oreille. Un dégoût l'envahit. Elle aimait sa nouvelle vie, elle se sentait chez elle dans cette magnifique maison. Les enfants l'adoraient et elle avait réussi à rendre « son mari » amoureux. Maintenant qu'elle avait goûté au raffinement, elle n'avait plus envie de vivre avec Léo qui, avec le recul, lui paraissait tel qu'il était vraiment : grossier et vulgaire.

Le téléphone continuait à sonner. Il fallait répondre sinon Léo risquait de perdre les pédales et de faire un esclandre. Il en était bien capable. À cette pensée, elle vacilla dans la pièce, prise d'un léger vertige. Elle saisit le téléphone et examina l'écran. C'était bien le numéro de Léo, elle ne s'était pas trompée. Immédiatement, elle appuya sur la touche « RÉPONDRE ». Tout de suite, elle reconnut la voix peu amène de son complice :

— Allô !

Elle ouvrit la bouche. Elle avait la langue et les lèvres sèches. Elle prit une profonde inspiration.

— Léo, c'est toi ?

— Qui veux-tu que ce soit ? Le président de la République ? Qu'est-ce que tu fous ? Tu pourrais te magner le cul quand je t'appelle et me tenir au jus !

— Je n'ai pas pu, je n'étais pas seule, se défendit-elle.

— Ne me raconte pas de bobards !

— Je t'assure, Léo, que je n'ai pas pu.

— Bon, ça va, t'énerve pas. Il faut qu'on se voie tout de suite, je t'attends au bar du Midi, c'est pas loin de ton palace.

— O.K., j'arrive.

Elle appuya sur la touche « RACCROCHER ». Sa balade sur la plage tombait à l'eau. Tant pis, il fallait parler à Léo, essayer de le calmer. Elle s'apprêtait à mettre le portable dans son sac quand il émit un signal sonore. C'était un SMS d'Antoine qui la bombardait de messages :

MA LILI, JE T'AIME, NE M'OUBLIE PAS, JE T'EN SUPPLIE.

Il commençait à lui taper sérieusement sur les nerfs, celui-là ! Il fallait à tout prix le décourager. Elle répondit :

G SAIS PAS QUI VOUS ÊTES, NE M'ÉCRIVEZ +.

Elle mit un pantalon en lin avec une veste coordonnée sur un haut de soie verte et descendit dans la cuisine.

— Margot, je sors, dit-elle. Vous pouvez faire les chambres, s'il vous plaît ?

— Bien, madame, grommela la matrone en la gratifiant d'un regard noir.

Zoé était toujours mal à l'aise en face de cette grosse femme dont les yeux de furet semblaient la transpercer. Elle quitta la cuisine par la buanderie pour prendre le vélo de Marion au garage. Elle l'enfourcha, franchit le portail et pédala dans les rues désertes à cette heure matinale. Elle longea les murs dissimulant de magnifiques maisons entourées de jardins. Elle passa devant les boutiques où elle faisait ses courses. Quand elle saurait conduire, elle irait au supermarché. Dans ce quartier huppé, elle trouvait tout trop cher. Non qu'elle manquât d'argent, Victor ne lui refusait rien. Elle disposait d'une carte bancaire à son nom qu'il approvisionnait généreusement sans lui demander de comptes. C'était juste une question de principe. Elle jugeait idiot de payer la même marchandise le double de son prix. Il en allait de même avec les vêtements : pourquoi payer les fringues une fortune uniquement pour arborer le petit logo de la marque ? Frimer n'était pas son genre. Pour elle, l'essentiel était de se sentir à l'aise dans ses baskets.

Elle amorça la descente et n'eut pas besoin de pédaler jusqu'au café qui se trouvait à l'angle d'une rue en bas de la pente. Le chemin du retour serait plus ardu ! Elle attacha son vélo à un réverbère, remonta ses lunettes de soleil sur sa tête et entra dans le bar. À part trois collégiens qui jouaient au flipper, l'étroite salle était vide. Léo l'attendait, accoudé au comptoir. Elle ne l'avait pas revu depuis la nuit de l'enlèvement. Installée dans sa nouvelle vie, il lui semblait qu'il y avait une éternité, alors que le kidnapping ne datait que de deux semaines.

Léo paraissait fatigué, nerveux, irritable. Il ne s'était pas rasé et des petits poils piquants bleuissaient son

257

menton et ses joues. Ses cheveux noirs, qu'il n'avait pas retenus à la nuque par un élastique, étaient en bataille. Elle le trouva amaigri. Il lui rappela Hernani, le chat efflanqué qu'avaient un jour recueilli ses grands-parents. Elle s'approcha, un sourire forcé plaqué sur ses lèvres.

— Salut, lança-t-elle en lui tendant la joue.

— C'est tout ce que tu trouves à dire ? remarqua-t-il d'un air bougon.

Il mit le bras autour de ses épaules et l'embrassa à pleine bouche. Le corps de Zoé se contracta.

Léo sentit sa crispation, son léger recul, même s'ils continuaient à se toucher.

— Qu'est-ce qu'il y a ? On dirait que tu n'es pas contente de me voir.

Zoé n'eut pas le loisir de répondre, car le patron du bar, un homme rougeaud, aux traits boursouflés, mous et congestionnés, lui demanda ce qu'elle désirait boire. Ses bras velus croisés sur la poitrine, il mâchonnait une allumette tout en suivant un match de foot sur l'écran plat suspendu dans un coin au-dessus du comptoir.

— Une autre bière à la pression ! fit Léo. Et toi, Zoé, qu'est-ce que tu prends ?

— Un café.

L'homme les dévisagea quelques secondes, puis il cracha son allumette par terre, attrapa un bock par l'anse d'une main tout en tournant le robinet de l'autre. Léo entraîna Zoé vers une banquette au fond de la salle.

— Alors, raconte ! dit-il, impatient quand ils se furent installés.

— Ben, tout se passe comme prévu.

— C'est tout ce que tu trouves à dire ?

— Ben, personne ne s'est aperçu que je ne suis pas l'autre.

L'air satisfait, Léo engloutit une lampée de bière.

— Super ! s'écria-t-il, avec son sourire de piranha. On a réussi l'étape n° 1, on va pouvoir passer à l'étape n° 2.

— Qu'est-ce que tu veux dire ? demanda Zoé, effrayée.

— J'ai un plan, tu verras, rien de plus facile.

— Quel plan ?

— Hyper fastoche, on fait disparaître le mec !

— Quel mec ?

— Bordel, tu pionces ou quoi ? Le toubib, pardi !

— Tu es complètement dingue, je ne marche pas !

— C'est pourtant ce qu'on avait prévu.

— Non, je t'ai toujours dit que je ne voulais pas de sang.

— Espèce de conne, tu crois que je vais te laisser te la couler douce pendant que je suis dans la mouise ? Je bute le mec et je prends sa place. Pigé ?

Zoé avait horreur qu'on lui parle sur ce ton.

— Je te donnerai du fric, si c'est ça que tu veux, mais je te répète que je ne veux pas de sang ! rétorqua-t-elle.

— Tu te fous de moi ? Tu me prends pour un con ? Tu veux garder ton mec, c'est ça ? C'est un bon coup au plumard ? ironisa-t-il, bouillant de rage.

Zoé se sentit rougir. Il explosa, les tempes soudain sillonnées de veines saillantes.

— C'est ça ? rugit-il en lui tirant les cheveux.

Elle émit un petit cri. Le barman leva ses yeux vifs, malins et vicieux de ouistiti et gloussa, avant de se tourner de nouveau vers la télévision.

— Calme-toi, veux-tu ! On peut discuter sans s'engueuler ! s'exclama Zoé qui désirait éviter un scandale.

Entre-temps, deux autres consommateurs avaient fait leur apparition, un homme à la mine patibulaire et une femme à l'air agressif.

— C'est ça ! bougonna Léo. Dis-moi ce que tu comptes faire ?

— D'abord, je veux savoir si tu t'occupes bien de Noëlie.

Il ne répondit pas, la toisant l'air moqueur.

— Tu pourrais dire quelque chose ! Je suis malade à l'idée de ce qu'on lui a fait.

Léo ricana en dévoilant ses petites dents jaunes et pointues. Puis il posa sur elle un regard appuyé avant de lancer :

— Tu ne te plains pas d'avoir pris sa place !

Zoé devint écarlate.

— Je veux que cette femme soit bien nourrie, la pauvre, que tu lui portes du linge de rechange et que tu la fasses sortir un peu au soleil. C'est inhumain de la laisser enfermée dans le noir.

— Pour qu'elle se taille comme elle a déjà essayé le premier soir !

— Tu es quand même assez grand pour la surveiller.

— Ne te figure pas que je vais jouer les nounous. J'en ai ras le cul de cette gonzesse, je vais la laisser clamser, et basta !

— Tu es barge ! s'écria Zoé, horrifiée.

Léo jura entre ses dents tout en jetant des coups d'œil nerveux par-dessus son épaule en direction des autres clients et du barman. Puis il avala une gorgée de bière.

— J'ai pas le fric pour continuer à la nourrir, fit-il.

Des rides s'accusaient dans le visage mobile qui reflétait la suffisance et la veulerie.

— Je vais t'en filer, fit-elle avec un soupir.

— Et ça va durer combien de temps cette comédie ? Faudrait pas me prendre pour un con, je ne suis pas à la disposition de cette bourge.

C'était bien là le problème. Un problème insoluble. Ils ne pouvaient pas garder Noëlie éternellement prisonnière. Mais que faire ? Lui rendre la liberté était impossible s'ils ne voulaient pas finir en prison. La tuer était inconcevable.

— Je n'en sais rien, concéda-t-elle.

— Il n'y a qu'une solution, la laisser crever ! répéta Léo.

— Hors de question !

— Eh bien, file-moi une combine puisque tu es si fortiche !

— Je n'en ai pas, je ne sais vraiment pas ce qu'il faut faire !

Léo eut un rire grinçant.

— Mais une chose est certaine : je ne veux pas avoir sa mort sur la conscience, poursuivit Zoé.

— De toute façon, elle finira par crever dans son trou.

— Pas si tu t'en occupes ! protesta-t-elle en secouant énergiquement la tête.

Et devant l'air buté de Léo, elle ajouta, conciliante :

— Viens, on va chercher du fric au distributeur. Y en a un tout près d'ici.

— O.K., fit Léo qui n'avait rien contre l'idée d'empocher de l'oseille. Mais je te préviens, si tu comptes me larguer ou me couillonner, tu te fourres le doigt dans l'œil jusqu'à l'omoplate. Si tu ne fais pas ce que je te dis et que tu m'empêches de zigouiller le toubib, je vais trouver mon frangin commissaire et je lui balance tout ! Je lui dirai que c'est toi le cerveau, que tu as tout combiné et que je n'ai fait que t'aider à usurper l'identité de la nana. Pigé ? Bon, tu règles les consommations et on va tirer le pèze !

« Et c'est avec cet homme que j'ai fait ma vie », pensa Zoé avec lassitude. La répulsion qui l'envahit ressemblait à celle qui vous fait piétiner un mille-pattes dont la vue vous répugne et qu'on écrase avec un immense dégoût.

— Je préfère aller en prison que me rendre complice d'un assassinat ! répliqua-t-elle en se levant.

— Je te préviens, à la première entourloupe, je te crève, ma petite. Tu m'entends bien ? JE TE CRÈVE !

43

Antoine n'en pouvait plus. L'incertitude et le vide qui bourdonnaient en lui le minaient depuis des jours. Il restait collé toute la journée à son portable, le consultant sans arrêt pour vérifier s'il n'y avait pas d'appel en absence ou de mail. Il envoyait des textos, avec l'impression de clamer dans le désert. L'unique réponse de Noëlie, écrite dans un langage qui ne lui ressemblait pas, lui avait fait l'effet d'un coup de matraque, le plongeant dans un désarroi profond. Il lui semblait avoir touché le fond de la désespérance. Sans elle, il était comme un homme qui a perdu son ombre. Sans avenir. Les livres lui tombaient des mains. Manger lui donnait la nausée. L'image de Noëlie le poursuivait, une image rongée par l'absence à laquelle il tentait de rendre le vif de la vie, le regard félin, le rire, le parfum épicé, les rondeurs et les replis voluptueux du corps frémissant sous ses caresses... Les heures s'effilochaient tandis qu'il errait au gré de ses interrogations nauséeuses. Toujours les mêmes questions qui revenaient, lancinantes : était-il possible qu'elle l'eût oublié ? Pourrait-elle rester indifférente, ne pas le reconnaître si elle le voyait et entendait sa voix ? Non, c'était impossible : les liens qui les unissaient étaient bien trop forts pour ne pas survivre à une amnésie !

À dix heures, il avait terminé ses cours de la matinée. Soudain, au moment où il franchissait le porche du lycée, il avait été saisi du violent désir de la revoir, de la serrer dans ses bras. Sans réfléchir, il avait sauté dans sa Twingo et roulé vers les beaux quartiers. Il s'était garé en face de chez elle. Là, il était resté assis dans sa voiture, hésitant à sonner à la grille. À cette heure-ci, il y avait des chances pour qu'elle soit seule à la maison. Son mari devait être à l'hôpital et son fils à l'école. Sa fille était au lycée, il en était sûr. Il avait eu cours avec la classe de Marion de neuf à dix heures, et il savait qu'elle avait d'autres cours jusqu'à midi. Pas de danger donc de se trouver nez à nez avec son élève. Si Noëlie n'était pas seule, il avait la parade : il se présenterait comme un ancien ami de fac de passage dans la ville, désireux de venir saluer une vieille copine. C'était tout à fait plausible.

Il ouvrait la portière de sa Twingo quand il vit un vélo s'approcher de la grille. C'était Noëlie. Elle était rouge et essoufflée, après avoir gravi la côte raide. Leurs regards se croisèrent, mais elle n'eut aucune réaction. Ses yeux étaient vides. Il descendit de voiture et se précipita vers elle avant qu'elle n'actionnât l'ouverture du portail.

— Ma chérie, c'est moi Tony, tu me reconnais ?

Elle le dévisagea comme si elle le voyait pour la première fois, avec un intérêt poli. Comme on regarde un inconnu qui vous aborde dans la rue pour vous demander son chemin.

— Vous devez faire erreur, je ne vous remets pas, monsieur, murmura-t-elle.

— Je suis Tony, tu ne peux pas m'avoir oublié ! protesta-t-il, blessé par tant d'indifférence.

— C'est possible que je vous aie connu avant mon agression, mais j'ai perdu la mémoire, dit Zoé.

Elle venait de reconnaître l'amant de Noëlie qui la bombardait de textos et qu'elle avait aperçu fugitivement dans le garage souterrain quand il avait raccompagné Noëlie, censée être au théâtre, après leur soirée en amoureux. Elle se souvint de la colère de Léo après cette première tentative d'enlèvement avortée. À la lumière du jour, elle le trouva séduisant avec sa mèche rebelle qui lui donnait l'air d'un vieil adolescent. Il la dévorait de ses yeux azur empreints de tristesse. Elle eut un mouvement de pitié pour cet homme rongé d'inquiétude. Elle se sentit rougir en pensant aux atrocités que Léo, avec sa complicité, faisait subir à la femme qu'il aimait. Le remords, qui courait dans son sang comme un poison, revint s'abattre sur elle. Mais maintenant qu'elle avait fait la conquête de « son mari », elle n'avait pas envie d'avoir de liaison extraconjugale. Elle devait tailler dans le vif ; tant pis si elle se montrait cruelle.

— Nous avons peut-être eu des liens dans le passé, dit-elle froidement avec le détachement implacable du chirurgien dans le bloc opératoire, mais maintenant je ne ressens plus rien pour vous. C'était dans une autre vie. Vous êtes pour moi un étranger. C'est pourquoi je préfère rompre définitivement. Par respect pour mon mari que j'aime, je vous demande donc de ne plus chercher à me joindre ni à me revoir. Au revoir, monsieur.

Fière de cette phrase, digne de figurer dans un roman Harlequin, elle détourna la tête pour appuyer sur la télécommande du portail qui s'ouvrit dans un bourdonnement. Elle s'y engouffra, le referma vivement et pédala dans l'allée. Soulagée.

Le labrador qui l'avait aperçue vint à sa rencontre et fit des bonds autour du vélo.

— Arrête, Carl, tu vas me renverser !

Le toutou l'accompagna en jappant jusqu'à la maison. Une vieille guimbarde était garée devant le perron. Zoé se demanda, anxieuse, qui pouvaient bien être ces visiteurs à qui la femme de ménage avait ouvert la porte. Elle rangea le vélo dans le garage et entra directement dans la cuisine.

— Vous avez de la visite ! lui annonça Margot, en train de passer la serpillière sur les tomettes. Vos beaux-parents sont là, je les ai fait asseoir sur la terrasse !

Zoé se souvint d'avoir lu sur Facebook une réflexion de Noëlie à leur sujet : la belle-mère qualifiée de « chiante » et d'« emmerdeuse », et le beau-père de « grossier personnage et d'affreux gauchiste ». Même « sa mère » les méprisait ouvertement, elle s'en était rendu compte dès le premier jour de son arrivée ici. Décidément, les parents de Victor n'étaient pas en odeur de sainteté chez elle ! Elle était curieuse de faire leur connaissance pour voir ce qui pouvait bien justifier l'opprobre dont ils faisaient l'objet.

44

Le couple assis sur la terrasse formait un contraste si saisissant que Zoé étouffa un petit gloussement. L'expression imagée de sa grand-mère « Gigot et grain d'ail » lui vint immédiatement à l'esprit. La belle-mère était presque aussi large que haute, avec une figure lunaire toute en fossettes et en replis douillets. Elle était affublée d'une robe d'été blanche, émaillée de coquelicots écarlates, aux manches bouffantes et au grand décolleté d'où émergeaient des mamelles volumineuses. Comparé à sa femme, le mari était une asperge, tout en longueur avec des jambes d'échassier, un visage étroit en lame de couteau, un long cou décharné et l'air patibulaire, encore accentué par un costume sombre de croque-mort.

La belle-mère se jeta littéralement au cou de Zoé.

— Ma pauvre petite ! s'écria-t-elle en la pressant contre sa poitrine généreuse avant de lui coller un bécot baveux sur la joue. Ma pauvre petite, répéta-t-elle, comment allez-vous ? Nous avons eu si peur quand nous avons appris cet horrible drame !

Elle avait un accent à couper au couteau : l'accent

ensoleillé de la Provence qui porte en lui le chant des cigales et du mistral, les fragrances musquées du thym et du romarin, l'odeur forte de l'ail, le parfum velouté des lavandes !

— Je vais mieux, répondit Zoé, mais je ne reconnais plus personne.

— Victor nous a prévenus quand il nous a téléphoné, déclara le beau-père qui l'embrassa à son tour avec effusion avant de lancer : Donc je suppose que vous vous demandez qui sont les deux olibrius installés chez vous.

Zoé acquiesça, amusée. L'humour de cet homme lui plaisait.

— Eh bien, nous sommes le papa et la maman de Victor, Mireille et Marius Escartepigne, expliqua la grosse femme.

Zoé se dandina d'un pied sur l'autre, ne sachant que dire.

— Mais ne restez pas debout ! Faites comme chez vous ! gloussa le beau-père.

— Vous ne vous souvenez pas de l'agression ? demanda la belle-mère, lorsqu'ils furent assis à la table.

— Vaguement, répondit Zoé. Ce que j'ai oublié, c'est mon passé. Quand j'ai repris conscience, je ne savais plus qui j'étais. Je ne me souviens encore de rien.

— Victor nous a dit que vous alliez guérir, la rassura le beau-père. Et il s'y connaît, notre petiot, c'est un grand docteur.

— Pauvre petite ! Cela doit être angoissant de tout oublier comme ça, peuchère, compatit la belle-mère en lui caressant le bras. Nous voulions venir vous voir plus tôt, mais Victor nous a demandé d'attendre que vous soyez remise.

— Vous habitez loin ? demanda Zoé.

Les yeux de la belle-mère s'agrandirent comme si elle ne comprenait pas la question.

— Tu oublies, Mirou, que c'est comme si Noëlie nous voyait pour la première fois. Elle ne sait plus rien de nous, lui fit remarquer son époux.

— Je sais, peuchère, mais ça me fait tout drôle de devoir tout lui expliquer comme si nous étions des étrangers ! répliqua sa femme.

Elle sourit à Zoé.

— Eh bien... euh... que vous dire ? Nous sommes retraités. Nous habitons à Saint-Zacharie, un hameau près d'Aubagne. Nous avons tenu une petite épicerie qui vivotait. Au jour d'aujourd'hui, les gens préfèrent les grandes surfaces où il y a plus de choix et où tout est moins cher ! Bref, nous avons tiré le diable par la queue.

— Et nous continuons, compléta son mari, nous avons une retraite de misère ! Nous nous sommes saignés aux quatre veines pour que notre Victor aille le plus loin possible. C'était un brillant élève ! Toujours premier partout.

— Oui, on est fiers de notre petit, c'est un génie, ajouta la belle-mère en se pressant maternellement le sein.

Elle se rengorgea :

— Être allé aux écoles, ça lui en a ouvert des portes ! Il fréquente le grand monde, la « jette sept » comme on dit !

Zoé l'écoutait, à la fois amusée et émue. Cette femme chaleureuse qui aimait tant son fils lui plaisait.

Pourquoi Noëlie et sa mère ne pouvaient-elles pas la supporter ?

— Vous avez fait des sacrifices pour Victor, remarqua-t-elle, et vous avez été récompensés.

Les époux se regardèrent, l'air gêné.

— Jamais chaton n'a porté de rat à sa mère ! grogna le beau-père.

— S'il nous invitait et s'il venait nous voir plus souvent avec les petiots, nous serions si heureux ! s'écria la belle-mère, les yeux brouillés de larmes.

— Mais notre fils a honte de nous, éructa son mari, on n'est pas couillons au point de ne pas s'en rendre compte.

— Il juge qu'on n'a pas assez de classe et qu'on fait tache dans ce milieu de riches, compléta sa femme.

— Ces richards s'en croient comme des dindons borgnes et crachent sur les petites gens. Et qu'est-ce qu'ils ont de plus que nous ? glapit le beau-père. Ils n'ont pas compris que sur le plus beau trône du monde, on n'est jamais assis que sur son cul !

Sa femme essuya une larme.

— Nos petits-enfants nous connaissent à peine et nous regardent comme des pauvres ploucs demeurés et grossiers, geignit-elle. Ils n'en ont que pour vos parents !

Zoé fut touchée au vif par cette explosion de chagrin. Elle trouvait cruel d'écarter ses parents de la sorte et de les priver de tant de joies familiales.

— Je ne comprends pas l'attitude de Victor, s'offusqua-t-elle. Les enfants ont le devoir de respecter leurs parents ! Je vous promets que ça va changer !

Ils la regardèrent, éberlués.

— Vous n'êtes plus la même, Noëlie, à croire que le coup sur la tête vous a rendue plus humaine, constata le beau-père.

— Parce que je ne vous aimais pas avant ? demanda Zoé, interloquée.

La grosse femme se tourna vers son mari.

— Je peux lui dire la vérité ? lui chuchota-t-elle.

— Même si toute vérité n'est pas bonne à dire, c'est mieux que le mensonge ! répondit-il tout de go. Dis-lui !

Zoé opina.

— Je suis prête à tout entendre.

La belle-mère, embarrassée, s'éclaircit la voix avant de parler.

— Eh ben alors, je vais vous la dire, la vérité : vous avez été infecte, une véritable teigne. C'est à cause de vous, et aussi de vos parents, que notre petit s'est coupé de nous. Il sentait bien que vous nous trouviez ridicules, pas à notre place dans votre monde, et il s'est mis à nous regarder de haut comme des pestiférés.

— Il a honte de nous, ses parents ! confirma son mari.

— Et on n'a que ce fils, vous pouvez croire qu'on en a versé des larmes !

Bien qu'elle ne fût pas la cause des brimades que Noëlie leur avait infligées, Zoé rougit de honte. Chaque parole de ces pauvres gens était comme la blessure d'un couteau. Elle comprenait parfaitement leurs sentiments, car elle avait ressenti exactement la même chose. Fille de salle, au plus bas de la hiérarchie, elle avait souffert de l'humiliation et du mépris de certains de ses supérieurs boursouflés d'arrogance et de prétention. Elle sentit les larmes lui brûler les yeux.

— Comment ai-je pu me comporter ainsi avec vous ? Je vous en demande pardon ! s'écria-t-elle avant d'éclater en sanglots. Mais je vous promets que ça va changer. Vous êtes ici chez vous !

La grosse femme lui prit la main et la serra très fort entre ses doigts boudinés.

— Merci, Noëlie. Je suis si heureuse.

Et elle se répandit en effusions mêlées de larmes.

— Bientôt, on va bénir le voyou qui vous a assommée, déclara le beau-père. Il a transformé notre belle-fille, et en bien !

Après avoir reçu un baiser sonnant du beau-père, Zoé lança :

— Je vous invite à manger, je suis seule à midi ! Il reste de la blanquette de veau, vous m'en direz des nouvelles.

— Vous cuisinez maintenant ? demanda la grosse Mireille, au comble de l'étonnement.

— Oui, j'y ai pris goût !

— À la bonne heure ! C'est la femme qui fait la maison ! Notre Victor doit en être heureux, approuva son mari. Avant, vous ne leviez pas le petit doigt dans la cuisine. C'était indigne de « Madame la sucrée » !

Et à ces mots, il se mit à glousser dans une pluie de postillons aux effluves d'ail.

Zoé, qui partageait cet avis, fit chorus.

— Vous prendrez bien un apéritif ? demanda-t-elle.

— C'est pas de refus ! dit la belle-mère.

— Qu'est-ce que je vous sers ?

— Un muscat.

— Et vous, Marius, vous voulez un pastis ?

— Oh ! c'est comme si vous demandiez à un âne s'il veut du son ! dit la belle-mère en riant de bon cœur.

Zoé alla chercher les boissons et en profita pour faire réchauffer la blanquette qu'elle servit à l'intérieur, car son beau-père souffrait du « cagnard, à péter la tête aux ânes » !

Le repas se déroula dans la bonne humeur. Ils firent honneur à la blanquette qu'ils dévorèrent avec appétit.

— Quand l'appétit va, tout va ! J'ai une fringale à dévorer les jarrets d'un préfet ! s'écria le beau-père, déclaration ponctuée par un rot sonore.

Il engloutissait d'énormes bouchées, reniflant avec une joie gourmande. Et il parlait, parlait, la bouche pleine, riant aux larmes de ses propres histoires.

Zoé appréciait la simplicité des parents de Victor, la chaleur humaine et la gentillesse de Mireille, les réflexions de Marius frappées au coin du bon sens. Elle s'amusa beaucoup des anecdotes qu'ils lui contèrent dans leur langage et avec leur accent savoureux, dignes de Pagnol. Après avoir englouti deux parts de tarte aux abricots, le beau-père s'essuya les lèvres du revers de sa veste avec un grand soupir de satisfaction, se cura les dents avec sa langue avant de lancer :

— Eh bien, je suis repu ! Je me suis mis une de ces ventrées, je crois que je vais me faire péter la ceinture. Félicitations, Noëlie, vous êtes devenue un cordon-bleu.

Il s'interrompit, sembla faire des efforts pour se libérer d'un rot récalcitrant qui sortit bruyamment en un long borborygme.

— Vous allez pouvoir concurrencer votre belle-mère, ici présente, et qui est une sacrée bonne cuisinière, elle aussi !

Zoé partit d'un bel éclat de rire, un rire contagieux qui cascada et gagna la grosse femme qui se mit à pouffer en secouant sa face lunaire comme un gros ballon de baudruche.

Marion fit irruption dans la pièce au milieu de l'hilarité générale. Voir sa mère manger et rire avec ses grands-parents paternels était une première. Elle se figea, stupéfaite, dans l'embrasure de la porte.

— Viens embrasser tes grands-parents ! lui dit Zoé, tordue de rire.

Marius et Mireille lui tendirent les bras et l'adolescente s'exécuta, gênée.

— Quelle belle petite ! s'exclama sa grand-mère en lui déposant deux grosses bises sonnantes sur les joues.

— C'est vrai qu'elle est belle, notre grande ! fit le grand-père.

— Tu n'as pas école ? lui demanda sa femme.

— Non, la prof de bio est absente !

— Ces fonctionnaires, ils n'en fichent pas une rame. Nous, à l'épicerie, on n'avait pas intérêt à s'absenter ! constata Marius.

— Tu as du travail ? s'enquit Zoé.

— Ouais, un bouquin à lire ! fit Marion avec une moue.

— Oh ! moi, dit sa grand-mère, j'ai jamais pu en lire un jusqu'au bout ! Même qu'avec tout ce que je ne sais pas, il y aurait de quoi écrire un livre, et un gros !

— Ça c'est ben vrai ! s'esclaffa son mari.

Et un large sourire illumina son visage boucané comme un vieux buis.

— Et toi, donc ? rétorqua son épouse, vexée. Si tu comptais les bêtises que tu racontes en une journée, tu en remplirais une « en cyclope et dit », en entier !

Zoé riait à gorge déployée. Elle avait l'impression d'être au théâtre. L'horloge du salon sonna trois coups.

— Bon, c'est pas tout, il faut qu'on se rentre ! dit le vieil homme en levant sa grande carcasse.

— Vous pouvez rester si vous voulez, leur proposa Zoé, vous ne me dérangez pas.

— Non, on est d'enterrement.

— Le fils des boulangers qui a eu un « infractus », il est tombé raide mort sur le trottoir devant le magasin, expliqua la belle-mère. C'est un choc terrible pour les parents.

Elle se plongea dans un abîme de méditations et s'écria :

— L'essentiel dans la vie, c'est quand même la santé, parce que si on n'a pas la santé, on a beau être riche que...

Son mari coupa cet envol philosophique en la poussant vers la sortie.

— Allez, ouste, en route, sinon on arrivera quand le mort sera déjà en train de sucer les racines de pissenlit !

Marion et Zoé les accompagnèrent sur le perron. Ils embrassèrent « leur bru » et leur petite-fille et montèrent dans leur vieille guimbarde.

— J'ai été très heureuse de passer un moment avec vous. Revenez quand vous voudrez, comme je vous l'ai dit : ma porte vous est toujours ouverte ! leur répéta Zoé.

— Au revoir, Noëlie ! Au revoir, Marion ! Et encore merci pour l'accueil et l'excellent repas !

— On s'est régalés ! Vous pouvez être tranquille, on reviendra. L'auberge est bonne ! Allez, au revoir !

45

— Qu'est-ce qui t'a pris d'inviter pépé et mémé ? demanda Marion à Zoé, dès que le portail se fut refermé sur la guimbarde bringuebalante.

— Ce sont les parents de ton père et ils ont autant droit de cité ici que les miens. En plus, ils sont adorables.

— Tu ne les trouves plus nazes ?

— Quoi ?

— Ben, tu dis toujours qu'ils sont tartignoles et collants comme de la glu et qu'il vaut mieux éviter de les introduire trop souvent ici pour ne pas qu'ils s'incrustent.

Zoé, qui avait été élevée dans le respect des personnes âgées, fut choquée d'entendre de tels propos qu'elle jugeait offensants. Comment Noëlie pouvait-elle traiter ses beaux-parents de la sorte devant les enfants ? Quel exemple leur donnait-elle ? Décidément, hormis la ressemblance physique, elle n'avait rien de commun avec cette femme. Une vaniteuse gonflée comme un pou, comme aurait dit son grand-père.

— Eh bien, j'ai changé d'avis, lança-t-elle, et je regrette de vous avoir parlé ainsi, alors que j'aurais dû vous apprendre qu'on doit respecter les anciens. Comme dans le conte.

— Quel conte ? ricana Marion.

— Un conte de Grimm, *Le Vieux Grand-Père et son petit-fils*.

Une histoire que lui avait lue sa grand-mère quand elle était petite et dont Marion n'avait apparemment jamais entendu parler.

— Tu ne le connais pas ?

— Non. Qu'est-ce que ça raconte ?

— L'histoire d'un homme qui traite son père comme un chien. Il le fait manger à l'écart de la famille dans une gamelle. Un jour, il voit son fils assembler quelques planchettes de bois. Il lui demande, intrigué, ce qu'il fait. « Je fabrique une petite auge, lui répond l'enfant, pour faire manger papa et maman quand ils seront vieux. »

— Bof, c'est un peu con ! fit Marion en haussant les épaules.

Mais derrière cette indifférence feinte, Zoé comprit que Marion était touchée par cette histoire.

— Tes grands-parents ont des qualités de cœur. Ce que je te demande, c'est d'être gentille avec eux.

— O.K., si ça te fait plaisir, mam' !

— Merci, Marion. Au fait, tu ne voulais pas me parler hier matin ?

— Si, mam', mais on n'a pas le temps maintenant.

— Si, pourquoi ?

— Tu as oublié ton rendez-vous chez Hédenté ?

— Chez qui ?

— Le dentiste.

Zoé pouffa.

— Hédenté ! Il porte bien son nom, ce dentiste !

N'empêche qu'il ne manquait plus que ça ! La dentition : un détail auquel ils n'avaient pas songé et qui pouvait la trahir. Ses dents saines ne nécessitaient pas de soins. Elle se creusa les méninges pour trouver un prétexte plausible pour n'avoir pas à honorer ce rendez-vous.

— Je n'ai plus mal aux dents, prétendit-elle.

— C'est normal, le dentiste t'a dévitalisé la molaire pour te poser une couronne.

— Eh bien, voilà encore une chose que j'avais oubliée. Je ne connais même plus l'adresse de mon dentiste.

— Tu vas dans un cabinet dentaire. C'est M. Hédenté qui te suit. Il se trouve dans l'avenue Victor-Hugo, tout près d'ici. Tu peux y aller à vélo, ça descend !

— Oui, je vois, je vais me changer ! dit Zoé.

Elle monta dans sa chambre, troqua sa robe contre un corsaire et un T-shirt. Puis elle consulta l'agenda de Noëlie. À la date du jour, elle lut : *Dentiste, 16 h.* Le numéro y était.

Elle prit son portable et téléphona au cabinet dentaire. Elle prétendit une gastro pour annuler son rendez-vous et promit qu'elle recontacterait le dentiste pour en fixer un nouveau. Elle accrocha son sac à dos et descendit au garage.

Un quart d'heure plus tard, elle pédalait allègrement sur une petite route bordée de platanes qui formaient une voûte ombragée. Elle déboucha, éblouie, sur un promontoire d'où l'on dominait la mer. Elle mit pied à terre et s'accouda au muret. Des rires et des cris d'enfants montaient de la plage en contrebas. En tournant la tête, elle apercevait de somptueuses villas disséminées dans le maquis depuis la route côtière jusqu'à la corniche. Une foule de baigneurs était étendue sur des serviettes sous des parasols multicolores. Il y avait peu de monde dans l'eau. Les enfants pataugeaient dans la bande où la mer se mêle au sable. La plupart des mères se tenaient debout, de l'eau jusqu'aux hanches. Quelques-unes nageaient en direction des bouées, d'autres marchaient parallèlement au rivage pour affermir les muscles des cuisses.

Une femme svelte, bronzée, aux cheveux blonds très courts était allongée sur le sable, le maillot roulé sur les hanches, les seins volumineux lovés dans le sable. Malgré ses lunettes noires et sa visière, Zoé aurait juré qu'elle l'observait. Elle ne s'était pas trompée : la femme se leva, remonta son maillot et noua son paréo autour de la taille.

— Salut, Noëlie, tu viens te baigner ? lança-t-elle d'une voix grave de fumeuse, presque masculine, avec l'accent sophistiqué de la provinciale qui cherche à passer pour une Parisienne.

— Non, désolée, répondit Noëlie. Je ne fais que passer !

— Dommage, l'eau est hyper bonne ! Ça va chez toi ?

Elle ne semblait pas avoir eu vent de l'agression.

« Tant mieux ! » soupira Zoé, soulagée de ne pas avoir à se lancer dans le récit de ses récentes tribulations, d'autant que la femme, intéressée uniquement par son cas, ne l'aurait de toute façon pas écoutée.

— Oui, ça roule, et toi ? répondit-elle.

— Tout baigne, c'est le cas de le dire ! rétorqua la femme dans un grand éclat de rire qui révéla une rangée de dents plus blanches que nature.

Elle eut l'air de réfléchir avant de lancer :

— Au fait, vous venez samedi au barbecue des Vermizier ?

Zoé, qui n'avait jamais entendu parler de cette invitation, resta évasive.

— Cela dépendra de Victor, s'il est libre ou pas !

— Nous, on y va ! Il y aura toute la bande, on va s'éclater ! J'ai hâte de voir les résultats du lifting de Peggy. Moi, je suis hyper contente de mes implants mammaires, maintenant je vais faire une lipo du ventre.

— Tu n'en as pas besoin ! s'écria Zoé, étonnée, en contemplant le corps parfait de la femme.

La femme pinça la peau de son ventre entre le pouce et l'index et la tira, dévoilant un minuscule bourrelet.

— Regarde cette énorme bouée, ça me bouffe la vie, je ne peux plus me voir dans un miroir, grommela-t-elle.

«Quelle conne ! pensa Zoé, si elle devait trimer pour gagner sa croûte, elle n'aurait pas le loisir d'observer son lard et son nombril !»

— Justine est dans ses révisions, reprit la femme. Elle bosse du matin au soir. Et Marion ?

— Marion aussi. Bon, je dois rentrer, on m'attend. Salut ! dit Zoé en enfourchant son vélo.

— Salut, à plus ! lui cria la femme en déroulant son maillot jusqu'à la taille pour éviter que les traces blanches des bretelles ne vinssent altérer l'intégralité de son bronzage.

Finalement, elle ne s'en était pas si mal tirée, pensa Zoé, contente d'elle. Elle arrivait parfaitement à donner le change. Personne ne se doutait qu'elle avait usurpé l'identité de Noëlie.

À la pensée de son sosie enfermé dans l'obscurité, son cœur se serra. Pourvu que Léo tînt promesse et qu'il lui apportât tout ce qu'elle avait acheté le matin pour alléger un peu sa souffrance. Pétrie de culpabilité, elle reprit la direction de « sa » luxueuse maison.

46

La moto de Léo se coucha presque sur le côté. Il bouillonnait de colère. Il avait bien senti que Zoé s'était détachée de lui. Elle était amoureuse de ce toubib, la salope. Ce mec, il avait du fric à gogo, il pouvait la gâter, lui acheter des tas de fanfreluches dont raffolent les bonnes femmes. Et il devait lui faire des trucs, ce gros porc. Il la voyait allongée, lascive, son dos cambré, ses cheveux semblables à une crinière éparpillée sur l'oreiller, les joues rouges, le souffle court, tandis que ce saligaud s'affairait entre ses cuisses, la besognait, la labourait. Il crut entendre ses gémissements, ses cris.

— Je t'interdis de la toucher, espèce d'enculé ! Elle est à moi ! hurla-t-il en faisant pétarader sa machine qu'il poussa au maximum.

Il fonçait à tombeau ouvert sur la route qui se déployait devant lui comme un ruban argenté. À une intersection, il quitta brusquement la nationale pour s'engager sur une petite route de campagne qui serpentait parmi les collines. Il ralentit son allure, car la chaussée devenait de plus en plus étroite et cahoteuse. La moto soulevait dans son sillage un nuage de poussière mêlé de gravillons.

Zoé avait retiré 1 000 euros au distributeur de la banque, mais avant de les lui donner, elle avait tenu à l'accompagner au supermarché pour superviser les achats destinés à Noëlie. Elle avait acheté des tas de provisions, des boissons, des lingettes rafraîchissantes, de l'eau de Cologne, une brosse, un peigne, des Kleenex et même des tampons hygiéniques. Elle avait aussi choisi des sous-vêtements, deux shorts et des T-shirts. Il avait grogné en voyant le chariot se remplir à vue d'œil, mais il l'avait laissée faire. Après tout, c'était elle qui payait la douloureuse ! Elle lui avait ensuite remis les 1 000 euros, avec pour consigne d'aller tous les jours aérer la bicoque et faire sortir Noëlie au soleil. Bien sûr, il aurait pu vider tout ce barda dans une benne à ordures et laisser Noëlie crever de faim, mais – même s'il ne voulait pas se l'avouer – il n'aurait jamais pu supprimer cette femme. Elle ressemblait trop à Zoé, et Zoé, c'était la femme de sa vie. Certes, elle déconnait en ce moment, éblouie par ce sale bourge friqué, mais il était intimement persuadé qu'il réussirait à lui faire entendre raison. Il avait assez d'ascendant sur elle pour avoir le dernier mot et elle lui reviendrait, plus amoureuse que jamais.

Il prit un chemin de terre et arriva devant la bicoque miteuse, perdue au milieu de la garrigue. Le gravier craqua sous les roues de la moto lorsqu'il l'immobilisa. Il arrêta le moteur et mit pied à terre. Aussitôt, le crissement des cigales frappa ses tympans. Il commença par quitter son casque pour enfiler sa cagoule, puis dénoua les tendeurs qui arrimaient toute la cargaison empilée sur le porte-bagages, vida les sacoches et porta son chargement jusqu'au seuil. D'une main, il introduisit à grand bruit la clef dans la serrure, la tourna et donna un coup de pied dans la porte qui claqua contre le mur ; et la lumière du jour entra largement dans la pièce. Il recula, frappé par l'affreuse puanteur de cette geôle improvisée. Il se préparait à voir surgir la silhouette de Noëlie dans l'entrebâillement, mais rien ne bougea. Tout était silencieux. Une pensée le traversa comme une lame : « Elle est morte ! » Il posa son fardeau sur la table et se précipita vers le lit. Il vit un corps recroquevillé en position fœtale.

— Bonjour ! clama-t-il d'une voix enjouée. Je vous porte du ravitaillement.

Un gémissement plaintif lui répondit :

— Laissez-moi, je veux mourir !

— Mais non, je vous apporte de la bouffe et je vais même vous faire sortir un peu ! Vous allez pouvoir vous dégourdir les jambes.

Noëlie se redressa.

— Pourquoi me gardez-vous prisonnière ? demanda-t-elle d'une voix ténue. Je n'en peux plus, je préfère mourir tout de suite, tuez-moi !

— Je ne vous veux aucun mal, juste vous retenir jusqu'à ce que votre mari ait aboulé l'oseille.

— Vous avez exigé une rançon et il n'a pas payé ?

— À votre avis ? ironisa-t-il. Allez, levez-vous, on va faire un petit tour dehors.

Il la saisit à bras le corps et la mit debout. Elle vacilla dans ses bras. Léo grimaça, trouvant qu'elle puait. Il l'aida à avancer vers la porte. Elle mit ses mains sur les yeux, éblouie par la lumière. Elle tituba en avant et s'effondra sur le sol, secouée de sanglots.

Affaiblie par la faim et le manque de sommeil, accablée par la tension et l'horreur de l'enfermement, elle
ne parvenait plus à s'arrêter. Léo, désemparé par une
telle souffrance dont il était responsable, resta planté
devant elle, se balançant d'un pied sur l'autre sans
savoir que faire. Ce n'était pas Noëlie qu'il voyait,
mais Zoé. Il se pencha enfin et lui caressa lentement le
dos pour la calmer.

— Je vais vous chercher des lingettes, dit-il, vous
pourrez vous rafraîchir et, pendant ce temps, je net-
toierai le gourbi.

Il alla chercher les lingettes, les Kleenex, l'eau de
Cologne et la brosse qu'il posa à côté d'elle et rentra
de nouveau dans la pièce. Il ressortit avec le seau qu'il
vida derrière la bicoque. Noëlie, qui avait fait un brin
de toilette, avait meilleure mine. Elle avait lissé ses
cheveux, et malgré sa pâleur et ses joues creuses, avec
ses grands yeux cernés qui lui mangeaient le visage,
elle n'avait pas perdu sa beauté. Ses larmes continuaient à couler, intarissables.

— Je vous ai apporté aussi des vêtements de
rechange ! dit-il. Maintenant, si vous voulez, on peut
faire un petit tour, manière de vous dégourdir les
guiboles.

Elle leva vers lui ses yeux verts, baignés de larmes.

— Laissez-moi rentrer chez moi ! le supplia-t-elle.

Et devant son silence, elle ajouta :

— Je vous donnerai tout l'argent que vous voudrez,
mes bijoux...

Il secoua la tête.

— C'est impossible ! fit-il, catégorique.

— Mais vous ne pouvez pas me séquestrer éternellement, protesta-t-elle dans un sanglot. Rendez-moi la

liberté. Je vous jure sur la tête de mes enfants que je ne vous dénoncerai pas !

— C'est impossible, répéta-t-il. Mais je vous promets de venir tous les jours vous faire prendre l'air.

— Enfermée, je deviens folle ! cria-t-elle, hystérique. Vous n'avez pas le droit de disposer ainsi de la vie des gens.

Léo perdit patience.

— J'ai dit non, point barre ! rugit-il.

Elle se recroquevilla, craintive.

— Je le répète, je ne vous veux aucun mal. Je suis obligé de vous retenir ici encore quelque temps. Ensuite, nous verrons.

Une lueur d'espoir s'alluma dans les yeux brillants de larmes.

— Vous me laisserez partir ?

Léo rentra dans la pièce et revint avec un sandwich et une bouteille d'eau.

— Mangez ! lui ordonna-t-il sans répondre à la question qu'elle venait de lui poser et à laquelle il était bien incapable de donner une réponse.

Elle avait raison. Il ne pourrait pas la garder éternellement prisonnière dans cette bicoque. Mais que faire ? Il ne se sentait pas le courage de la supprimer bien que ce fût la seule solution possible.

Noëlie but avidement la moitié de la bouteille d'eau, mais ne toucha pas au sandwich. Quand elle eut terminé, Léo lui tendit le bras pour l'aider à se relever.

— Bon, je regrette, mais je dois partir. Je reviendrai demain et si vous le désirez, on fera un petit viron.

— Ne me laissez pas ici ! hurla Noëlie.

Sans un mot, Léo la poussa dans la pièce. Il regarda une dernière fois la silhouette pétrifiée, la lampe dans sa main pendante, puis il tira la porte à lui et donna un tour de clef.

De retour chez lui, il envoya un SMS à Zoé.

LA BOURGE VA BIEN. A +

47

Assise à son bureau, le casque de son iPod sur les oreilles, Marion écrivait dans son journal en fumant une cigarette.

Depuis que maman a été agressée, elle n'est plus la même. Avant, elle ne pouvait pas piffer pépé et mémé, et aujourd'hui elle les a invités comme si elle les kiffait. Je l'ai trouvée en train de se bidonner avec eux. Quand ils sont partis, elle m'a servi un sermon comme quoi on devait respecter les vieux, avec une histoire plus cucul tu meurs ! C'est trop dingue ! En tout cas, elle est devenue super cool. Maintenant, elle me comprend et je peux tout lui dire sans qu'elle me rentre dans le lard, comme avant. Elle ne me gueule plus dessus. Elle m'a même raconté les conneries qu'elle faisait quand elle était jeune. Elle m'a dit qu'elle s'était shootée, j'en suis restée sur le cul. Elle m'a dit aussi que c'était dangereux, mais ça ne m'a pas empêchée de sniffer encore. Pour la triche par contre, j'ai arrêté. Je flippais trop grave. J'ai de nouveau de sales notes, mais je m'en fous. Je suis sûre que je vais me planter au bac, mais maman m'a promis qu'ils ne m'engueuleraient pas. Si seulement j'avais mes règles ! Ça fait maintenant une semaine de retard. C'est la première fois, d'habitude, ça tombe pile le 28e jour, comme une horloge. Je l'ai dit à Yann, mais il a eu l'air de s'en taper. Il commence à me gonfler grave, c'est quand même sa faute si je suis dans la merde. Il voulait coucher encore, mais j'ai dit non. Et puis, c'était trop nul de nul. J'ai eu tellement mal que je n'ai pas envie de recommencer, je crois que je vais en parler à mam'...

On frappa à la porte, trois petits coups. Marion sursauta. Elle écrasa sa cigarette et la fit disparaître dans une canette de Coca.

Zoé passa la tête dans l'entrebâillement.

— Marion, ma chérie, je peux entrer ?

Marion referma vivement son cahier.

— Oui, entre, dit-elle.

— On dirait que tu as fumé, observa Zoé en humant l'air.

— Non, c'est pas vrai.

— Pourquoi mentir, ma chérie ? D'ailleurs, tu peux fumer, à condition de ne pas exagérer.

— C'est nouveau, ça ! remarqua Marion, déroutée. Avant, tu m'interdisais les clopes !

— Et tu en fumais quand même en cachette, n'est-ce pas ?

— Oui, avoua Marion.

— Donc, je préfère que tu le fasses modérément, sans te cacher.

Et, changeant de sujet :

— L'autre soir, on n'a pas eu le temps de parler. Si tu veux, on peut discuter maintenant.

— Ben, j'sais pas trop !

— Je vois que quelque chose te turlupine, si tu as un problème, tu peux m'en parler sans crainte. Ça fait du bien de se confier à quelqu'un à qui on peut faire confiance.

— Si je te le dis, tu ne vas pas m'engueuler ?

Zoé lui tapota doucement la joue et s'assit sur le lit.

— Mais non, ma chérie, je veux essayer de te comprendre et te conseiller, tu le sais. Viens t'asseoir à côté de moi.

Marion se blottit dans un coin du lit en repliant ses jambes sous elle. Elle prit son oreiller qu'elle serra contre sa poitrine. Comme un enfant qui étreint son ours.

— Je crois que je suis enceinte... je... je...

Sa voix se brisa et elle éclata en sanglots. Zoé l'attira contre elle et mit un bras autour de ses épaules.

— Tu as couché avec ton copain, c'est ça ? demanda-t-elle.

— Oui, rien qu'une fois.

— Mais tu ne t'es pas protégée ?

— Ben... non, articula Marion. C'est grave ? Dis, je peux être enceinte même si je ne l'ai fait qu'une fois ?

— Ça dépend de ton cycle. Quand devais-tu avoir tes règles ?

— Ben, y a une semaine, maintenant.

— Bon, ne t'affole pas, c'est peut-être dû au stress. Ça m'est arrivé quand j'avais ton âge.

— Quoi ? Tu as couché à mon âge ? s'écria Marion, éberluée. Je croyais que...

— ... je vivais comme une nonne ? compléta Zoé avec un éclair espiègle dans l'œil. Détrompe-toi, je draguais tous les beaux mecs et j'avais beaucoup de succès ! Ça, tu vois, je ne l'ai pas oublié.

— Ah ben, ça alors ! s'exclama l'adolescente, au comble de l'étonnement. Avant, tu ne m'aurais jamais raconté tout ça. Tu m'aurais engueulée. D'ailleurs, je ne te l'aurais pas dit.

— Eh bien, j'ai changé. Maintenant, je te comprends. Écoute, la première des choses à faire, c'est un test de grossesse.

— Et si je suis enceinte ?

— Je pense qu'il faudra en parler à ton père, il sera plus qualifié que moi pour te conseiller. Soit tu garderas l'enfant, soit tu te feras avorter. Ce sera à toi de décider, et à toi seule.

Marion poussa un petit cri aigu, comme si une guêpe l'avait piquée.

— Papa, il me tuerait s'il savait ça !

Elle appuya son front sur ses genoux. Zoé lui caressa les cheveux.

— Mais non, je me chargerai de le lui dire et je suis sûre qu'il comprendra. Mais avant, il faut faire le test. Et si tu n'es pas enceinte, j'espère que cela t'aura donné une leçon. On ne doit jamais coucher sans protection. Tu as sûrement entendu parler des MST. Je suis étonnée que ton copain n'ait pas mis de préservatif.

— Oh ! tu sais, maman, on a fait ça sur la plage ! C'était pas prévu. C'est arrivé comme ça !

— Et ça t'a plu ?

L'adolescente rougit comme une pivoine.

— J'ai trouvé ça nul de nul et j'ai eu mal.

— C'est normal de souffrir la première fois, la rassura Zoé.

Et avec un petit rire :

— Après, tu prendras ton pied !

— Oh ! mam', t'es trop cool ! s'écria Marion en se jetant à son cou. Maintenant, je me sens mieux.

— Tu vois que le dialogue a du bon entre une fille et sa mère ! souffla Zoé en serrant « sa fille » bien fort dans ses bras. Bonne nuit, ma chérie !

— Bonne nuit, mam'.

Quand elle entra dans la chambre conjugale, Victor était déjà au lit. Il l'attendait en lisant *Le Figaro*. Il leva les yeux au-dessus de ses verres en demi-lune.

— Au fait, j'ai oublié de te demander si le dentiste t'avait placé la couronne.

— Non pas encore, il a juste fait des essais.

— Ta journée a été bonne ?

— Oui, j'ai eu la visite de tes parents et je les ai invités à déjeuner. On a passé un bon moment ensemble.

Victor lâcha le journal et regarda « sa femme », aussi désemparé qu'une truite sur l'étal d'un poissonnier.

— Tu as invité mes parents ? répéta-t-il.

— Oui, on dirait que ça t'étonne. C'est normal, non ? Et je les ai trouvés charmants. Je leur ai dit que notre porte leur était toujours ouverte. Ils ont eu l'air de tomber de la lune et j'ai voulu savoir pourquoi.

— Et qu'est-ce qu'ils ont répondu ? demanda Victor, inquiet.

— La vérité, tout simplement. Qu'avant mon amnésie, je les méprisais et que je t'avais coupé d'eux. J'ai honte de m'être si mal comportée et je te demande de me pardonner !

Les yeux de Victor s'embuèrent. Emporté par un élan de gratitude, il lui ouvrit les bras et l'embrassa.

— Noëlie, tu ne sais pas à quel point tu me rends heureux ! J'étais si triste de devoir rejeter mes parents !

— Je ne comprends pas comment j'ai pu t'imposer ça, murmura Zoé, contrite.

— Depuis ton agression, tu n'es plus la même, ma chérie.

— J'ai tant changé que ça ?

— Avant, tu étais froide et distante, tu ne pouvais pas les supporter. Tu les trouvais trop « peuple » et tu les écartais.

— C'est surprenant, car tu sais quoi ? Je les adore, tes parents !

— Je suis reconnaissant à celui qui t'a assommée, ma chérie ! Il a fait de toi un ange !

— C'est drôle, ton père m'a dit presque la même chose !

— Et il ne manque pas de bons sens, papa ! commenta-t-il avec un petit rire.

Il plongea son regard dans le sien et lui fit l'amour. Elle regarda, fascinée, ses traits déformés par le plaisir tandis qu'ils jouissaient à l'unisson. Puis, il s'abattit sur sa poitrine, haletant, le cœur palpitant. Ils restèrent un long moment leurs corps intimement soudés, leurs sueurs se mêlant l'une à l'autre. Elle se délectait du goût salé des gouttelettes qui coulaient de son front sur ses lèvres. Elle était heureuse, comblée.

Une paix nouvelle, chaude, emplissait le cœur de Victor. Ce n'était pas seulement l'assouvissement, c'était la plénitude. Le bonheur d'être enfin admiré, reconnu, aimé. Il avait tellement souffert d'être regardé de haut par sa femme légitime, comme un arriviste minable et un parvenu, que maintenant, devant sa métamorphose, il se sentait plein d'une assurance toute neuve. C'était tout le panorama de sa vie qui avait changé, comme un décor de théâtre en remplace un autre pendant un bref baisser de rideau. Il déposa un baiser entre les seins de sa « nouvelle femme » en lui soufflant :

— Merci pour tout, ma chérie.

Il s'appuya sur un coude, la regarda intensément et murmura :

— Je veux que tu saches la vérité : je t'ai épousée sans amour parce que tu étais la fille de mon professeur. Toi non plus, tu ne m'aimais pas, je n'ai pas mis longtemps à m'en apercevoir. On a vécu l'un à côté de l'autre pendant seize ans, comme deux étrangers. Mais tout a changé. Maintenant, je t'aime.

— Moi aussi, je t'aime, chuchota Zoé, émue aux larmes.

48

— Et enfin, voici ta chambre !

Mme Nobleval ouvrit la porte et s'effaça. Zoé entra.

— Que c'est beau ! s'exclama-t-elle, fascinée.

— Elle est telle que tu l'as quittée, je n'ai rien changé ! déclara la vieille dame en souriant.

Les persiennes étaient mi-closes, à cause de la chaleur. Elle les entrouvrit et attendit, espérant que la vue de cette pièce, son refuge pendant presque deux décennies, allait réveiller la mémoire engourdie de « sa fille ». Zoé lutta de son mieux contre son désarroi et son sentiment de culpabilité. La lumière qui filtrait se concentrait dans ses yeux en deux petites taches brillantes, immobiles.

Lorsque, le matin même, elle avait annoncé à Victor qu'elle se sentait de nouveau capable de prendre le volant, il l'y avait encouragée, heureux de voir « sa femme » reprendre une vie normale. Il lui avait suggéré de faire un saut chez ses parents. Revoir les lieux où elle avait vécu enfant l'aiderait peut-être à recouvrer la mémoire, avait-il pensé. Il lui avait montré l'itinéraire sur Google Maps. Il avait aussi réglé le GPS de sa voiture.

— Tu n'as rien à craindre, c'est facile, il suffit que tu te lances. Tu n'auras qu'à rouler en respectant les limitations de vitesse et suivre à la lettre les indications du GPS !

Et c'est ce qu'elle avait fait. Après quelques kilomètres, son angoisse s'était dissipée, elle avait même pris du plaisir à conduire la Golf. Elle avait roulé tranquillement en admirant le paysage et elle était arrivée sans problème à l'adresse indiquée. Elle avait longé un haut mur jusqu'au portail massif, orné d'une plaque de marbre noir : *La dolce vita*. Le portail était ouvert. Elle l'avait franchi et s'était engagée dans une longue allée, au bout de laquelle s'élevait « sa maison d'enfance ». Une grande bâtisse de style provençal au milieu d'un parc d'oliviers, de chênes-lièges et de pins parasols. Au bas du perron, une silhouette était penchée sur un massif de fleurs. « Sa mère » ! Au bruit du moteur, elle s'était redressée. Elle portait un ensemble jersey bleu ciel, sobre et chic, et tenait des jasmins précieusement couchés sur son avant-bras. Zoé était sortie de la voiture un peu chancelante, et « sa mère », ravie de cette visite surprise, l'avait embrassée avec effusion. Elle lui avait servi un copieux petit déjeuner, des tartines beurrées avec des confitures maison, avant de lui faire faire le tour du propriétaire. « Son ancienne chambre » était une vraie chambre de jeune fille, rose et blanche, comme sortie d'un magazine *Art & Déco* : un lit à baldaquin, une coiffeuse en bois de rose, un bureau ivoire et une poupée en porcelaine assise sur le rebord de la fenêtre d'où l'on jouissait d'une vue imprenable sur le jardin et l'horizon bleu qui s'en allait à perte de vue.

— C'est toi qui as choisi la décoration, commenta « sa mère ». Déjà adolescente, tu avais du goût. C'est ici que dort Marion quand elle vient passer quelques jours. Mais elle trouve que c'est « kitch », ajouta-t-elle avec un petit rire.

— Pas étonnant, quand on voit comment elle a décoré sa propre chambre, avec tous ces posters de stars !

Zoé s'approcha des rayonnages et parcourut les titres des livres qu'elle était censée avoir lus dans sa jeunesse. Il y avait tous les classiques et une encyclopédie. Elle se souvint que Noëlie avait étudié les lettres modernes. Elle, en revanche, n'était pas portée sur la lecture, aussi s'abstint-elle de tout commentaire sur la bibliothèque pour éviter quelque impair.

— Et cette poupée, demanda-t-elle, est-ce que j'ai joué avec ?

— Non, tu jouais avec des poupées Barbie. Cette poupée en porcelaine a appartenu à ton arrière-grand-mère. Elle a beaucoup de valeur, c'est une poupée *Jumeau* des années 1880.

— C'est vrai qu'elle est belle, mais je n'aime pas ses petites dents. Elles ont quelque chose d'effrayant.

Elle alla à la fenêtre et écarta le rideau. La chambre donnait sur le jardin qui descendait en terrasses vers la plage.

— Quelle vue magnifique ! s'écria-t-elle.

— Oui, la maison est exposée côté sud, toutes les pièces jouissent de ce point de vue. C'est pour cela que nous n'avons jamais pu nous résoudre à habiter en ville. Ton père préférait faire les quarante kilomètres quotidiens pour aller à l'hôpital. C'est si agréable de vivre dans ce cadre !

— Ce n'était pas trop fatigant de faire ce trajet tous les jours ?

— Non, ton père disait que c'était propice à la réflexion, une sorte de tampon amortisseur qui lui permettait, à l'aller, de se préparer à une nouvelle journée de travail et, au retour, de décompresser avant de rentrer ! C'est pourquoi, quand il nous revenait, il était toujours d'excellente humeur. Je ne me souviens pas de l'avoir entendu une seule fois élever la voix.

— Au fait, où est-il ? demanda Zoé.

— Il soigne ses rosiers. On ne le voit pas d'ici, il est dans la roseraie en contrebas. Si tu veux le surprendre, il te suffit d'emprunter le sentier qui longe la rocaille.

— J'y vais, j'ai envie de faire un tour dehors. On peut accéder directement à la plage ?

— Oui, bien sûr, tu descends jusqu'au fond du jardin et tu trouveras, derrière un portillon, l'escalier qui mène à la crique. On peut aller se baigner quand on veut et remonter se sécher à la maison. Vas-y ! Peut-être que les souvenirs te reviendront, qui sait ? Tu as fait ce trajet des milliers de fois lorsque tu vivais ici, tant tu aimais l'eau ! Et je peux te dire que tu n'étais pas frileuse, tu nageais par tous les temps, un véritable ours blanc. Brrr !

Elles quittèrent la chambre et descendirent au rez-de-chaussée. Elles traversèrent le hall et gagnèrent la salle de séjour, inondée de soleil. Elle était meublée avec simplicité : un grand vaisselier orné d'assiettes en faïence de Moustiers, un vieux pétrin Louis XV, un canapé en osier recouvert de coussins en tissu de

Provence, une longue table rustique, des chaises de paille et un beau piano en acajou luisant, agrémenté de quatre chandeliers de bronze. Un décor sobre et harmonieux.

À cet instant, une silhouette se profila dans l'embrasure de la porte-fenêtre qui donnait sur une terrasse fleurie, ombragée par une treille. Une femme plantureuse de l'âge de sa mère, vêtue d'un T-shirt et d'un bermuda qui moulait ses fesses grassouillettes et laissait voir ses genoux potelés, se précipita vers Zoé aussi vite que le lui permettaient ses kilos superflus. Un large sourire creusait d'adorables fossettes dans ses joues rouges et rebondies.

— Ah, tu es là, ma chérie ? s'écria-t-elle joyeusement en la serrant contre son opulente poitrine. Tu ne peux pas imaginer combien je suis soulagée de te savoir saine et sauve. Tu nous en as fait des frayeurs, tu sais, Noëlie !

Zoé ne dit rien, mal à l'aise devant les effusions de cette femme qui, même si elle la trouvait chaleureuse et sympathique, lui était étrangère.

— Eh bien, ton amnésie, ce n'était pas une blague, lança la femme d'un air espiègle. Tu ne reconnais pas ta bonne vieille marraine Agathe ?

— Agathe habite dans le pavillon, lui expliqua sa mère. Elle a été ta nounou !

— Et la fille que je n'ai pas eue ! clama Agathe avec un petit rire de gorge. Tu n'as pas oublié, j'espère, les gâteaux au chocolat que tu venais manger chez moi en cachette !

— Oui, et après ça je m'étonnais qu'elle n'ait plus d'appétit et ne mange rien aux repas ! bougonna sa mère, avec une sévérité feinte. (Et à l'adresse de Zoé :)

Si tu veux voir ton père, tu peux y aller maintenant. Nous allons boire le café, Agathe et moi.

— Eh bien, j'y cours ! s'écria Zoé.

Elle brûlait d'impatience d'aller dans le jardin. Elle franchit la grande baie vitrée et sortit de la maison. Dehors, les cigales crissaient, les senteurs des herbes aromatiques et des lavandes se mêlaient à l'air marin. Elle aspira à pleins poumons avec l'impression de respirer le bonheur. Elle passa devant des massifs de bougainvillées pourpres, sous des magnolias au parfum entêtant, admirant au passage les plates-bandes de fleurs multicolores : les géraniums rouges et roses, les iris blancs, bleus et mauves et les amaryllis jaunes et orangées. Elle ne tarda pas à apercevoir la roseraie : des roses de toutes les couleurs grimpaient sur des arceaux qui formaient un tunnel de fleurs, semblable à celui de la *Madone du buisson de roses* sur le retable de Cologne.

Agenouillé par terre, un déplantoir à la main, « son père » désherbait un rosier, répandant petit à petit des granulés d'engrais sur les racines. Il leva les yeux en entendant des pas. Zoé fut frappée par sa mauvaise mine. Le front, les joues étaient marqués de sillons profonds que réunissait comme un réseau de plis aussi fins que des coups de rasoir.

— Bonjour, papa ! lança-t-elle.

— Oh ! Noëlie, quelle bonne surprise ! Bonjour, ma chérie ! s'écria-t-il, ravi.

Il se releva avec difficulté et la serra tendrement dans ses bras.

— Je suis heureux de te voir ! Alors, et ces souvenirs, ils reviennent ?

Zoé acquiesça :

— Oui, petit à petit, répondit-elle pour ne pas lui faire de peine, alors qu'en réalité elle se sentait comme une Martienne tombée chez les Terriens, dans une maison peuplée d'inconnus.

Tout en parlant, elle n'arrivait pas à détacher les yeux de la mer. Elle ressentait comme une nostalgie, un désir de se perdre au fond de tout ce bleu. Le bleu du ciel qui se mariait à l'horizon au bleu plus profond des eaux.

— Tu veux que nous allions à la crique ? demanda « son père » qui avait suivi son regard.

— Oui, j'en ai envie ! s'écria-t-elle avec enthousiasme.

— Ça tombe bien, j'ai quelque chose à te dire. Nous y serons tranquilles pour parler.

Il prit son bras et ils suivirent l'étroit chemin abrupt, bordé de genêts, qui ressemblait à un sentier de chèvres. Ils traversèrent une pinède au sol sableux couvert d'aiguilles rousses qui glissaient sous les pieds et arrivèrent au portillon fermé par un cadenas. Zoé vit un parasol et une natte appuyés contre le tronc d'un chêne-liège. Son père sortit une petite clef de sa poche et ouvrit le cadenas. Chargés du parasol et de la natte, ils descendirent les marches raides taillées dans la falaise.

Sur la plage, ils quittèrent leurs chaussures et marchèrent sur le sable brûlant. La crique, protégée par une anse de rochers qui formait un rempart contre tout intrus, était déserte. Le vieil homme planta le parasol en s'arc-boutant sur la pique. Puis il déplia la natte et ils s'assirent au bord de l'eau, laissant les vagues leur lécher les pieds. La lumière vive du soleil se fragmentait en une myriade d'éclats miroitants. La mer était transparente, avec les reflets des galets et des coquillages. Une mouette se balançait sur la crête des vagues. Livrée au grand air marin, le visage caressé par les embruns, Zoé ne pensa plus à rien, elle se sentait détendue et heureuse.

— Tu ne veux pas te baigner ?

— Oh si, j'ai mon maillot sur moi !

Elle enleva prestement sa robe et s'aventura prudemment dans l'eau. Puis, elle se baissa d'un coup pour s'immerger tout entière et ressortit en s'ébrouant. Elle ne savait pas très bien nager et avait peur de l'eau.

— Tu ne nages pas aujourd'hui ? demanda « son père », étonné.

— Non, j'avais surtout envie de me rafraîchir.

Ils demeurèrent silencieux, fixant l'immense étendue bleue.

— J'ai un secret à te confier... commença le vieil homme.

Le cœur battant, Marion retira de son sac à dos le test de grossesse qu'elle avait acheté à la pharmacie en sortant du lycée. Elle recueillit un peu d'urine et trempa le petit stylo dans le récipient. Elle le ressortit quelques secondes après et le posa à plat sur le rebord de la baignoire. Il ne lui restait plus qu'à attendre.

Elle descendit à la cuisine. Tout était propre et tranquille. Les stores déroulés tamisaient la lumière. Il faisait bon dans la pénombre. Margot avait dû passer la serpillière, car les tomettes étaient encore humides. Elle se versa un jus d'orange et ouvrit la porte-fenêtre. Elle s'arrêta un instant sur le seuil, surprise par la chaleur. Puis elle alla s'installer avec son verre au bord de la piscine. Margot pliait du linge, tout en gardant un œil sur Kevin qui s'ébattait dans l'eau. Elle la salua. Carl l'aperçut et vint se faire caresser. Il roula sur le dos en laissant échapper de joyeux glapissements et Marion lui gratta le ventre.

Quand elle eut siroté son jus d'orange, elle remonta dans la salle de bains où l'attendait le résultat du test.

Elle se pencha vers le stylo. Une étroite bande bleue était apparue. Positif.

Avec un cri de rage et de désespoir, elle se laissa glisser le long du mur. Les genoux relevés, elle resta recroquevillée sur le carrelage. Ses doigts tremblants appuyés sur son front, elle chercha à se persuader qu'elle se trompait. Elle aurait voulu que sa mère fût là. Elle l'aurait consolée, rassurée peut-être, mais elle n'était pas encore rentrée de chez ses parents. Elle se redressa et examina encore une fois le test. Pas de doute : il y avait une trace colorée, bien visible. Elle était enceinte.

Elle pleura longtemps, le corps secoué de spasmes, la main devant la bouche pour étouffer ses sanglots. Carl, qui s'était faufilé dans la salle de bains, flaira ses cuisses et posa sa truffe humide sur son bras. Marion poussa un petit cri effarouché et ouvrit les yeux. Soudain, elle eut envie d'entendre la voix de Yann. Elle se leva, retourna dans sa chambre.

Elle prit le portable et s'assit sur le lit. Elle composa le numéro du garçon.

— Allô ?

— C'est Marion !

— Ah ! Salut, Marion !

— Je suis dans la merde grave. Le test est positif !

— Quel test ?

— Le test de grossesse, je te l'ai déjà dit à la récré, merde, tu aurais pu écouter !

— T'es en cloque ?

— Ouais !

— T'en as parlé à ta mère ?

— Non, elle n'est pas rentrée.

— Eh bé, attends qu'elle revienne, elle te dira ce qu'il faut faire.

— Et toi, qu'est-ce que tu penses ?

— Ben, j'en sais rien, moi, c'est des affaires de meuf. T'as qu'à avorter.

— Si tu crois que c'est facile !

Et Marion, furieuse, coupa la communication. Elle sentait un besoin physique des bras de sa mère, elle voulait se serrer contre elle, s'asseoir sur ses genoux, comme elle aurait voulu le faire quand elle était enfant, mais Noëlie, alors peu portée sur les câlins, réfrénait toujours ses élans d'affection.

Les larmes lui montèrent aux yeux.

— Avant toute chose, ma chérie, il faut que tu saches que je t'aime de tout mon cœur. Ta mère et moi, nous avons tout fait pour te rendre heureuse, et même si parfois je me suis montré intransigeant, je pensais agir pour ton bien.

Il vit la lueur d'incompréhension dans les yeux de Zoé.

— Ah, c'est vrai, j'oublie que tu as perdu la mémoire. Je veux parler de tes études de lettres que j'ai désapprouvées à l'époque. J'étais déçu que tu ne sois pas matheuse, je te l'avoue ! Je rêvais pour toi d'une carrière brillante de médecin, mais maintenant, je reconnais que j'ai eu tort. Les parents doivent respecter les choix de leurs enfants.

Et avec un petit rire :

— Et puis, tu as épousé Victor qui a pris la relève à l'hôpital, et vous m'avez donné deux beaux petits-enfants. Le dessert de notre vie.

Il se tut et reporta son attention sur le va-et-vient incessant des vagues.

— Tu dois te demander, reprit-il, pourquoi je veux

te confier maintenant notre secret. Je sais que le moment est mal choisi, mais je n'ai plus le temps d'attendre que tu recouvres la mémoire.

Les yeux du vieil homme s'embuèrent.

— Parce que mes jours sont comptés. J'ai un cancer incurable, je suis perdu.

Bien que cet homme soit un étranger pour elle, Zoé sentit sa gorge se serrer. Il l'attira contre lui et mit son bras autour de ses épaules.

— Pas un mot à ta mère, tu me promets ? Je continue à m'occuper de mes rosiers pour donner le change, mais je sens que mes forces déclinent inexorablement.

Elle hocha la tête en signe d'assentiment.

— Promis, articula-t-elle.

— Je veux mourir dans la dignité, poursuivit-il.

Il marqua un temps d'arrêt.

— C'est pourquoi j'ai décidé de mettre fin à mes jours. Tu vois, ma chérie, je suis franc et direct avec toi, parce que tu es une fille courageuse et forte. Je sais aussi que tu me comprendras.

Zoé, gênée, ne sut que répondre. Étranglée par l'émotion, elle baissa les yeux et prit une poignée de sable qu'elle laissa couler entre ses doigts. Puis, elle releva la tête et plongea son regard dans le sien.

— C'est affreux ! bredouilla-t-elle.

Il cligna des paupières. Son regard gris était imperturbable.

— Moins que si je vous infligeais la phase terminale de ma maladie.

— Il n'y a plus d'espoir ?

— Peut-être une rémission de quelques mois avec des traitements lourds. Mais à quoi bon ? Je préfère partir tout de suite sans vous imposer la vision de ma déchéance physique liée à des douleurs intolérables.

Des larmes perlaient dans les yeux de Zoé.

— Ne pleure pas, je t'en supplie. Je ne supporte pas de te voir malheureuse.

Il lui caressa les cheveux.

— Je t'aime de tout mon cœur. Ta mère et toi, vous êtes les deux femmes de ma vie. Je ne veux pas partir sans te dévoiler ce secret que je porte depuis des décennies, car je pense que tu as le droit de savoir. Je sais que ta mère ne te révélera rien de crainte de perdre ton amour. Je t'aurais tout avoué plus tôt, si elle ne m'avait pas arraché la promesse de ne rien te dire. Mais la mort prochaine me délie de ma parole et je vais lever le voile. Es-tu prête à entendre ma confession, même si elle risque de te faire mal ?

— Oui, balbutia Zoé, déconcertée.

Le vieil homme tendit la main et essuya tendrement les larmes qui inondaient ses joues, avant de commencer son récit.

— Quand j'ai aperçu ta mère pour la première fois, j'étais un gamin de huit ans. Elle en avait six. Elle était si jolie avec ses longues nattes brunes que je suis tombé amoureux tout de suite. Un véritable coup de foudre ! Ses parents avaient loué pour les vacances *Les flots bleus*, une maison près de la nôtre. Je la guettais tous les jours sur la plage, attendant le moment opportun de faire sa connaissance. C'est arrivé très vite. Elle construisait un château de sable et, muni de ma pelle et de mon râteau, je lui ai proposé mon aide. À partir de ce jour, on ne s'est plus quittés. Nous étions comme une paire de jumeaux, inséparables. Le vert paradis des amours enfantines ! La fin des vacances a été un tel déchirement pour les deux enfants que nous étions que, devant le désarroi de leur fille, ses parents lui ont promis de revenir aux vacances suivantes. Et c'est ainsi que nous avons passé les étés ensemble, année après année. Pendant les mois de séparation, nous nous envoyions de petits mots d'amour ou nous nous téléphonions. À l'époque, il n'y avait pas les mails ! Je l'ai épousée quand j'ai terminé mes études de médecine. Nous avons vécu un amour sans nuages.

Il marqua une pause, perdu dans ses souvenirs, avant de poursuivre en soupirant :

— Pourtant, il y avait une ombre au tableau : on ne pouvait pas avoir d'enfants et, crois-moi, nous avons tout essayé...

Zoé écarquilla les yeux.

— Mais vous m'avez eue, dit-elle.

— Oui, et tu as été notre soleil, mais je te dois la vérité sur ta naissance.

Le vieil homme ferma les yeux et, comme si les digues érigées depuis des décennies sur ce lourd secret de famille sautaient, une cataracte d'images prisonnières des eaux troubles de son passé déferla dans un tourbillon.

*

Tout avait commencé le 25 décembre 1977...

La veille, le Dr Ambroise Nobleval avait flâné avec son épouse Adeline au marché de Noël puis, après un petit réveillon aux chandelles en amoureux, ils s'étaient assis devant la cheminée et avaient bavardé en regardant les flammes vives s'élancer à l'assaut des grosses bûches. À minuit, ils avaient échangé leurs cadeaux. Il se souvenait de la bague sertie d'un saphir qu'il lui avait offerte et du magnifique pull en cachemire qu'il avait reçu. Le visage d'Adeline rayonnait de joie. Pourtant il savait lire dans son cœur et ressentait sa souffrance muette : il était trop tard, elle ne verrait jamais les yeux émerveillés d'un enfant qui découvre les jouets du Père Noël. Dès son plus jeune âge, elle avait rêvé d'une grande famille, d'une maison remplie de rires d'enfants mais, à quarante ans, elle avait dû se résigner : l'horloge biologique inexorable avait tourné. Ses entrailles resteraient à jamais infécondes. Pour lui, c'était plus facile, car sa vie était entièrement absorbée par son travail à l'hôpital, ses conférences, ses cours et ses recherches, mais il souffrait de ne pas pouvoir offrir à celle qu'il aimait passionnément le cadeau qu'elle désirait le plus au monde. Il lui avait effleuré la joue, poussé par un élan d'affection mêlé de regret, et ils avaient fait l'amour avec autant de plaisir qu'au premier jour, avant de s'endormir, blottis l'un contre l'autre...

À quatre heures du matin, le son strident du téléphone les tira du sommeil. Agathe, une sage-femme, qu'il appréciait pour sa compétence et son efficacité, l'appelait pour une urgence. Une adolescente, presque une enfant, avait été conduite à l'hôpital en ambulance. Elle était sur le point d'accoucher, mais cela s'annonçait difficile. La tension n'était pas bonne. La parturiente, qui avait des douleurs insoutenables, était au bord de la crise de nerfs.

— Je dois partir, grommela-t-il en bondissant hors du lit. Un accouchement à problème !

— Un bébé de Noël, quel beau cadeau pour une

mère ! soupira Adeline, des larmes perlant dans ses yeux.

Il s'habilla à la hâte et dévala l'escalier. À cette heure matinale, il était seul sur la route. Quelques flocons de neige voltigeaient dans la nuit. En ville, il roula sans encombre dans les rues désertes et, trois quarts d'heure plus tard, il se garait à la place qui lui était réservée sur le parking de l'hôpital. Il s'engouffra dans l'ascenseur et arriva essoufflé au service maternité. Il se précipita dans la salle d'accouchement.

Sur la table, les pieds dans les étriers, une adolescente échevelée et livide, le visage tordu en une horrible grimace de douleur, laissait échapper des hurlements comme sortis des enfers de Dante. Agathe l'encourageait :

— Poussez, poussez !

— Non... j'ai trop mal...

— Le bébé est là, je vois ses cheveux, poussez !

— Je n'en peux plus ! Aïe ! je vais mourir !

À l'arrivée du grand patron, la sage-femme soupira de soulagement en lui cédant sa place.

— Passez-moi les forceps... ordonna-t-il.

Il saisit la tête de l'enfant et tira. La jeune femme poussa un cri strident.

— Ça y est ! Le bébé est là ! C'est une fille ! annonça-t-il d'un ton joyeux en déposant sur le ventre de la mère une petite chose gluante, toute rouge et fripée, qui émettait de faibles vagissements.

La jeune fille en éclata en sanglots.

— Zoé ! articula-t-elle en caressant les cheveux poisseux comme collés sur le crâne rose.

La sage-femme ligatura et coupa le cordon. Elle emporta ensuite l'enfant dans un coin de la salle pour lui prodiguer les premiers soins. Ambroise tâta le ventre de la jeune accouchée encore étonnamment proéminent.

— Seigneur, tonna-t-il, il y en a un deuxième ! Vous n'aviez pas vu qu'elle attendait des jumeaux ?

— Non, fit Agathe, confuse.

— Vite ! Il faut le sortir... C'est un siège ! Je vais le retourner, si ça ne marche pas, il faudra pratiquer une césarienne.

Il s'activa un moment entre les jambes de la femme pour remettre l'enfant dans la position correcte.

— Passez-moi les ventouses !

Il s'échina pendant quelques instants et finit par tirer une masse violette qu'il souleva et qui poussa un petit cri.

— Ça y est ! Voilà le deuxième bébé ! Félicitations ! Vous avez fait du bon travail ! plaisanta-t-il à l'adresse de la jeune femme.

Il s'apprêtait à le lui poser sur le ventre quand il s'aperçut qu'elle avait perdu connaissance. Elle ignorait qu'elle avait un deuxième enfant.

— Vite en réa ! hurla-t-il.

Quelques minutes plus tard, deux infirmières avaient emmené la jeune mère au service des réanimations. Il s'approcha d'Agathe qui s'occupait des bébés.

— Ils vont bien, tout est normal, annonça-t-elle. Elle a eu de la chance. J'ai bien l'impression que cette pauvre fille est un peu paumée. Elle est arrivée seule ici. Je me demande s'il y a seulement un père.

Des pensées de révolte se mirent à déferler dans l'esprit du médecin. Cette gamine avait deux bébés, alors qu'elle était dans l'impossibilité d'en élever un seul décemment. Et lui et sa femme qui avaient tout pour rendre un enfant heureux n'en avaient pas ! C'était trop injuste.

L'idée naquit brusquement, prit forme dans son cerveau.

Pourquoi ne pas prendre le deuxième bébé ? La fille ne serait pas frustrée puisqu'elle ignorait qu'elle en avait porté deux. Ce serait un merveilleux cadeau de Noël qu'il ferait à sa femme. L'enfant, si longtemps désiré, grandirait dans des conditions idéales, entouré d'amour. À part Agathe, personne ne connaissait l'existence du deuxième nouveau-né. Les infirmières, trop pressées de sauver la mère, n'avaient pas remarqué sa présence. Il pourrait facilement le subtiliser. Il restait à convaincre la sage-femme. Ce ne serait pas difficile. Il avait souvent aperçu, amusé, les regards énamourés que lui jetait Agathe. Et puis, il avait de l'argent, et tout s'achète, même le silence...

Une demi-heure après, sa complicité lui était acquise. Ils enveloppèrent le nourrisson dans une couverture. Agathe ouvrit une armoire et fourra du lait, des biberons, des couches et quelques petits pyjamas dans un sac en plastique. Ambroise, qui voulait prendre des nouvelles de la jeune mère avant de quitter l'hôpital, lui demanda d'aller l'attendre avec le bébé dans sa voiture. En ce matin de Noël, les couloirs presque déserts étaient propices à un « rapt ». Il avait tout combiné. Il annoncerait à ses proches qu'Adeline était enceinte de quatre mois, mais que son état nécessitait le repos absolu, lui interdisant toute visite. Ayant perdu ses parents très tôt, Adeline, fille unique, n'avait pas de famille, ce qui rendait cette mise en quarantaine plus facile. Sa propre mère, qui s'était remariée quelques années après son veuvage, était partie vivre en Suisse, leur cédant *La dolce vita* ; de plus, elle ne se déplaçait que rarement, car elle avait des difficultés à marcher sans déambulateur. Au mois de mai, il annoncerait la naissance de *leur* fille. Nul ne trouverait suspect que la femme d'un grand ponte en obstétrique eût accouché à la maison. Il déclarerait l'enfant sous le nom de Nobleval, et le tour serait joué. Pour s'attacher Agathe, il la logerait dans un petit pavillon destiné aux invités, avec pour mission de s'occuper du nouveau-né jusqu'à l'annonce de l'accouchement. Elle n'y verrait pas d'inconvénient, car elle était célibataire, sans charge de famille. En plus d'une grosse somme d'argent, du gîte et du couvert, il lui donnerait un salaire double de celui qu'elle gagnait à l'hôpital. Il lui proposerait en outre d'être la marraine de la fillette. Une manière d'entrer dans la famille, ce dont elle serait fière, à n'en point douter.

Il se rendit en réa. Le corps de la jeune parturiente gisait sur un chariot, recouvert d'un drap blanc. Elle était morte.

— Nous avons tout tenté pour la réanimer, mais elle n'a pas repris connaissance, lui annonça tristement l'anesthésiste.

— A-t-elle vu son bébé avant de mourir ? lui demanda une infirmière.

— Oui, elle a même prononcé le prénom qu'elle avait choisi : Zoé.

— Pauvre pitchounette, orpheline dès la naissance ! soupira l'infirmière en essuyant une larme.

— A-t-on pu joindre la famille ?

— Oui, docteur, nous avons téléphoné à un numéro griffonné sur un papier qui était dans le portefeuille de la jeune femme. Nous sommes tombés sur ses parents dans la Drôme. Les pauvres gens sont effondrés. Ils n'ont pas revu leur fille depuis un an. Elle était coutumière des fugues. Ils ignoraient même qu'elle était enceinte. Ils se sont mis tout de suite en route. Ils ont l'intention de se charger de l'enfant, même s'ils nous ont laissé entendre que ce serait difficile pour eux.

Cette nouvelle ôta à Ambroise ses derniers scrupules. Au fond, en leur prenant un enfant, il leur enlevait un fardeau. Il rejoignit Agathe au parking. Il la déposa chez elle pour qu'elle pût emporter quelques affaires dans sa nouvelle demeure. En l'attendant, il prit le bébé dans ses bras. Il dormait paisiblement en suçant son pouce. Il fut envahi d'un immense sentiment de joie et de fierté. Comme s'il était le père. Agathe revint avec une valise et s'installa à l'arrière avec le bébé. Ils quittèrent la ville sans encombre et prirent la route des crêtes qui offrait des points de vue magnifiques sur le large. La neige continuait à tomber et une fine pellicule blanche recouvrait la garrigue. Ils roulèrent lentement et mirent plus d'une heure pour arriver à *La dolce vita*. Quand ils descendirent de voiture, le croassement rauque d'un corbeau perché sur un cyprès déchira le silence ouaté qui enveloppait le jardin. Agathe frissonna en serrant le nourrisson. Ils trouvèrent Adeline aux fourneaux, les joues rosies, en pleine préparation des agapes de Noël. La cuisine était saturée de vapeur et de fumets délicieux. Un monceau de victuailles et d'épluchures encombrait la table, dissimulant presque le livre de cuisine, ouvert sur la recette de la sauce.

— Chérie, je t'apporte le plus beau des cadeaux de Noël ! clama-t-il en lui tendant la couverture où dormait l'enfant.

Comme l'enfant Jésus dans la crèche.

*

— Voilà, ma chérie, tu sais tout, dit le vieil homme. Tu comprends maintenant pourquoi nous t'avons appelée Noëlie. Tout s'est déroulé comme je l'avais prévu. Secondée par Agathe, ta mère s'est occupée de toi comme si tu étais son propre bébé. Une véritable amitié est née entre les deux femmes. Agathe vit toujours au pavillon que nous avons baptisé *Le pavillon de marraine*. Depuis ce jour, elle fait partie de notre famille.

« Ah ! Agathe, c'est la grosse femme si chaleureuse que j'ai vue tout à l'heure », pensa Zoé.

Le vieil homme soupira, soulagé d'avoir enfin pu se décharger de son secret. Zoé resta un long moment silencieuse.

— Mais alors, j'ai une sœur jumelle ? hoqueta-t-elle d'une voix rauque, manquant de s'étrangler.

Elle se sentait brusquement oppressée en prenant conscience que le récit qu'elle venait d'entendre n'était pas seulement l'histoire de Noëlie, mais aussi sa propre histoire. Elle était Zoé, la première jumelle, et Noëlie, son sosie sur Facebook, était en réalité sa sœur. Elle avait enfin l'explication de leur ressemblance frappante. Elle fut parcourue d'un long frisson. Elle ferma les yeux et vit Noëlie prisonnière dans la bicoque. Noëlie, sa jumelle à qui elle avait tout pris : mari, enfants, parents. Elle lui avait volé sa vie. Non ! Non ! Non ! Elle ne pouvait pas la laisser croupir dans ce trou, c'était monstrueux.

Le vieux docteur tendit le bras pour lui effleurer la main.

319

— Oui, tu as une jumelle qui s'appelle Zoé, mais bizarrement, à l'état civil, vous n'avez pas la même date de naissance, puisque j'ai déclaré la tienne quatre mois plus tard : le 2 mai 1978, alors que celle de ta jumelle est le 25 décembre 1977.

— Et qu'est-elle devenue ? demanda Zoé, curieuse de savoir si le vieil homme était au courant qu'elle vivait dans la même ville que sa propre fille.

— Le soir même, ses grands-parents étaient à l'hôpital. À la vue de sa fille à la morgue, la grand-mère s'est évanouie. Je les ai rencontrés le lendemain. Je me souviens bien de ce couple. J'ai été frappé par leur jeunesse. On aurait pu croire qu'ils étaient les parents du bébé. C'étaient des hippies un peu illuminés, des marginaux adeptes du retour à la terre. Une fois les formalités pour le transport du corps de leur fille accomplies, ils sont repartis avec le bébé qu'ils avaient décidé d'adopter et d'élever comme leur propre enfant. À l'époque, ils vivaient dans la Drôme. Ils s'appellent Besson. Je crois me souvenir que la grand-mère portait un prénom de fleur. Rose... Non, peut-être Marguerite... Non, ce n'est pas ce prénom.

— Violette ? suggéra Zoé, sûre de taper dans le mille.

— Oui, Violette, c'est bien le prénom de la femme. Et celui du père, c'est Bernard, j'en suis certain. Violette et Bernard Besson. Retiens bien ces noms, ils t'aideront à retrouver ta sœur jumelle si jamais tu désires prendre contact avec eux. Tu es entièrement libre de le faire ou pas. Parfois, les doutes m'assaillent et je me demande si je n'ai pas commis un crime en vous séparant et je suis bourrelé de remords. C'est pourquoi j'ai tenu, ma chérie, à te révéler ce secret.

Je n'avais pas le droit de te laisser dans l'ignorance et de te couper de tes racines. Je comprends très bien que tu m'en veuilles.

Il n'ajouta rien. C'était inutile. Zoé garda obstinément le silence, les lèvres serrées. Elle avait besoin d'être seule pour assimiler la révélation incroyable qu'elle venait d'entendre.

— Non, papa, je ne t'en veux pas, souffla-t-elle enfin. Je suis juste sonnée.

Il la serra très fort dans ses bras.

— Merci, ma chérie. Maintenant, je vais pouvoir partir en paix.

— Tu... tu ne vas pas nous quitter ?

Il releva la tête et fixa son regard sur les vagues, abîmé dans son chagrin au point qu'il ne semblait pas conscient des larmes qui coulaient sur ses joues.

— Je te l'ai dit, ma chérie, ma décision est irrévocable, je préfère partir dans la dignité. Et pour ta mère, la nouvelle de ma disparition brutale sera certes terrible, mais moins dure à supporter qu'une lente agonie.

Zoé avait déjà vécu ce dilemme dans son enfance. Hernani, son vieux matou, avait cessé un jour de s'alimenter. Le vétérinaire avait diagnostiqué un cancer et euthanasié le chat. Elle était inconsolable. « Nous lui avons épargné les pires souffrances, lui avait expliqué sa grand-mère. Aurais-tu préféré le voir dépérir et mourir dans d'atroces douleurs ? Crois-moi, Zoé, c'était la solution la plus sage. Il est au paradis des chats. De là-haut, il nous dit merci de lui avoir permis de s'endormir paisiblement. » Bien sûr, ce n'était pas la même chose s'agissant d'un humain, pourtant cette expérience aidait Zoé à comprendre la décision du vieil homme.

— J'ai encore une prière : après mon départ, je te demande d'entourer ta mère qui, sans moi, se sentira perdue.

— Je te le promets !

— Il commence à se faire tard. Il te faut retourner à la maison ; moi, je reste encore un peu ici.

Le regard intense qu'il posa sur elle donna à Zoé l'impression qu'il cherchait à mémoriser son image dans ses moindres détails. Ses yeux se remplirent de larmes. Elle eut le pressentiment que leur baiser était le dernier. Un baiser d'adieu.

Elle remonta vers la maison. Le chemin de chèvres grimpait et elle s'essouffla. Avant le dernier tournant, celui qui lui déroberait la mer, elle s'arrêta et, pivotant sur ses talons, elle embrassa la plage du regard. Les mouettes, qui lançaient leur ultime plainte avant la nuit, découpaient leurs silhouettes noires sur l'horizon sanglant.

Le vieux docteur resta assis, les bras noués autour des jambes, le menton sur les genoux. Seul, il se relâchait, et son visage se décomposait comme si le mal qui le rongeait en avait lentement détruit la substance. Il regardait fixement les vagues frangées d'écume. Le soleil avait amorcé sa lente descente vers la mer, le ciel prenait des tons indigo. Au loin, un cargo se profilait sur la ligne d'horizon. Il se sentait en paix avec lui-même. Il pouvait partir tranquille. Il était arrivé au bout du chemin. Cette nuit serait la dernière avant le grand plongeon dans le néant.

51

Zoé tourna au coin de la rue et s'aperçut qu'elle tremblait si fort qu'elle avait du mal à tenir le volant. Elle arriva cependant à négocier le tournant de l'allée et à entrer dans le garage. Une fois la voiture rangée, elle resta sur le siège, s'efforçant de se calmer.

« Je ne peux pas rentrer comme ça... »

Jamais elle ne s'était sentie aussi impuissante que ce soir, comme si tout la dépassait et lui échappait.

« Il faut que je me reprenne, je ne dois pas me montrer à Victor et aux enfants dans cet état-là. »

Depuis la révélation de « son père », elle était envahie par les remords ; elle avait honte de son forfait, honte d'avoir volé la vie de sa jumelle. Elle souhaitait ne jamais être née. Elle fut soudain saisie du désir d'en finir. Fermer la porte du garage, laisser tourner le moteur et s'endormir...

Mais que deviendrait Noëlie ? Léo la ferait disparaître et il ne serait jamais inquiété. Et ça, c'était intolérable. D'une manière ou d'une autre, elle était déterminée à sauver sa sœur jumelle, tant pis si elle allait en prison. Elle avait mérité un châtiment en commettant ce délit, cette effroyable imposture. Elle en acceptait d'avance la sentence.

Une voiture se gara derrière la sienne, dans l'allée. À travers ses larmes, elle regarda qui était au volant. C'était Victor. Il en descendit et contempla quelques instants la maison éclairée par les lampes de jardin. Il avait l'air heureux de rentrer chez lui après une journée à l'hôpital. Elle frémit à la pensée de la supercherie dont elle s'était rendue coupable à son égard. Elle l'avait aguiché et il était amoureux d'une femme qui n'était pas la sienne. Elle avait trompé sa sœur avec son mari. Elle était un monstre qui méritait de brûler dans les flammes de l'enfer.

Victor aperçut « sa femme », entra dans le garage et s'approcha de la vitre ouverte de sa portière.

— Noëlie, qu'est-ce qui se passe ? demanda-t-il, inquiet, en voyant les larmes de Zoé. Tu trembles. Tu es malade ?

— Non, c'est juste la tension. J'ai eu un peu peur au volant.

— En tout cas, bravo ! C'est le premier pas qui coûte, maintenant tu n'appréhenderas plus de prendre ta voiture. Je suppose que tes parents étaient contents de ta visite.

— Oui, ils étaient très heureux, et ma marraine aussi !

— Ah ! tu as vu Agathe ! C'est une femme adorable, un cœur d'or. Elle t'aime comme sa propre fille.

Ils entrèrent dans la cuisine par la buanderie. Margot les salua. Elle venait de mettre le couvert sur la terrasse. Sa journée était terminée. Elle ôta son tablier et tira sa révérence. Carl se précipita pour leur faire fête. Puis ce fut le tour de Kevin qui lui raconta avec force détails la sortie avec l'école au poney club.

— C'était trop cool. Ce que j'ai aimé, c'est quand on est monté sur le poney, le mien s'appelait Plume...

Zoé fit un effort surhumain pour parler, sourire, avoir un comportement normal. Une épreuve atroce, puisqu'elle n'avait qu'une envie : éclater en sanglots.

— C'est super, mon chéri ! dit-elle en caressant les boucles blondes du petit garçon.

Quand elle vit Marion, elle lui trouva une mine épouvantable. Elle était blême, ses yeux étaient gonflés comme si elle avait pleuré. Elle s'approcha pour embrasser sa mère et lui chuchota à l'oreille :

— Il faut que je te parle, maman, c'est urgent !

— Avant de me coucher, je viendrai dans ta chambre, lui assura Zoé.

Ils s'assirent sur la terrasse autour de la table. De la cuisine sortaient toutes sortes d'odeurs appétissantes.

— Je meurs de faim ! clama Kevin en humant l'air de son petit nez retroussé piqueté de taches de rousseur.

— Moi aussi, dit son père avec enthousiasme. Notre Margot est un cordon-bleu !

— Maman aussi, elle fait de bonnes choses maintenant ! s'écria Kevin avec un sourire édenté.

Il avait perdu récemment une dent de lait et Zoé n'avait pas oublié le cadeau de la petite souris, un jeu de construction magnétique qu'elle lui avait glissé sous l'oreiller.

Elle alla dans la cuisine et revint avec un plat d'aubergines à la provençale qu'elle déposa avec dextérité sur la table.

— Miam ! Ça a l'air bon, fit le garçonnet en se pourléchant les babines.

Zoé retourna à la cuisine chercher le poulet rôti qu'elle découpa. Elle n'avait pas le cœur à manger et se servit une toute petite portion de blanc et la moitié d'une aubergine.

— Tu n'as pas faim ? lui demanda Victor.

— Si, si, répondit-elle en enfournant une bouchée.

— Tes parents vont bien ?

— Oui, très bien, et, prenant conscience que sa réponse était par trop laconique, elle ajouta : Papa s'occupait de ses rosiers quand je suis arrivée, et nous sommes descendus à la crique. C'est un endroit absolument magnifique !

Elle se garda bien de parler des confidences du vieil homme.

— Des souvenirs te sont revenus ? voulut savoir Victor.

— Non, j'avais l'impression de découvrir cette maison pour la première fois, alors que c'est la maison de mon enfance.

— Ne te fais pas de souci, même si cela prend du temps, ton amnésie n'est que temporaire. La mémoire reviendra d'un coup. C'est ce que m'a affirmé Benoît.

— Benoît ?

— Notre ami psychiatre. Tu apprécies beaucoup Élodie, sa femme. Justine, sa fille, est dans la même classe que Marion.

Leur fille Justine ? La blonde aux mamelles siliconées qui lui avait adressé la parole sur la plage était donc Élodie, la femme du psychiatre. Décidément, les amies de Noëlie n'étaient pas celles qu'elle aurait choisies. Elle détestait ces bourgeoises bon chic bon genre, sophistiquées et superficielles ! Si sa jumelle était de cet acabit, il y avait peu de chances qu'elles s'entendissent.

— Et son frère Erwan est dans ma classe, précisa Kevin. Il est le meilleur en calcul ! Normal, il veut être banquier.

— Et toi, tu veux faire quoi quand tu seras grand ? lui demanda Zoé, amusée.

— Mais tu le sais, maman !

Et, bombant son petit torse :

— Moi, je veux être chirurgien, comme papa ! lança-t-il fièrement en jetant un regard d'adoration muette à son père.

Pendant tout le repas, Zoé remarqua que Marion gardait le regard obstinément fixé sur son plat, chipotant, l'air morose, sans participer à la conversation. Elle enleva les assiettes et alla chercher le dessert : un sorbet à la myrtille qu'elle avait préparé le matin même. Le petit Kevin, insatiable, se resservit deux fois. Marion, en revanche, ne prit pas de dessert et se retira dans sa chambre, prétextant une dissertation à terminer pour le lendemain. Avant de monter, elle jeta un regard suppliant à Zoé qui lui fit un petit signe de connivence. Victor et Kevin l'aidèrent à débarrasser la table ; elle rangea les assiettes et les couverts dans le lave-vaisselle et plia la nappe. Kevin lui demanda la permission d'aller jouer à l'ordinateur.

— D'accord, mais pas plus d'un quart d'heure, ensuite tu éteins la lumière !

— Tu viendras me faire un bisou ?

— Oui, mais je veux te trouver endormi !

— Comment je saurai alors si tu es venue ? riposta le petit garçon.

— Si je te le promets, tu peux me faire confiance !
dit-elle.

En prononçant ces mots, elle eut honte. Comment
pouvait-il se fier à une étrangère qui avait pris la place
de sa mère ?

— Je monte, ne tarde pas ! lui dit Victor avec un
petit clin d'œil coquin.

Une fois seule, Zoé eut envie de griller une cigarette. Elle sortit son paquet et s'installa sur la balancelle. La nuit était chaude. Au loin, la mer semblait
refléter toutes les étoiles, comme s'il n'y avait pas de
ciel. Rien qu'un immense vide scintillant. Un souffle
de vent faisait bruire les pins parasols.

« Une nuit idéale, si j'étais vraiment Noëlie. »

Mais elle était une usurpatrice qui avait volé l'identité de sa jumelle, une criminelle si elle laissait agir
Léo, son complice. Et l'angoisse la traversa, comme
une douleur violente. Elle termina sa cigarette, l'écrasa
sur le sol et alla jeter le mégot à la poubelle.
Maintenant, il fallait monter voir Marion qui l'attendait dans sa chambre.

Elle gravit les marches quatre à quatre, Carl derrière
elle. Elle frappa doucement à la porte. Pas de réponse.
Elle frappa de nouveau. Marion dormait-elle déjà ? Elle
tourna la poignée et passa la tête dans l'entrebâillement. Une petite lampe éclairait la pièce. Une chambre
typique d'ado avec des posters de stars et des affiches
de films punaisées aux murs, un joyeux chaos : des
piles branlantes de livres et de feuilles volantes à côté
du portable sur le bureau, des canettes de soda vides
sur la moquette côtoyant des magazines et des baskets,
des vêtements roulés en boule sur la chaise et une cor-
beille débordant de papiers et de noyaux d'abricots et

de pêches. Bien alignés sur le rebord de la fenêtre, des animaux en peluche, vestiges de l'enfance.

Marion était assise en tailleur sur la couette fleurie, petite et fragile, le teint blafard. Elle portait un T-shirt avec un dessin de Mickey. Elle tremblait en fixant la moquette d'un air absent.

— Me voilà, ma grande ! dit Zoé gaiement.

L'ado releva lentement la tête. Elle était décomposée, les yeux injectés de sang, les paupières gonflées. Zoé l'étreignit avec force.

— Qu'as-tu, ma chérie ? demanda-t-elle, inquiète.

— Maman, je suis enceinte ! J'ai fait le test, il est positif.

Et Marion fondit bruyamment en larmes. Zoé la prit dans ses bras et attendit, désemparée devant l'ampleur de cette détresse. Les sanglots finirent par se transformer en hoquets et reniflements. Carl posa la tête sur ses genoux, en quête de quelques caresses. Zoé se pencha vers « sa fille ».

— Nous allons trouver une solution, souffla-t-elle d'une voix douce.

— J'ai peur de papa !

— Mais non, je le lui annoncerai moi-même. Tu verras, tout se passera bien. Mais d'abord tu dois décider si tu veux garder ton bébé ou avorter.

— Je ne veux pas le garder !

— Tu sais, ma chérie, l'avortement est une décision importante qui ne se prend pas à la légère. Il faut réfléchir posément avant de trancher. Tu en as parlé à Yann ?

— Bof, lui, il s'en fout. Il dit que c'est une histoire de meuf.

— Dis donc, il n'est pas très compréhensif, ce garçon ! Tu ne peux pas compter sur lui, c'est ça ?

— Non, en plus, maintenant que je suis enceinte, il va me larguer.

Accoudée sur ses genoux, elle appuya ses pouces contre ses yeux, avant de baisser finalement les mains et de regarder Zoé.

— Qu'est-ce que tu en penses, maman ?

— Je pense qu'élever un enfant toute seule est difficile, surtout à ton âge. Avec un bébé, ça va être dur de poursuivre tes études et d'avoir un bon métier. D'autre part, tu es jeune et tu pourras être mère plus tard quand tu auras rencontré un garçon sérieux qui désirera fonder une famille.

— Alors, tu es d'accord pour que j'avorte ?

— Je te donne mon avis parce que tu me l'as demandé, mais je n'ai pas mon mot à dire, c'est à toi de décider. Un avortement est un traumatisme, une femme n'oublie jamais le bébé qu'elle a tué dans l'œuf ; il la poursuit toute sa vie.

— Comment tu le sais ?

— Écoute, je vais te confier un secret que je n'ai jamais dit à personne, même pas à ton père. Quand j'avais ton âge, je me suis retrouvée enceinte, moi aussi. Mon copain était un salaud comme le tien qui m'a larguée.

— Ça, tu ne l'as pas oublié ?

— Non, jamais.

Et pour justifier cette persistance du souvenir en dépit de l'amnésie dont elle souffrait, elle ajouta :

— C'est quelque chose qui m'a marquée pour la vie.

— Et qu'est-ce que tu as fait ?

— Je me suis fait avorter.

— Et papy et mamie, ils ne l'ont pas su ?

Ah zut ! Elle n'avait plus pensé qu'elle était censée être Noëlie, une fille sérieuse, qui n'aurait certainement jamais fait une chose pareille. Elle était de la vieille école. Elle avait dû préserver sa virginité pour l'offrir à son mari tout neuf pendant la nuit de noces !

— Je n'en garde aucun souvenir, dit-elle. J'ai oublié tout ce qui touche à mes parents. Je me souviens juste de l'intervention, et surtout de la grosse déprime qui a suivi et qui a duré longtemps.

« Qui dure encore, pensa-t-elle. Comme si j'avais perdu un enfant. » Elle se revit, seule et désemparée, dans son lit d'hôpital, rongée de remords à l'idée qu'elle avait tué son bébé. Et elle se promit de soutenir Marion si elle optait pour l'IVG. Elle se pencha vers « sa fille ».

— Écoute, Marion, tu vas bien réfléchir et j'en parlerai à ton père.

— Non, je ne veux pas que papa le sache. Je pourrais me faire avorter en cachette.

— Non, Marion, il faut que les choses soient claires. Je te promets que ton père ne te fera pas de reproches.

— Je t'aime, maman, tu es trop cool ! s'écria l'adolescente revigorée en se jetant à son cou.

— Dors bien, ma chérie, dit Zoé en l'embrassant. La nuit porte conseil !

Elle sortit dans le couloir et ouvrit avec précaution la porte de la chambre de Kevin, baignée dans la lumière bleue de la veilleuse. Il dormait paisiblement en tétant son pouce. Comme un bébé. Elle posa un baiser sur son petit visage aux joues roses et quitta la pièce sur la pointe des pieds.

52

Quand Zoé pénétra dans la chambre conjugale, Victor lâcha le journal qu'il avait l'habitude de lire le soir avant de s'endormir.

— Tu en as mis du temps ! s'exclama-t-il. (Et, tapotant l'oreiller, il ajouta, l'air polisson :) Tu viens, je n'en peux plus, j'ai envie de toi !

— Écoute, Victor, il faut d'abord qu'on parle de Marion !

— Ça ne peut pas attendre ? demanda-t-il, impatient.

— Ta fille est enceinte ! lança-t-elle sans détour.

Il se redressa comme piqué par un frelon.

— Quoi ? Répète ! fit-il stupéfait, croyant avoir mal entendu.

— Elle attend un bébé.

— C'est impossible, c'est encore une gamine.

— Détrompe-toi, elle a couché avec son copain sans prendre de précautions, elle m'a tout raconté.

— Mais c'est insensé ! hurla-t-il, rouge de colère.

— Calme-toi ! dit Zoé, effrayée par cet accès de rage qui faisait trembler son corps.

Il avait le visage cramoisi, les traits déformés par la haine.

— Comment ça, me calmer ? Tu crois peut-être que je vais rester calme alors que j'apprends qu'un salaud a engrossé ma fille ? Tu sais qui c'est ?

Zoé hésita, puis se résolut à tout dire à son mari.

— Il s'appelle Yann.

— Quoi ? Le fils du commissaire ? Ah ! le fils de pute, il va voir de quel bois je me chauffe !

Il rugissait tel un lion sur la queue duquel on aurait marché.

Zoé se figea, pétrifiée.

Elle venait de réaliser que si Yann était le fils du commissaire, elle le connaissait : c'était le neveu de Léo qui passait souvent chez eux pour chercher sa ration de drogue. Elle s'était même disputée à ce sujet avec Léo. Elle trouvait immoral qu'il poussât un jeune à se shooter. Elle s'était indignée : « Tu ne vois pas que tu es en train de lui gâcher son avenir en le rendant accro ? » Mais il s'était contenté de ricaner. Elle avait eu une bouffée de haine, soupçonnant Léo d'avoir sciemment rendu toxicomane le fils pour nuire au père, son frangin dont il jalousait le succès. Sylvio était le seul de la fratrie à s'en être sorti dans un business honnête. Ses frères et sœurs faisaient le leur dans le deal, les casses ou sur le bitume. La vie de Sylvio était un exemple de réussite sociale. Elle avait même eu l'intention d'essayer de détourner Yann de la drogue avant qu'il ne soit trop tard, mais elle n'en avait pas eu l'occasion. Et voilà que Yann ressurgissait maintenant dans sa vie. Marion attendait un enfant de lui. Un enfant qui, s'il voyait le jour, serait le petit-neveu de Léo. C'était incroyable, une telle coïncidence ne se produisait que dans les romans !

— Je vais lui casser la gueule, aller trouver son père, vociféra Victor, hors de lui.

Elle ne reconnaissait plus « son mari » si policé dans cet homme fou de rage qui gesticulait en proférant les pires injures et grossièretés.

— La colère est mauvaise conseillère, dit-elle avec un geste apaisant, citant la formule qu'avait coutume de lui lancer sa grand-mère quand elle grinçait des dents et trépignait dans un caprice d'enfant.

Victor se ressaisit un peu.

— Elle a de la chance que je sois le chef du service d'obstétrique. Dès demain, je lui fais faire des analyses de sang et je me charge du reste. Heureusement que j'ai l'anesthésiste à ma botte. Il saura se montrer discret. Je n'ai pas envie que tout l'hôpital jase en apprenant que le grand patron a pratiqué une IVG sur sa fille mineure !

— Quoi ? Tu vas la forcer à avorter ? s'offusqua Zoé.

— Comment ça, la forcer ? C'est la seule solution ! Tu vois cette gamine avec un moutard qui bousillerait son avenir ? D'ailleurs, elle est mineure, et c'est moi qui décide !

— L'avortement serait la meilleure solution, c'est vrai, concéda-t-elle, mais uniquement si Marion est d'accord. Tu n'as pas le droit de décider à sa place et de l'obliger à tuer son enfant. La décision lui appartient, et c'est ce que je lui ai dit !

— Quoi ? Tu lui as dit ça ? fulmina Victor, ulcéré. Je ne te reconnais plus. Je me souviens encore de ton insistance pour que je m'occupe de la fille d'Armelle alors que j'étais débordé.

— Je ne me rappelle rien.

— Armelle, c'est ta coiffeuse. Et tu peux croire que sa fille me doit une fière chandelle. Une fille brillante, au demeurant. Grâce à l'IVG, elle a pu poursuivre ses études de droit. Et maintenant, si elle est avocate, mariée et mère de famille, elle me le doit !

— Oui, mais je suppose qu'elle était consentante. Que ce n'est pas sa mère qui l'a obligée à avorter.

— Elle ne voulait pas garder l'enfant, reconnut Victor.

— Alors que si tu obliges Marion à avorter contre son gré, elle te haïra et te le reprochera toute sa vie.

Victor resta silencieux.

— Franchement, tu la vois élever un enfant ? demanda-t-il au bout d'un moment.

— Elle ne sera pas seule, nous la soutiendrons moralement et financièrement. Si elle le garde, je suis prête à m'occuper de l'enfant pendant qu'elle fera ses études.

Victor leva les yeux au plafond.

— Eh bien, je souhaite que ce ne soit pas le cas, tant pour elle que pour toi ! soupira-t-il.

— Attendons de connaître sa décision ! fit Zoé.

Et avec un sourire coquin :

— Et maintenant, on pourrait se distraire, n'est-ce pas ?

En voyant s'allumer une petite lueur lubrique dans les yeux de son mari, elle sut qu'elle avait gagné la partie. Victor laisserait le choix à sa fille.

53

On s'habitue à tout. Même au pire !

Noëlie se souvenait de cette réflexion tirée du récit d'un rescapé d'Auschwitz. Si épouvantable que cela pût paraître, cet homme racontait que le quotidien avait pris le dessus et qu'il avait fini par s'accoutumer à l'horreur de sa vie carcérale, sans plus rien attendre.

On s'y fait et, c'est le pire, on s'habitue à tout.

Chaque jour répétait le précédent, immuablement. Le temps n'était plus une mesure, mais quelque chose d'épais et de poisseux dans quoi elle était engluée comme un insecte sur un attrape-mouche. Après le désespoir, la colère, la révolte, elle avait sombré dans une sorte d'hébétude douloureuse. Dans la débâcle de ses pensées, il ne lui restait qu'une seule certitude : celle de l'instant quotidien où elle pouvait sortir de sa cellule et respirer l'air pur du soir, regarder le ciel où s'allumaient les étoiles, écouter le cri des oiseaux de nuit et le chant des grillons... Et elle ne vivait plus que dans l'attente du cliquetis de la clef dans la serrure annonçant l'arrivée de son geôlier. La joie qu'elle ressentait alors était si forte qu'elle s'était demandé si elle n'était pas atteinte du syndrome de Stockholm, à l'exemple des victimes ou des otages qui finissaient par défendre bec et ongles leur bourreau et leur ravisseur. Dans le film *Portier de nuit*, les relations ambiguës après la guerre entre une ancienne déportée juive d'un camp de concentration et son kapo l'avaient horrifiée. À l'époque, elle avait trouvé cela invraisemblable, alors que maintenant, elle arrivait à les comprendre. Non que Léo lui inspirât autre chose que du dégoût et de la haine, mais elle était pieds et poings liés. Il était le seul être humain à lui avoir parlé depuis une éternité – elle aurait été incapable de dire depuis combien de temps durait sa séquestration – et dont elle dépendait entièrement. S'il ne venait plus, elle serait condamnée à mourir de faim et de soif.

Elle pensait l'avoir percé à jour, elle connaissait ses points faibles. C'était un garçon qu'elle jugeait vulgaire. D'après son langage, il était le pur produit des bas-fonds. Ce que l'on nomme couramment une petite frappe sans envergure. Il fanfaronnait, mais sous ses airs de matamore, c'était un lâche qui n'était pas aussi mauvais qu'il voulait bien le laisser paraître. Depuis qu'il avait renoncé à cacher son visage sous sa cagoule, ne se souciant plus qu'elle pût aider la police à dresser son portrait-robot, elle avait compris qu'elle ne sortirait pas vivante de sa geôle, mais un point la rassurait : il n'aurait jamais le courage de la supprimer. Dieu merci, il n'appartenait pas à la catégorie des psychopathes dénués d'empathie. Au contraire : il satisfaisait tous ses désirs, lui procurant tout ce qu'elle demandait. Il lui avait même porté une petite radio pour peupler ses journées d'enfermement. Elle avait fini par établir un contact, même s'il avait toujours refusé de lui parler de la rançon exigée. Ce point demeurait une énigme. Victor avait dû alerter la police de sa disparition, et l'on devait la rechercher, elle en était sûre. Pourtant, aux informations qu'elle écoutait régulièrement, on n'avait jamais évoqué son enlèvement.

Elle entendit enfin le bruit du moteur qui se rapprochait. Elle descendit du lit et tâtonna dans le noir vers la sortie. La clef cliqueta, la porte s'ouvrit et Léo entra. Il fit une courbette :

— Salut, voilà le repas de Madame !

Elle avança d'un pas sur le seuil et aspira avec délices une grande goulée d'air frais.

— Je vous ai apporté une salade bien craquante, des yaourts et des fruits, annonça-t-il. Et dans ce paquet, vous trouverez tout ce que vous m'avez demandé.

— Merci !

Elle prit une bouteille d'eau minérale et s'assit dans l'herbe devant la masure. Elle regarda ses mains. Elles s'étaient fanées, comme se flétrissent les plantes. Ses ongles gardaient à peine la trace d'un vernis écarlate qui s'était écaillé peu à peu. La vie elle-même semblait avoir abandonné ses poignets d'une blancheur pitoyable. Son corps fut parcouru d'un tressaillement si douloureux qu'elle ferma les yeux.

— Vous m'avez apporté le miroir ? lui cria-t-elle.

Il sortit sur le pas de la porte et le lui tendit. Elle n'avait pas encore vu son visage depuis qu'elle était retenue prisonnière. Impatiente, elle le lui arracha des mains et se regarda. Elle poussa un cri horrifié. Qui aurait reconnu dans l'image qui lui faisait face la femme des photos postées sur Facebook avec son sourire rayonnant ? On aurait vainement cherché l'éclat de ses yeux verts, leurs taches d'or, ses dents brillantes. Sa chair ressemblait maintenant à la soie morte d'une vieille robe.

— Je vous trouve très jolie, fit-il en la dévisageant.

Il croyait voir Zoé, et un flot d'émotions le submergea. Elle le sentit vulnérable.

— Quand me laisserez-vous partir ? demanda-t-elle.

Il se referma comme une huître.

— Bon, levez-vous, lança-t-il d'une voix bourrue, on va se dégourdir les pattes avant qu'il fasse complètement noir, un peu de sport vous fera du bien !

D'un pas en apparence tranquille, ils suivirent le sentier qui serpentait vers un bois de pins. Léo, sensible à l'humeur de sa prisonnière, resta silencieux pour ne pas la brusquer, mais il lui jetait de temps en temps un coup d'œil. Il aperçut des larmes sur ses joues.

— Libérez-moi, soyez gentil !

Sa voix était douce et contenue ; on aurait dit qu'elle avait l'habitude de pleurer en parlant.

— Je ne peux pas ! lança-t-il, le visage fermé, l'air buté.

Elle poussa un soupir d'exaspération et poursuivit :

— Il vous suffirait de me déposer en ville et je ne vous dénoncerais pas. Je vous le jure sur la tête de ce que j'ai de plus cher. Je dirais que j'ai voulu disparaître un temps pour changer de vie et que je le regrette.

Elle lécha les larmes au coin de sa bouche.

— Mon mari me pardonnerait cette fugue, j'en suis sûre. Et mes enfants seraient heureux si je rentrais. Faites-le pour eux, je vous en supplie !

Le sentier entra dans un sous-bois qui cachait les derniers rayons de soleil. Le sol était couvert d'un tapis épais d'aiguilles de pin et de brindilles qui craquaient sous leurs pieds, rompant le silence sépulcral. C'était une nature primitive à une vingtaine de kilomètres de la cité phocéenne et de sa circulation bruyante.

— Vous aimez votre mari ?

Noëlie s'arrêta de marcher et ils restèrent l'un en face de l'autre sur le chemin tacheté de soleil. Une lumière brilla dans son regard.

— Bien sûr que je l'aime, quelle question !

— Pourquoi alors baiser avec un autre mec ?

L'étincelle qui fusa dans les yeux de Noëlie était comme une lumière réfléchie par du verre. Ses joues s'empourprèrent.

— Comment pouvez-vous le savoir ? répliqua-t-elle, articulant chaque mot comme si elle manquait d'air.

— Je le sais, point barre. Vous avez été bien imprudente d'étaler votre vie sur Facebook, mais je ne vous juge pas, vous êtes libre...

Il poussa un petit ricanement.

— Je veux dire libre de vivre comme ça vous chante !

Ils arrivèrent sous les grands pins au feuillage vert foncé où le soleil versait par endroits des coulées de lumière. Une fois de plus, elle s'arrêta de marcher et fit face à son geôlier. Des larmes brillaient dans ses yeux, mais le regard était froid.

— Vous m'avez surveillée, pourquoi ? Parce que mon mari a de l'argent, c'est ça ?

Léo garda le silence. Puis il jeta un coup d'œil à sa montre.

— Il est temps de rentrer ! dit-il, lui saisissant le bras pour la forcer à faire demi-tour.

54

— Je t'ai préparé le casse-croûte, mon chéri ! lança Adeline avec un large sourire à son mari qui entrait dans la cuisine.

Son Ambroise lui avait annoncé la veille qu'il comptait faire une sortie en voilier. Soucieuse qu'il se restaurât, car elle le trouvait amaigri, elle lui avait confectionné un sandwich au pâté qu'elle avait placé dans un Tupperware avec un gros morceau de fromage, trois abricots et une nectarine. Elle n'avait pu résister au plaisir d'ajouter un *Bon appétit, bisous de ton Adeline !* griffonné sur un bout de carton. Elle savait que ces petites attentions lui faisaient chaud au cœur.

Ambroise ne put s'empêcher de sourire devant l'énorme sandwich.

— Merci, ma chérie, mais dis donc, j'ai l'impression que je pourrais nourrir une colonie de dauphins.

— L'air du large creuse l'appétit, et tu dois manger. Tu as maigri ces temps derniers, tu n'as pas bonne mine.

— D'accord, ma chérie, je dévorerai tout jusqu'à la dernière miette, tu peux me croire !

— Pourquoi n'as-tu pas proposé à Noëlie de t'accompagner ?

— Tu sais bien qu'elle n'a jamais montré beaucoup d'intérêt pour la voile. Je doute que ses goûts aient changé.

— Promets-moi d'être prudent et de mettre ton gilet de sauvetage. Tu n'es plus tout jeune, mon pauvre chéri.

— Promis, juré, craché. Mais tu sembles oublier que ton mari est un excellent marin qui a navigué dans des eaux beaucoup plus agitées qu'aujourd'hui.

— Je t'aime tellement que j'ai toujours peur de te perdre, mon amour.

Un sentiment de culpabilité submergea Ambroise. Il pensa à toutes les souffrances qu'il allait infliger à sa femme en disparaissant de sa vie. Il l'enlaça et la serra très fort dans ses bras.

— N'oublie jamais que je t'aime, lui murmura-t-il dans le creux de l'oreille.

— Eh bien, c'est une véritable déclaration que tu me fais là, lança-t-elle, amusée.

Elle lui piqua un baiser sur la joue.

— Moi aussi je t'aime, plus que tout au monde, chaque jour davantage !

Elle l'accompagna jusqu'à la voiture. Il l'embrassa une dernière fois.

— Sois prudent ! lui recommanda-t-elle alors qu'il insérait la clef dans le démarreur. Pour ce soir, je vais te préparer un canard à l'orange, tu vas te régaler !

Arrivé à la grille, il regarda dans le rétroviseur et il vit la frêle silhouette qui lui faisait de grands signes.

— Je t'aime, balbutia-t-il, et il éclata en sanglots.

Il gagna le port de plaisance où était amarré son voilier qu'il avait bichonné avec amour à ses heures perdues. La vision de son bateau lui procurait un merveilleux sentiment de paix et de liberté. La voile était la seule passion qu'il n'eût pas partagée avec Adeline. Sujette au mal de mer, elle ne supportait pas le roulis et le tangage. Avec sa grande voile et son foc, le mât se dressait fièrement vers le ciel d'un bleu sans nuages. Sur la coque blanche, on pouvait lire, inscrit en lettres rouges : *Adelinoelie*. Une fusion du prénom des « deux femmes de sa vie ». Il détacha les cordages le reliant au ponton et monta à bord. Il fit démarrer le moteur et quitta le port. Il laissa derrière lui la plage de la ville bordée de palmiers, d'hôtels, de restaurants et de luxueuses résidences, et gagna le large.

Une brise légère soufflait, chargée d'embruns. Il coupa le moteur, et le silence l'enveloppa tandis que le voilier glissait sans bruit sur l'eau. Il hissa les voiles. Le vent s'y engouffra et le bateau prit de la vitesse. La coque fendait gracieusement les flots.

C'était la journée idéale pour une promenade en mer.

Ambroise offrit son visage au soleil et, pendant un instant, il fut submergé d'une sérénité et d'une joie indicibles comme s'il était encore le jeune homme fringant et insouciant pour qui la mort n'était qu'une lointaine abstraction.

Le piaulement éraillé d'un goéland le ramena à la réalité et ses yeux se remplirent de larmes. Il descendit dans la petite cabine aux boiseries d'acajou rutilantes. Il but un verre de bourbon et ouvrit une bouteille de propane. Une odeur d'œufs pourris se répandit dans les entrailles du bateau. Il remonta sur le pont. Penché sur le bastingage, il fixa la surface des flots d'un regard absent en pensant très fort à celle qu'il n'avait jamais cessé d'aimer depuis le premier jour.

— Adieu, Adeline, murmura-t-il en craquant une allumette.

La déflagration fut instantanée. Une énorme brèche s'ouvrit sur le flanc. Le voilier éventré tangua, se disloqua et sombra en quelques minutes. Un inquiétant silence succéda à l'explosion, seulement troublé par le bruit des vagues qui martelaient les débris tournoyant dans le remous créé par le naufrage.

55

Adeline commença par se délier les doigts grâce à quelques gammes de plus en plus rapides, puis elle fouilla dans les partitions amoncelées sur une petite table à côté du piano. Mozart, Beethoven, Haydn, Mendelssohn... Elle choisit la sonate *Au clair de lune* et attaqua l'adagio.

Elle venait de rentrer de sa promenade rituelle le long de la plage. Depuis le jour lointain où, enfant, elle avait découvert la mer, l'immense étendue d'eau n'avait jamais cessé de la fasciner. Elle avait chaque fois l'impression de la voir pour la première fois, et c'était toujours avec la même joie qu'elle contemplait le déferlement des vagues. Autrefois, elle se baignait tous les jours, mais maintenant, à l'approche de ses quatre-vingts ans, elle se contentait de quitter ses chaussures et de laisser les vagues venir lui lécher les pieds, ce qui lui procurait une agréable sensation de fraîcheur. En revanche, elle ne restait pas longtemps au soleil, car elle ne supportait plus la chaleur. Durant les journées caniculaires de l'été, elle demeurait dans la pénombre de la vieille maison aux murs épais et ne sortait que le soir.

Ses doigts encore agiles malgré l'arthrose couraient sur les touches ; elle ferma les yeux. Les notes du premier mouvement s'égrenaient comme des gouttes sonores surgies du néant, des embruns du passé...

Les souvenirs affluaient sans qu'elle cherchât le moins du monde à les susciter. Ils crevaient comme une poche d'eau trop remplie : l'enfance choyée, les cours de danse et de piano, les étés où elle retrouvait son Ambroise, son mariage infécond, sa révolte et sa résignation avant le merveilleux cadeau de Noël que lui avait fait son Ambroise : Noëlie, née comme l'enfant Jésus en cette sainte nuit...

Elle fit voltiger les arpèges, légers comme des phalènes autour de la lumière, et puis ce fut l'explosion finale. Les notes se déchaînèrent en une tempête d'éclairs et de tonnerre, un formidable ouragan emportant tout sur son passage. Une ombre passa et elle eut l'impression d'être caressée par un courant d'air qui traversait la pièce. Elle rouvrit les yeux.

Ambroise se tenait devant le piano.

— Mon chéri ! s'écria-t-elle. Tu es là ? Je pensais que tu ne rentrerais que ce soir.

— N'oublie jamais que je t'aime, souffla-t-il en lui souriant tendrement.

Elle ouvrit la bouche pour répondre, mais il n'y avait plus personne. Elle parcourut la pièce du regard. Elle était seule. La porte était fermée.

Pendant une minute, elle resta figée.

« J'ai dû rêver », se dit-elle.

Elle n'avait plus du tout le cœur à jouer. Elle se leva et se contraignit à bouger, mais une boule d'angoisse lui serrait la gorge et ses regards revenaient sans cesse au piano.

Non, elle n'avait pas rêvé. Elle avait vu Ambroise. Il était là, devant elle, et il lui avait parlé. Elle était sûre d'avoir entendu sa voix. Elle se souvint d'une histoire qu'on racontait dans la famille : celle d'un aïeul, un aventurier parcourant le monde, qui n'avait pas pu se rendre au chevet de sa mère agonisante. À l'heure exacte de sa mort, il s'était éveillé et l'avait vue à côté de son lit. « Je suis venue te dire adieu ! » lui avait-elle soufflé avant de disparaître.

Un sentiment de panique s'empara d'Adeline.

« Ambroise a eu un accident, il est mort ! » pensa-t-elle, tétanisée par l'angoisse.

56

Quand Marion descendit déjeuner, elle avait les yeux rouges et gonflés, les mains tremblantes, et elle était pâle comme un cierge.

— Bonjour, maman ! marmonna-t-elle en s'asseyant.

Zoé posa un bol de céréales devant elle et versa le lait chaud.

— Comment ça va, ce matin ? lui demanda-t-elle.

— Euh... pas bien ! Je n'ai pas fermé l'œil de la nuit, répondit l'adolescente en fixant le bol fumant sans y toucher.

— Il te faut manger, ma biche !

Marion secoua la tête.

— Je n'ai pas faim ! Dis-moi, tu as parlé à papa ?

Zoé s'assit en face d'elle.

— Oui, et il est d'abord entré dans une colère noire.

— J'en étais sûre qu'il allait réagir comme ça ! remarqua Marion.

— Rassure-toi, je suis arrivée à le raisonner. Même s'il ne me l'a pas dit clairement, je pense qu'il te laissera libre de ton choix.

Sentant les larmes lui monter aux yeux, Marion se tut et essaya de manger. Décidément, elle ne reconnaissait plus sa mère. Elle était devenue son alliée, elle la traitait d'égale à égale, en adulte, alors qu'avant elle n'arrêtait pas de la houspiller et de l'accabler de reproches.

— Merci, maman, souffla-t-elle, débordante de gratitude et d'affection.

Zoé se leva et vint l'embrasser.

— Quelle que soit ta décision, nous la respecterons, ma chérie, et nous t'épaulerons.

Marion mangea une cuillérée de céréales.

— Qu'est-ce qu'en pense papa ?

— Ton père est persuadé qu'un enfant gâcherait ton avenir. Sans moi, il t'aurait obligée à avorter.

— Et toi ? Qu'est-ce que tu ferais à ma place ?

— Je t'ai dit hier soir que je ne voulais pas influencer ton choix. En revanche, je suis d'avis que tu devrais en discuter avec Yann à tête reposée. Après tout, c'est lui le père, et il devrait se sentir concerné, il me semble.

— Bof ! lui, il veut que j'avorte.

— Eh bien, puisque c'est mercredi et que vous n'avez pas cours, je te conseille d'aller le voir pour en discuter.

Marion réfléchit un instant, puis se détendit lentement.

— Tu as raison, maman, je vais y aller.

Zoé lui sourit.

— C'est très bien, ma chérie.

Une fois que l'adolescente eut quitté la cuisine, le sourire de Zoé s'effaça. Le souvenir des confidences du vieux docteur, que Noëlie prenait pour son père, s'imposa à elle, lui donnant l'impression d'être projetée dans un abîme sans fond. Elle n'avait pas réussi à trouver le sommeil. Après leur étreinte, Victor l'avait embrassée avec passion et s'était endormi aussitôt. Couchée sur le côté, sous le rayonnement bleuté de la pleine lune, elle avait regardé son visage serein. Il s'était endormi heureux après avoir fait l'amour à celle qu'il pensait être sa femme et dont il n'était tombé éperdument amoureux qu'après dix-sept ans de vie commune. Puis, elle avait songé à sa sœur jumelle enfermée dans la bicoque. Assise sur le lit, les mains sur les genoux, elle avait réfléchi longuement. Au petit matin, sa résolution était prise : elle irait trouver Noëlie. Elle lui avouerait tout. Elle lui raconterait comment elle avait usurpé son identité pendant un mois entier. Et elle lui rendrait sa vie. Elle préférait la prison à ces remords qui la rongeaient comme un cancer.

57

— Tu es en cloque, et alors ?

— Comment ça, et alors ?

— C'est ton problème, il fallait prendre la pilule.

— Et toi, tu ne pouvais pas faire attention, merde !

Yann appuya ses mains à plat sur son bureau.

— Tu en as parlé à tes vieux ?

— Oui, à ma mère qui l'a dit à mon père.

— Et il va t'avorter, je suppose. Alors, où est le problème ?

— Le problème, c'est que je veux garder le bébé, voilà ! cria Marion, furieuse.

Elle ne savait pas pourquoi elle avait lâché ces paroles. Peut-être parce que l'attitude désinvolte de Yann la blessait et qu'elle voulait le faire réagir. C'était trop facile de rejeter sur elle toute la responsabilité de la grossesse. Devant la fureur inscrite sur les traits de son visage, elle sut qu'elle ne pourrait plus revenir sur son affirmation. Elle était prise au piège de son mensonge.

— Tu cherches à me piéger, salope ! C'est pas parce qu'on a baisé que je devrais accepter ce chiard, tu entends ! siffla-t-il.

Devant son visage furibond, Marion craignit qu'il ne la frappe et elle eut peur. Elle était assise sur le lit et, vu sous cet angle, Yann paraissait gigantesque, menaçant, comme s'il pouvait l'écrabouiller d'un coup de poing.

— Merde, je ne veux pas me mettre un fil à la patte ! poursuivit-il, les poings serrés.

— Si on parlait sans que tu gueules, ce serait mieux, tu ne crois pas ?

Il la fixa, furieux, et se jucha sur le bureau, balançant un pied.

Il baissait la tête comme s'il se concentrait sur le mouvement de balancier de sa jambe et sa main agrippait le rebord de la table. Une violente contraction des muscles de sa mâchoire blanchissait la peau autour de sa bouche.

— Il n'y a pas à palabrer, je ne veux pas de ce gosse, point barre.

— Et tes parents, qu'est-ce qu'ils penseraient s'ils savaient que tu m'as mise enceinte ?

Il bondit sur le sol et pointa un index menaçant.

— T'as pas intérêt à cafter et à semer ta merde avec mes vieux, ce sont mes oignons ! aboya-t-il.

— Tu as peur de ton père, c'est ça ? ironisa-t-elle.

Il la fusilla du regard.

— Garde ton gosse si tu veux, mais fous-moi la paix.

Elle se recroquevilla. Il la saisit par le bras et la redressa de force.

— Lâche-moi !

Quelque chose se coinça dans sa gorge, elle se mit à tousser et à pleurer en même temps.

— Merde, Marion, pourquoi tu ne veux pas avorter ?
fit-il, radouci.

Il avait fait une connerie et il était pris comme une
mouche dans une toile d'araignée. Il avait peur aussi
des foudres de son père s'il venait à apprendre que son
fils avait engrossé une fille. Une nana canon, mais
dont il se foutait. Il en avait à la pelle au bahut et en
boîte. Il suffisait qu'il lève le petit doigt et les femelles
tombaient toutes dans son lit comme des pêches
mûres. C'était juste de bons coups, du sexe, rien de
plus. Il n'avait pas envie de se mettre à la colle, et surtout pas d'être père. Ce qu'il voulait, c'était profiter de
la vie, s'éclater, s'envoyer en l'air.

— Je veux le garder, s'obstina-t-elle d'une voix
tremblante.

Il se retint pour ne pas la gifler.

— Et tes études ? objecta-t-il.

— Je m'en tape, ma mère m'aidera à élever le bébé !

— Tu ne peux pas m'obliger à assumer cet enfant !
cria-t-il, écumant de rage.

— Peut-être pas à l'assumer, mais à le reconnaître !
lui rétorqua-t-elle.

— Arrête tes conneries !

— Mon père me dira ce qu'il faut faire. Il est chef
de clinique et il sait comment s'y prendre avec les
salauds de ton espèce qui refusent de reconnaître leur
enfant. Il y a des tests ADN, dans le cas où tu ne le
saurais pas encore.

— Parce que tu crois peut-être que ton père va te
laisser faire cette connerie ?

— Oui, il me laisse le choix de décider si je veux
garder l'enfant ou pas. C'est ma vie. Il me l'a dit ce
matin, mentit-elle.

Yann, toujours aussi furieux, contemplait d'un air sombre son pied qui se balançait et réfléchissait.

Elle continua plus fort :

— Si tu ne veux pas du bébé, je l'élèverai seule.

— Tant mieux ! fit-il.

Elle sentit monter la colère d'abord lentement, puis grandir, enfler, figeant ses larmes et transformant son corps en un bloc de glace.

— Va te faire foutre, salaud ! Je n'ai pas besoin de toi ! hurla-t-elle.

Elle se leva, prit son sac à dos et sortit sans un mot.

— Bon vent ! lui cria Yann.

Il entendit le claquement de ses talons décroître dans l'escalier, le bruit de la porte d'entrée qu'elle ouvrait et refermait violemment. Quand le silence fut revenu, il eut envie de sniffer une ligne pour se calmer. Il ouvrit le tiroir de sa table de chevet, mais il ne trouva pas de coke. Il eut beau fouiller dans sa chambre, il ne lui restait plus rien. En manque, il décida d'aller se réapprovisionner chez son cher tonton Léo.

58

— Salut, fiston, tu viens chercher de la came ? demanda Léo qui, en ouvrant la porte, avait tout de suite détecté chez son neveu les signes d'un état de manque.

Yann opina sans rien dire.

— Entre ! Je vais t'en refiler !

Quand Yann avait sonné, Léo était en train de préparer les affaires qu'il comptait apporter à Noëlie. Des papiers gras jonchaient le linoléum. Sur la table basse, deux énormes sandwichs, une barquette de framboises et des bouteilles d'eau minérale côtoyaient un paquet de tampons hygiéniques, un flacon d'eau de Cologne et une trousse de manucure.

— Tu pars pique-niquer ? demanda Yann, étonné, en désignant la table.

Pris de court, Léo rougit.

— Non, je mange des sandwichs parce que j'ai la flemme de me faire à bouffer. Et j'étais en train de virer le foutoir de Zoé pour gagner de la place.

— Zoé n'a plus donné de nouvelles ?

— Non, elle s'est taillée, la garce. Et depuis, silence radio.

— Tu crois qu'elle reviendra ?

— Avec les nanas, on ne peut jamais savoir. Mais de Zoé, je m'en contrefous. Une de perdue, cent de retrouvées !

— Pourtant, vous êtes restés longtemps à la colle.

— Ouais, mais je ne recommencerai pas ! Une gonzesse ne t'apporte que des emmerdes, crois-moi.

— Je sais, soupira Yann, en grattant sa tignasse brune.

— Assieds-toi, on va siffler une bière.

Il alla chercher deux canettes qu'il posa sur la table basse.

Yann s'installa sur le canapé défoncé, les jambes écartées, regardant fixement le sol entre ses pieds.

— Léo, je suis dans la merde.

— Avec ta meuf ?

— Ouais, elle est en cloque et elle veut garder le gosse.

— C'est la nana que j'ai vue l'autre jour ?

— Oui, Marion. En plus c'est la fille d'un ponte à l'hosto. Si je la plaque, il est capable de m'emmerder avec des tests à la con pour prouver que je suis le père du chiard.

Les pensées de Léo se bousculèrent. Yann avait fait un gosse à la fille de Noëlie. S'il naissait, ce serait donc son petit-neveu. Et son statut de grand-oncle lui permettrait d'avoir ses entrées chez ces bourges. Le loup serait dans la bergerie et Zoé filerait droit ! Une super occase, une chance inespérée.

Il afficha le sourire du vieux renard qui vient de repérer une poule bien dodue.

— Elle a quel âge, ta gonzesse ?

— Dix-sept ans, on est dans la même classe au bahut.

— Et son père est d'accord pour qu'elle garde le chiard ? S'il est toubib, il pourrait le lui faire sauter facilement.

Yann se releva et se mit à arpenter la pièce. Il s'arrêta brusquement et lança :

— Ses parents lui laissent le choix.

— Pourquoi tu n'en veux pas, du gosse ? demanda Léo.

D'un revers de l'avant-bras, Yann essuya les gouttes de sueur qui roulaient sur son front.

— Tu me prends pour un con ou quoi ? Tu voudrais que je foute ma vie en l'air ? Tu me vois à mon âge vivre comme un beauf avec une nana, à pouponner un morveux ?

— T'avais qu'à pas baiser sans capote, espèce d'enfoiré ! Quand on se vide les burnes, on assume ! s'exclama Léo avec emphase.

— Quoi ? s'écria Yann, interloqué. C'est toi qui me dis ça ?

— Parfaitement. Si la meuf veut garder le gosse, c'est son droit. Et je te signale que c'est aussi ton mouflet. Demande à ton père, tu verras ce qu'il te répondra, le frangin !

Yann vit rouge et fusilla son oncle du regard.

— Parce que tu te figures que je vais raconter ça à mes vieux, t'es barge ou quoi ?

— Ils le sauront tôt ou tard. Les parents de ta nana entreront sûrement en contact avec eux. Alors moi, à ta place, je prendrais les devants et je leur annoncerais la couleur tout de suite. Il vaut mieux qu'ils l'apprennent directement par toi que par ces vieux cons.

Yann était comme sonné. Il resta immobile, figé, les yeux écarquillés.

— Merde, merde ! hurla-t-il en tapant rageusement du pied sur le sol.

— Dans dix ans, tu kifferas d'avoir eu ton mioche !

— Un gosse, ça nique la jeunesse. J'en veux pas, merde !

— Les parents vont te foutre la pression. Tu es fait comme un rat ! Allez, en attendant de donner les biberons, viens, on va se faire une ligne.

59

Adeline, obsédée par l'apparition de son mari, erra dans la grande pièce comme un fantôme, caressant machinalement les bibelots. La maison était un puits de silence. L'odeur des roses, qu'Ambroise lui avait rapportées la veille de la roseraie et qui s'épanouissaient dans un vase de cristal, était presque funèbre. Elle se sentit perdue comme au fond d'un cimetière.

— Mon Dieu, faites qu'il ne lui soit rien arrivé ! répétait-elle comme une litanie.

Elle aurait tant voulu confier ses angoisses à Agathe qui l'aurait certainement rassurée, mais elle était partie avec la paroisse en pèlerinage à Lourdes et ne devait rentrer que le lendemain soir. Sans elle, Adeline se sentait perdue. Depuis la lointaine nuit de Noël où son Ambroise lui avait fait le plus merveilleux des cadeaux, Agathe était son amie, sa complice et sa confidente avec qui elle partageait tout. Elle poussa un soupir et alla dans la cuisine. Elle nettoya la salade et pela des pommes de terre. Elle sortit le canard du réfrigérateur, sala et poivra l'intérieur, y glissa un brin de thym, deux gousses d'ail et la moitié d'une orange avant de le déposer dans un grand plat et de l'enfourner. Elle monta ensuite à l'étage, passa l'aspirateur et rangea la chambre.

Après avoir vaqué à toutes ces occupations, elle se retrouva désœuvrée et finit par s'asseoir sur le canapé. Elle prit un livre, mais ne parvint pas à lire plus d'une page. Elle retourna dans la cuisine, arrosa le volatile qui commençait à dorer dans le four et but une tasse de café. En regardant par la fenêtre, elle aperçut quelque chose de sombre dans le lointain. Affolée, elle se précipita sur la terrasse et vit à l'horizon une colonne noire qui barrait le ciel. Elle se figea, saisie d'un horrible pressentiment. Elle sentit ses lèvres s'ouvrir, mais elle était incapable de crier.

À cet instant, la sonnerie de la porte d'entrée, déchirant le silence, lui fit l'effet d'une explosion. Elle se traîna dans le hall pour décrocher l'Interphone.

— Oui ?

— C'est la police !

Elle pressa sur le bouton et attendit, le cœur battant.

Quand elle ouvrit la porte, deux officiers de police se tenaient sur le seuil. Ils arboraient des mines lugubres.

— Madame Nobleval ?

Elle les fixa un instant sans comprendre, le regard vide.

— Oui, c'est moi, parvint-elle enfin à articuler.

Prenant conscience que les gendarmes allaient lui annoncer une catastrophe, elle se mit à trembler.

— Pouvons-nous vous parler ?

Elle les fit entrer et les invita à s'asseoir sur le canapé.

— Nous avons une mauvaise nouvelle à vous annoncer, commença un des policiers.

— C'est mon mari ?

— Oui, madame, il a eu un accident.

— Il est mort ?

— Oui, madame, son bateau a explosé. L'équipe de secours a retrouvé son corps.

Elle sentit une aiguille de glace qui la transperçait de part en part, la laissant exsangue. Son visage était blême. Elle poussa un cri de douleur et s'affaissa comme si elle avait une attaque. Un officier la redressa, tandis que l'autre allait chercher un verre d'eau à la cuisine.

— Vous êtes seule, madame ?

— Oui, ma locataire est à Lourdes.

— N'y a-t-il personne à qui nous puissions téléphoner ?

— Ma fille et mon gendre, balbutia-t-elle, secouée d'un frisson glacial.

60

Yann entendit des bruits de vaisselle dans la cuisine et descendit. Sa mère était en train de mettre le couvert.

Depuis sa visite à Léo, il vivait dans la terreur que les parents de Marion fassent irruption chez lui pour révéler aux siens la grossesse de leur fille et l'accuser de ne pas vouloir assumer la paternité. Après moult cogitations, il s'était rendu à l'avis de son oncle Léo et en était venu à la conclusion qu'il valait mieux prendre les devants et tout leur avouer lui-même. Il allait s'en ouvrir à sa mère, plus compréhensive que son père engoncé dans une armure de convenances. Elle avait certes des principes, mais elle savait aussi montrer une largeur d'esprit et une grande tolérance. Il avait essayé plusieurs fois d'aborder le sujet, mais il avait reculé au dernier moment sans pouvoir s'y résoudre.

Il se planta devant la porte, se dandinant d'un pied sur l'autre.

— Alors, ces révisions du bac, ça avance ? lui demanda-t-elle avec un large sourire en disposant les fourchettes et les couteaux à côté des assiettes.

— Bof, oui, ça *fahrte* !

— Eh bien, tant mieux. J'espère que tu vas réussir brillamment ! Avec tes excellentes notes dans toutes les matières, tes professeurs ne peuvent que te mettre un avis très favorable.

— Oui, bredouilla-t-il.

Il prit une profonde inspiration.

— Hum, mam', je voudrais te dire quelque chose.

— Eh bien, vas-y, je suis tout ouïe.

— C'est que... euh... c'est difficile à dire.

Sa voix était voilée, réticente.

— Tu as fait une bêtise ?

— Ouais, et une grosse.

Il baissa les yeux et s'éclaircit la voix avant de lancer :

— Ma copine est enceinte !

— Et c'est toi le père, c'est ça ?

— Oui.

Elle ferma les yeux. Il y eut un long silence, comme si elle digérait la nouvelle. Elle les rouvrit quelques secondes plus tard ; ils scintillaient.

— Tu es sûr que l'enfant est de toi ? demanda-t-elle enfin.

Le premier réflexe de Yann fut de nier, de crier qu'il n'y était pour rien, de jurer. Impossible. L'enfant était de lui et il le savait.

— Oui, c'était la première fois qu'elle couchait.

— Et elle veut le garder ?

— Oui, elle me l'a dit l'autre jour.

— Et qu'en pensent ses parents ?

— Ils lui laissent le choix.

— Eh bien, dans ce cas, il faut assumer, mon fils ! Tu n'as pas le droit d'abandonner cette jeune fille et son enfant qui est aussi le tien. La responsabilité est partagée. Sans compter qu'elle pourrait engager une action de recherche de paternité et t'obliger à payer une pension. C'est la loi.

Yann lança à sa mère un regard renfrogné.

— C'est dégueulasse ça ! Moi, je ne voulais pas de cet enfant.

Les sourcils de sa mère se froncèrent.

— Il fallait prendre tes précautions, mon petit ! Le bébé est là maintenant, il n'a pas demandé à naître et il aura besoin de ses deux parents. Tu ne voudrais pas vivre en sachant que tu as un enfant quelque part qui souffre de ne pas avoir de père ? Et imagine-toi qu'il vienne un jour frapper à ta porte...

— Mais je n'ai pas envie de me marier, je suis trop jeune ! protesta Yann.

— Là n'est pas la question, mais ton devoir est de reconnaître l'enfant et d'accompagner la jeune fille durant toutes les étapes de la grossesse jusqu'à l'accouchement, et aussi être présent quand le bébé sera là.

Il appuya son front contre l'encadrement de la porte en jurant intérieurement. Bordel, qu'est-ce qui lui avait pris de tringler cette nana ? En plus une pucelle qui n'avait même pas pris son pied. Un coup nul ! Et elle était complètement coincée, elle refusait de recoucher ! À croire qu'il avait engrossé une nonne. Une chose était certaine, il n'avait pas envie de vivre à la colle avec elle et de bousiller sa jeunesse.

— Je lui ai déjà dit que je ne voulais pas de cet enfant, marmonna-t-il.

— Eh bien, contacte-la tout de suite et tâche de te faire pardonner de l'avoir blessée. Dis-lui que tu as paniqué, mais que maintenant tu as réfléchi et que tu respectes sa décision.

Yann se passa nerveusement la main dans les cheveux.

— Oui, maman, je vais appeler Marion.

Elle tendit le bras pour lui effleurer la main.

— C'est bien, tu verras, tu ne le regretteras pas. Cette jeune fille n'est pas une roulure, elle est de notre milieu. Et un enfant est la plus grande joie de la vie. Que ferais-je si je ne t'avais pas, mon chéri ?

— Et papa, qu'est-ce qu'il va dire ?

— Je m'en charge, ne te fais pas souci. Tout le monde fait des bêtises. Dans son métier, il est bien placé pour le savoir. Je pense que nous devrons rencontrer les parents de ton amie. Au fait, son père est bien chef de service à l'hôpital ?

— Oui, c'est le Pr Escartepigne.

— Eh bien, ton père le connaît, cela rendra les choses plus faciles. Allez, mon petit, va vite téléphoner à cette jeune fille qui doit être dans tous ses états !

Yann embrassa sa mère et monta dans sa chambre, soulagé de s'être délesté de cette histoire, mais contrarié de devoir suivre son conseil. Il prit son portable et appela Marion.

Elle décrocha tout de suite.

— Allô, c'est moi, Yann.

— Va te faire foutre ! hurla-t-elle avant de lui raccrocher au nez.

61

Zoé descendit de la rame du métro et se dirigea vers l'escalier en baissant la tête. Il ne s'agissait pas de tomber sur une connaissance. Le sang bourdonnait à ses oreilles, elle était sur le point de craquer.

Lorsque, la veille, elle avait appris l'explosion du bateau et la mort du vieux Dr Nobleval, elle n'avait pas eu besoin de simuler le désespoir pour donner le change : bouleversée, elle s'était effondrée dans les bras de Victor, secouée de sanglots, revivant les instants passés sur la plage avec « son père ». Elle était la seule à savoir qu'il s'était donné volontairement la mort et elle s'était prise d'affection pour le vieil homme qui lui avait confié son secret. Après le coup de fil des policiers leur annonçant la terrible nouvelle, Victor était allé chercher sa belle-mère. En l'espace d'une nuit, elle semblait avoir vieilli de dix ans. Son visage était blême, ses paupières gonflées et son regard éteint. Son corps voûté, comme ratatiné, reflétait l'intensité de sa souffrance. Elle s'était jetée dans les bras de « sa fille », donnant libre cours à son chagrin.

— Je ne veux plus vivre sans Ambroise ! avait balbutié la vieille Adeline d'une voix rauque, entre deux sanglots. Sans lui, ma vie a perdu son sens.

Ils l'avaient conduite dans la chambre d'amis et aidée à se coucher. Victor lui avait fait une piqûre de calmants et Zoé, la gorge nouée, l'avait bercée comme une enfant jusqu'à ce qu'elle trouve le sommeil. Victor était ensuite parti à la morgue pour procéder à l'identification du corps.

— Il vaut mieux que ta mère n'ait pas vu son mari. Ce n'était pas beau à voir, avait-il déclaré à son retour.

Zoé avait assisté, impuissante, au chagrin des deux enfants qui adoraient leur grand-père. Elle avait passé une nuit blanche, une idée obsédante l'empêchant de trouver le sommeil : il fallait à tout prix prévenir Noëlie du décès de son père. La laisser dans l'ignorance était criminel. Au petit matin, elle avait décidé d'aller voir Léo dans son appartement pour en discuter avec lui de vive voix. Le faire au téléphone était trop risqué, avec la femme de ménage qui tournait dans la maison, à l'affût de ragots. Après le départ de Victor et des enfants, elle avait enfilé un jean et des baskets. Prétextant une course urgente, elle avait confié la vieille dame à Margot et était descendue à pied jusqu'à la bouche de métro, afin de ne pas débarquer dans la cité au volant de sa Golf trop voyante.

Elle traversa le terrain vague et parvint devant la tour où elle avait vécu pendant tant d'années. La panique montait en elle en vagues successives. Elle se raisonna. Léo ne pouvait rien contre elle. Elle s'engouffra dans l'entrée de l'immeuble. Les relents la frappèrent de plein fouet. L'ascenseur était toujours en dérangement. Elle grimpa l'escalier quatre à quatre jusqu'au cinquième et arriva hors d'haleine sur le palier. La porte de gauche portait, maintenue par une punaise, une carte de visite au nom de *Léo Orsini*, son nom en dessous, *Zoé Besson*, barré d'un trait rageur au stylo à bille. Elle frappa deux coups.

Léo lui ouvrit, torse nu. Il avait le teint terreux, les joues creuses et les yeux enflés. Elle l'avait apparemment tiré du lit. Il reboutonna avec désinvolture la braguette de son jean.

— Ah ! c'est toi ! lança-t-il, surpris. T'es dingue d'être venue !

— J'ai à te parler, c'est important, dit Zoé en pénétrant résolument dans l'appartement.

« Une véritable porcherie ! » pensa-t-elle, écœurée, en regardant avec dégoût un paquet de chips vide, tout froissé, et les vestiges d'un sandwich au pâté qui traînaient sur la table basse à côté de trois canettes de bière et d'un cendrier débordant de mégots. Elle jeta un coup d'œil circulaire sur la pièce sens dessus dessous. En revoyant les chaises dépareillées où pendaient des serviettes humides et des vêtements raides de sueur, le divan éventré, les draps gris de crasse et une pile de films X posée devant l'antique téléviseur, elle se demanda comment elle avait pu vivre là-dedans pendant tant d'années. Dans la kitchenette, c'était encore pire. Elle vit des assiettes sales déborder de l'évier et une poêle dégoulinante de graisse.

— T'aurais pu m'appeler sur le portable, grogna-t-il.

— Non, c'est trop grave.

— Qu'est-ce qu'il y a ? C'est la gamine qui est en cloque de Yann ?

— Comment tu le sais ? demanda Zoé, sidérée.

— Le neveu s'est confié à son tonton ! fit-il avec un sourire canaille. Et quand la fifille aura le bébé, son grand-tonton Léo aura ses entrées au palais et viendra souvent faire des câlins à son petit-neveu ou à sa petite-nièce.

— Ce n'est pas la raison de ma visite ! cria Zoé, hors d'elle. Je viens parce que le grand-père est mort.

Il passa la main dans ses cheveux en bataille avant de bâiller à s'en décrocher la mâchoire.

— Du calme, je vais d'abord boire mon kawa. Tu en veux ? lui proposa-t-il.

Et, sans attendre la réponse, il remplit une tasse qu'il fit glisser sur la table. Une partie du liquide se répandit sur le linoléum jonché de miettes et de moutons de poussière.

— Ah, j'oubliais, madame prend du lait.

Il ouvrit le réfrigérateur et en tira un carton. Une odeur âcre se mêla au remugle de tabac froid et aux miasmes ambiants. Il lui tendit le lait en sirotant son café. Après plusieurs gorgées, il poussa un soupir de satisfaction.

— Je me sens mieux, on n'a pas idée de sortir les gens du pieu à des heures pareilles ! Au fait, qu'est-ce que tu disais ? Le vieux a crevé, c'est ça ?

— Tu pourrais montrer un peu plus de respect, s'indigna Zoé.

— Du respect ! répéta Léo, moqueur, en singeant sa voix. Madame est une véritable bourge, à ce que je vois ! Il faudrait que je chiale parce que ce vieux a passé l'arme à gauche ? Dis-toi que je m'en branle, moi, de ce vieux schnock et je commence à en avoir ma claque d'attendre la suite des opérations pendant que madame se la coule douce chez ces richards !

— Toi, tu t'en branles peut-être, mais ce vieux, comme tu dis, est le père de Noëlie, et je veux que tu la préviennes.

Léo se resservit une tasse de café.

— Elle n'en a plus rien à foutre ! fit-il avec son sourire de piranha.

Zoé tressaillit.

— Tu ne veux pas dire que tu l'as tuée ? s'écria-t-elle, horrifiée.

— Pas encore.

— Elle est vivante ?

— Qui sait ? Hier, elle l'était encore. J'aurais pu finir le boulot, mais je lui ai accordé un sursis.

Zoé se prit la tête dans les mains.

— Tu es ignoble ! cracha-t-elle.

— Alors, dis-moi ce que tu veux que j'en fasse de cette gonzesse. La garder éternellement ? J'en ai ras le cul, moi, de la servir comme une princesse. Tu n'as qu'à y aller, toi, au volant de ta superbe caisse, tu connais le chemin !

« C'est ce que je vais faire ! » pensa Zoé. Sa décision était prise : aller en voiture à la bicoque, tout avouer à sa jumelle, lui révéler leurs liens et surtout lui rendre la liberté. Noëlie reprendrait le volant de sa Golf et déposerait sa sœur en ville avant de rentrer chez elle et de retrouver sa vie. Mais surtout il ne fallait rien dire à Léo qui serait capable de l'assassiner avant qu'elle puisse mettre ce projet à exécution.

— Tu as raison, Léo, acquiesça-t-elle, l'air contrit. Je vais te donner de l'argent et tu continueras à t'en occuper. On décidera plus tard comment s'en débarrasser. En ce moment, avec le décès du grand-père, j'ai vraiment trop de soucis.

— Ah ! madame redevient raisonnable, fit Léo, narquois.

Il se pencha vers elle.

— Allez, viens rouler une pelle à ton chéri !

L'idée d'un contact physique avec Léo lui répugnait, mais elle se fit violence et lui déposa une petite bise sur la joue.

— Dis donc, tu deviens bégueule, tu oublies que je suis ton mec ! cria-t-il, et il l'embrassa à pleine bouche.

Son haleine chargée la dégoûta, elle se raidit. Il la regarda avec méfiance. Elle avait l'air nerveuse.

— Eh bé, baby, t'as plus envie de baiser avec ton Léo ? demanda-t-il, saisi de rage, en lui postillonnant au visage.

Il plissa les yeux, la mine soupçonneuse, puis la fixa.

— Tu prends ton pied avec le toubib, c'est ça ? Et moi, je ne suis plus assez rupin pour toi ?

— Ne dis pas de conneries, fit Zoé en cherchant à se dégager.

Elle se leva. Il lui pelota les fesses de ses doigts puissants. Elle se retint pour ne pas le gifler. Il la poussa vers la table, la forçant à se pencher en avant. Il baissa son jean et déboutonna le sien.

— Pas maintenant ! hurla-t-elle.

— Ta gueule !

Il essaya de glisser sa main entre ses cuisses, mais elle les maintint serrées l'une contre l'autre.

— Écarte les jambes et boucle-la, sinon je bute la bourge.

— Non, non, supplia-t-elle en un souffle.

Mais il lui arracha la culotte et s'enfonça brutalement en elle. Quand ce fut terminé, elle se rajusta, ouvrit son sac et lança une liasse de billets sur la table.

— Bon, je me casse, et toi, tu penses à aller voir Noëlie.

— T'as pris ton pied ? demanda-t-il.

— Oui, c'était super, tu baises comme un dieu ! répondit-elle, étranglée par la haine.

Elle se sentait comme une naufragée au milieu d'une accalmie éphémère. Les éléments n'allaient pas tarder à se déchaîner de nouveau, et ce serait terrible ! Un frisson lui courut sur la peau. Un frisson glacé.

62

— Maman, j'ai pris ma décision !

Lorsque Marion fit irruption dans la chambre de ses parents, Zoé venait d'ôter l'élégante robe noire, portée aux obsèques de « son père » et enfilait un bermuda.

L'enterrement du Pr Ambroise Nobleval avait eu lieu dans l'après-midi. Une terrible épreuve pour la vieille Adeline. À l'église, lors de l'interminable office, elle s'était tenue très droite, les paupières baissées, mais sous le soleil de plomb du cimetière, elle avait craqué. Après les innombrables panégyriques des représentants de la communauté d'Esculape, au moment où le somptueux cercueil en acajou verni avec des poignées dorées avait disparu dans le caveau, elle avait poussé un cri déchirant. Au paroxysme du chagrin, elle avait tenté de se précipiter vers la tombe. Victor et Zoé l'avaient retenue. Le serrage des mains avait été un supplice. Zoé avait vu défiler bon nombre de chirurgiens croisés à l'hôpital qui, la mine compassée, étaient venus présenter leurs condoléances à la famille du défunt. Après les obsèques, certains s'étaient immédiatement dirigés vers la sortie, alors que d'autres avaient pris part à la réception organisée chez eux. Un dur moment à passer.

Le living, plein à craquer, s'était mis à résonner d'une cohue affairée, et elle avait eu l'impression de se trouver sur le pont d'un navire au cœur de la tempête. Les visages se brouillaient, les noms s'entrechoquaient dans sa tête, se confondaient... Elle s'était sentie gagnée par le tournis. Bien sûr, craignant de commettre quelque impair, elle n'avait presque pas desserré les dents, mais son silence pouvait être mis sur le compte de la douleur d'une fille éplorée.

Après leur départ, Victor avait donné un tranquillisant à sa belle-mère qui dormait maintenant dans sa chambre. Le réveil et les jours suivants allaient être douloureux. Ils avaient décidé de la garder chez eux, l'entourant d'affection.

Pendant la cérémonie, Zoé n'avait pas écouté les discours. Remplie de remords, elle n'avait pas cessé de penser à Noëlie. Encore une fois, elle lui avait volé son rôle. Assise au premier rang dans l'église, à côté de Victor, des enfants et de la vieille Adeline, elle avait eu conscience de ne pas être à sa place ! C'était celle de Noëlie, pas la sienne.

Elle était une usurpatrice, un faussaire. C'était sa jumelle qui aurait dû accompagner l'homme qu'elle chérissait comme un père dans son ultime demeure – pour reprendre le cliché éculé employé avec onction par le prêtre hautain qui officiait lors du service funèbre. Pendant les interminables homélies, dans lesquelles même le pire salaud se voit paré de toutes les qualités, elle avait réfléchi à son projet d'avouer son forfait à Noëlie et de la libérer. Elle irait à la bicoque le surlendemain matin quand Victor serait à l'hôpital et les enfants en classe...

L'arrivée de Marion la tira de ses réflexions. Elle sursauta. Les révélations et la mort du vieil homme avaient occulté la grossesse de « sa fille ». Et voilà que le problème ressurgissait brutalement. Bien qu'à cran, elle parvint à se maîtriser.

— Eh bien, ma chérie, qu'as-tu décidé ? lui demanda-t-elle.

— Je veux garder le bébé !

— Tu as bien réfléchi à tout ce que cela implique ? Un enfant, c'est une responsabilité pour la vie.

— Oui, maman. Aujourd'hui, à l'enterrement de papy, devant le cercueil, j'ai compris que je ne pouvais pas tuer l'enfant que j'ai dans le ventre, une naissance, c'est la vie !

— C'est vrai. Tu l'as dit à Yann ?

Les yeux de Marion s'embuèrent.

— Oui, mais il était furieux. Il veut que j'avorte.

— Donc, tu devras l'élever seule.

— Oui.

— Et ce ne sera pas facile, ni pour toi ni pour l'enfant qui ne connaîtra pas son père.

— Je sais, dit Marion, les yeux ruisselants de larmes.

Zoé la serra dans ses bras.

— Tu m'aideras, tu l'as promis, pas vrai, mam' ?

Ah ! combien elle aurait voulu la tenir, cette promesse ! S'occuper de cet enfant eût été son vœu le plus cher. Elle aurait été comblée, mais maintenant elle allait, hélas ! devoir rendre sa place à sa vraie mère et disparaître à jamais de sa vie.

— Oui, ma chérie, je t'aiderai, souffla-t-elle.

Et en prononçant ces mots, elle espéra de tout cœur que Noëlie se montrerait tendre, et surtout compréhensive. Mais quelle mère digne de ce nom refuserait son aide à son enfant en détresse ?

63

— Eh bien, tu vois, Sylvio, tout s'est bien passé, déclara la mère de Yann à son mari. Les Escartepigne sont charmants. Ils auraient pu agonir Yann d'insultes, mais ils ne l'ont pas fait. Ils l'ont même gardé à dîner. Ils se sont montrés vraiment très compréhensifs et indulgents.

— Entre gens intelligents, on finit toujours par trouver un terrain d'entente, bougonna son mari.

Après deux heures de discussion avec les Escartepigne, Sylvio et Hortense Orsini rentraient chez eux, sans Yann. Ils avaient été reçus courtoisement. En parfaite maîtresse de maison, Zoé leur avait servi des rafraîchissements au salon. Yann, rouge à rendre jalouse une poêlée de homard, avait reconnu ses torts. Il s'était engagé à reconnaître l'enfant et avait demandé à Marion de lui pardonner sa première réaction de rejet, due à une grosse panique à l'annonce inattendue qu'il allait être père.

— Je ne m'y attendais pas et j'ai flippé grave ! avait-il bredouillé.

Devant ce revirement, Marion, aux anges, l'avait embrassé avec ardeur. Il avait été convenu que le jeune couple vivrait dans un premier temps chez les Escartepigne. Leur maison était assez grande pour leur permettre d'aménager un appartement indépendant dans une aile. Mme Escartepigne pourrait ainsi garder l'enfant de Marion qui poursuivrait ses études. Marion avait renoncé à ses projets de mannequinat. Elle avait promis à ses parents de préparer un master de lettres si elle décrochait le bac, et plus tard le concours de professeur de français. Yann, quant à lui, voulait se lancer dans l'informatique. Tout baignait !

Le commissaire Orsini serrait hargneusement le volant, conduisant en silence. La ceinture de sécurité sanglait sa bedaine en deux saucisses qui se soulevaient et s'abaissaient comme si on était en train de les gonfler. Chauve et gras comme un moine, les yeux noirs à fleur de tête et le gros nez bourgeonnant, il aurait pu interpréter au cinéma le célèbre commissaire Maigret. Il tressaillit lorsque sa femme se pencha pour poser la main sur son genou.

— N'empêche que cette connerie va leur gâcher l'avenir à tous les deux, remarqua-t-il.

Sa voix tremblait d'une colère contenue.

— Ce sont encore des gosses à peine sortis de l'adolescence. Tu les vois avec un bébé, toi ?

— Tu as entendu ce qu'a dit Mme Escartepigne ? Qu'elle était prête à s'en occuper pendant leurs études. Moi aussi d'ailleurs, je pourrai prendre ma part et le leur garder de temps en temps. Je le ferai avec plaisir. J'adore pouponner.

— Je ne comprends pas que le père n'ait pas raisonné sa fille. Je suis sûr qu'il est du même avis que

384

moi. Il aurait pu pratiquer une IVG, il est bien placé pour le faire, fulmina-t-il.

Il avait la peau moite et les joues rouges comme s'il venait de courir un marathon.

— Allons, tu vois toujours le mauvais côté des choses. Je trouve qu'ils forment un beau couple tous les deux. Et l'enfant aura des parents jeunes.

— S'ils restent ensemble ! Yann n'est pas mature. Un homme ne doit pas se mettre un fil à la patte si jeune ! Il faut d'abord qu'il s'amuse, qu'il s'éclate, comme on dit aujourd'hui, sinon il enverra tout balader des années après. C'est d'ailleurs ce qui explique le nombre important de divorces : les jeunes de dix-huit ans vivent déjà en couple, comme de vieux schnocks de quarante balais et vers la quarantaine ils envoient tout bouler !

Il écrasa le frein dans un juron et pila à un feu rouge.

— Eh bien, s'ils ne s'entendent pas, ils se sépareront, risqua sa femme.

— Et l'enfant dans tout ça ? Une femme sérieuse n'acceptera pas d'épouser un homme qui est déjà père d'un moutard.

— Bien sûr que si, il faut te mettre à la page, mon gros nounours ! De nos jours, c'est une chose banale. Regarde autour de toi toutes les familles recomposées !

Le feu passa au vert et le commissaire enfonça l'accélérateur en respirant bruyamment.

— Au fait, tu n'as pas été frappé par la ressemblance de Mme Escartepigne avec Zoé ? reprit sa femme.

— Si, quand elle a ouvert la porte, j'ai eu un choc. J'ai cru me trouver en face de ma belle-sœur, enfin, façon de parler, puisque le frangin ne s'est jamais décidé à convoler. Mais il a suffi qu'elle ouvre la bouche pour que l'illusion se dissipe. Mme Escartepigne n'a ni l'accent ni le langage vulgaire de Zoé. Chez cette femme, on sent l'éducation parfaite, la distinction et l'élégance. Ce que l'on nomme tout simplement la classe. Comme toi, ma chérie !

Sa femme émit un petit rire.

— Tu vois qu'il y a du bon. Imagine que Yann ait mis enceinte une fille des bas quartiers, du genre de Zoé ? Là, au moins, c'est notre milieu.

— Tu peux dire ce que tu veux, tu ne m'ôteras pas de l'esprit que Yann a fait la connerie de sa vie ! soupira le commissaire. Et je suis certain qu'Escartepigne pense la même chose que moi.

— Mon pauvre chéri, tu es aussi borné qu'un bœuf !

Elle lui tira l'oreille et il capitula.

— Bon, tu as raison, attendons de voir venir. *Wait and see !*

Cet homme robuste et massif, aux colères légendaires qui faisaient trembler les murs du commissariat, que ses subordonnés craignaient et qui côtoyait les pires malfrats de la pègre marseillaise, filait doux comme un petit garçon devant son aristocratique épouse. Dès qu'elle élevait la voix ou le toisait de son air plein de morgue, il lui obéissait au doigt et à l'œil et se laissait mener par le bout du nez. Comme chez Victor, dans le couple, ce n'était pas lui qui portait la culotte !

64

— Les parents de Yann sont des gens très bien ! lança Zoé en enfilant sa nuisette.

— Oui, c'est exact. En revanche, leur fils me semble complètement immature. Comme Marion. Tu les vois parents, toi, ces gosses ?

— Je me suis engagée à m'occuper du bébé, répliqua Zoé. Et la mère de Yann m'épaulera. Elle me plaît, cette femme, je sens que nous allons faire une paire d'amies. Et je suis sûre qu'être parents rendra nos enfants adultes.

« Pourvu que Noëlie tienne ces engagements ! » songea Zoé, le cœur serré à l'idée qu'elle allait disparaître de la vie de Marion, qu'elle ne connaîtrait jamais le bébé qu'elle portait et qui était pourtant son petit-neveu ou sa petite-nièce. Ah ! combien elle aurait voulu pouvoir choyer et bichonner cet enfant, elle qui regrettait amèrement de ne pas avoir été mère.

— Que Dieu t'entende, ma chérie. Je persiste à dire qu'ils sont trop jeunes pour assumer de telles responsabilités. Comment veux-tu que le couple dure ? Yann n'est pas encore à l'âge de se fixer. Pour lui, Marion n'était certainement qu'une aventure sans lendemain. Il s'en lassera vite, crois-moi, je connais la chanson. Il va se mettre à papillonner et il finira par la quitter. Et elle se retrouvera Gros-Jean comme devant avec un enfant à charge.

— Dis-moi, à quel âge nous sommes-nous mariés ? Ne m'as-tu pas dit que j'avais dix-huit ans et que tu en avais vingt ? Et nous sommes toujours ensemble, n'est-ce pas ?

— Oui, mais c'était une autre époque, les mentalités ont changé, de nos jours on se quitte pour un oui ou un non.

— Est-ce que tu as eu envie de me quitter ?

Victor se garda bien de lui avouer que l'idée de mettre les voiles l'avait parfois effleuré durant les années où leur mariage avait battu de l'aile. Mais depuis le coup qu'elle avait reçu sur la tête – qu'il qualifiait en secret de « coup de baguette magique » –, sa femme était devenue enfin celle dont il avait rêvé : simple, prévenante, sensible, ouverte, une femme qui ne cherchait plus à le rabaisser, mais qui au contraire l'admirait et n'avait pas honte de ses origines en rejetant ses parents. Elle avait perdu sa raideur, sa froideur et sa pudibonderie au lit. En un mot : elle le comblait. Il avait l'impression de vivre une lune de miel tardive avec une épouse toute neuve. Il était maintenant heureux en ménage comme il ne l'avait encore jamais été.

— Je ne te quitterai jamais parce que je t'aime, déclara-t-il. Je vais voir si ta mère dort et je reviens te le prouver sur-le-champ !

Zoé ferma les yeux. Une vague de désespoir l'envahit. Dans cette famille, elle se sentait parfaitement épanouie, elle aimait Victor et Victor l'aimait. Il venait encore de le lui dire. Et pourtant, elle allait devoir renoncer à ce bonheur. C'était décidé : le lendemain, elle mettrait fin à cette imposture et quitterait cette maison à jamais.

— Elle dort comme un bébé, annonça Victor en rentrant dans la chambre. À nous deux, maintenant !

Il se déshabilla en un éclair, éparpillant ses vêtements sur la moquette, et rejoignit la femme aimée qui lui ouvrait les bras. De tout son être, cet homme avait envie d'elle. Sa passion se leva comme une rafale, comme une tempête brûlante...

Quand il s'abattit, haletant, sur sa poitrine, son cœur palpitant contre le sien, il lui murmura, ses lèvres effleurant ses cheveux :

— Je t'aime plus que tout au monde.

Puis il se redressa pour scruter son visage comme pour en graver les traits dans sa mémoire. Comme s'il pressentait que c'était leur dernière étreinte.

Tout en roulant, Zoé répétait mentalement la confession qu'elle avait préparée à l'intention de sa jumelle.

Elle tourna dans un chemin de terre, mais ce n'était pas le bon. Elle fit demi-tour et continua sur la route déserte qui longeait un fouillis d'arbustes tordus par le mistral. Un kilomètre plus loin, un nouveau chemin s'enfonçait dans la garrigue aride mangée par le soleil. Elle bifurqua et aperçut la bicoque.

Au fur et à mesure qu'elle se rapprochait de la maisonnette, elle était de moins en moins sûre d'elle. Elle avait le trac, mais surtout honte. Honte d'avoir été la complice de Léo et d'avoir commis cet acte ignoble. Autant il lui avait été facile d'anticiper la scène, autant maintenant elle redoutait d'affronter sa jumelle. Elle se sentait timide, dominée, vaincue.

Quels mots trouver pour lui avouer son forfait ?

Comment avait-elle pu prendre sa place et vivre chez elle en toute quiétude en la sachant prisonnière dans cette immonde masure ? Lui voler son mari et ses enfants ? Abuser de la confiance de ses parents ?

Faire souffrir son amant ? Et surtout recueillir les confidences de son père et l'empêcher d'assister à son enterrement ?

Noëlie pourrait-elle lui pardonner son infâme imposture ?

Elle s'attendait à passer un moment terrible, le pire de toute son existence. C'est pourquoi elle ralentit peu à peu et gara la Golf à cent mètres de la masure.

66

Depuis que Léo lui avait donné l'appareil, Noëlie écoutait France Info en boucle. Jamais sa disparition n'avait été mentionnée, à croire que personne ne l'avait signalée. Ce qui dépassait son entendement.

La veille, elle avait fait part de son étonnement à son geôlier mais, comme à son habitude, il n'avait rien voulu lui révéler. Pourtant, elle se souvenait qu'il avait fait une fois allusion à une rançon. Cela demeurait un mystère. Il avait continué à lui porter des petites gâteries, mais quand elle lui demandait s'il comptait la garder encore longtemps prisonnière, il se refermait comme un bernard-l'ermite dans sa coquille. Une chose la rassurait : il lui laissait la vie sauve. Elle était maintenant certaine qu'il n'aurait jamais le courage de la supprimer. Il n'avait pas l'étoffe d'un criminel. Elle avait deviné qu'elle lui en imposait. Il la regardait parfois même avec tendresse, mais jamais il n'avait eu de geste inconvenant. Et elle lui en était reconnaissante, car il lui aurait été facile d'abuser d'elle. Elle était entièrement à sa merci.

9 heures : les infos... Inondations dans les Balkans : des sauvetages parfois périlleux...

Zoé ouvrit le coffre et sortit le grand sac, soigneusement préparé la veille. Elle y avait fourré le T-shirt et
le bermuda qu'elle enfilerait après avoir quitté les
vêtements que Noëlie mettrait pour rentrer chez elle.
Elle avait choisi une robe ample, destinée à cacher le
corps sûrement amaigri de sa sœur. Elle avait pris
aussi la trousse de maquillage pour lui redonner des
couleurs, son parfum *Heure bleue* et son vernis à
ongles...

Elle avança lentement sur le chemin rocailleux.
Chaque pas lui coûtait. Elle sortit la clef dissimulée
sous une pierre et l'introduisit dans la serrure. Une
voix d'homme la fit reculer, effrayée, avant qu'elle ne
réalise qu'il s'agissait de la radio...

Noëlie fut soudain éblouie par la vive lumière du
soleil. Elle se protégea les yeux de ses mains. Son geôlier avait changé son horaire : c'était la première fois
qu'elle recevait sa visite à une heure aussi matinale.
Elle n'avait pas entendu le vrombissement du moteur
ni le cliquetis de la clef dans la serrure couverts par la

radio. Quand elle ôta les mains de devant les yeux, elle crut se trouver en face d'un miroir. La silhouette qui se dressait à l'entrée était en tout point semblable à la sienne, depuis les traits du visage et la coupe de cheveux jusqu'aux vêtements qui étaient ceux qu'elle portait avant cette horrible séquestration, lorsqu'elle était encore la femme du Pr Escartepigne. C'était irréel, elle devait être victime d'une hallucination due à la tension nerveuse. Elle ferma les yeux. Quand elle les rouvrit, l'apparition était toujours là. Elle poussa un cri de terreur. Puis, elle entendit une voix qui lui disait :

— N'ayez pas peur !

Une voix bien réelle qu'elle reconnut, car c'était sa propre voix comme enregistrée sur un magnétophone.

Sa frayeur s'accrut.

— N'ayez pas peur, je suis venue vous délivrer, mais avant, il faut que je vous parle.

La voix était tremblante, mal assurée.

Noëlie réalisa que la femme qui se tenait en face d'elle n'était pas une fantasmagorie. Le fantôme de son double, projeté par son cerveau embrumé. Non, elle était bien vivante.

— Qui êtes-vous ? demanda-t-elle, sur la défensive.

— Je vais tout vous expliquer, mais venez, on sera mieux au soleil. J'ai apporté du café et des croissants.

Au comble de la stupéfaction, Noëlie obtempéra. Son sosie ouvrit un grand sac et en sortit une Thermos et deux tasses ainsi qu'une pochette en papier pleine de croissants appétissants. Elle remplit les tasses et lui tendit la pochette.

L'odeur du café et des viennoiseries lui fit oublier un instant l'extravagance de la situation. Elle s'assit dans l'herbe et dévora avec appétit son croissant trempé dans le café.

— Qui êtes-vous ? répéta-t-elle, une fois rassasiée.

— Votre sœur jumelle !

Noëlie resta sans voix, la fixant avec intensité, les yeux exorbités.

— Je suis fille unique, finit-elle par balbutier.

— C'est ce que je croyais moi aussi. C'est une histoire compliquée. Voilà, tout a commencé le jour où Léo, l'homme qui vous a enlevée et avec lequel je vivais, a découvert votre photo et votre profil sur Facebook...

Et elle se mit à parler. Sans rien omettre, ne laissant aucun détail dans l'ombre, ne cherchant pas à se justifier par des excuses. Une véritable confession ! Les mots se bousculaient dans sa bouche, au point d'être parfois inintelligibles : la découverte de sa page sur Facebook, l'idée de Léo...

— Donc on a tout mis au point pendant un mois et on vous a kidnappée !

Lorsque Zoé se tut, Noëlie était abasourdie. Sonnée. Comme si elle avait reçu elle aussi un coup de matraque sur la tête.

— Et tout le monde vous a prise pour moi ? demanda-t-elle, offusquée.

— Oui, je vous l'ai dit, j'ai simulé l'amnésie pour expliquer mes gaffes !

— Je comprends maintenant pourquoi ma disparition n'a jamais pas été signalée sur les ondes. Je n'ai manqué à personne.

Elle fusilla Zoé du regard.

— Ce que vous avez fait est immonde, vous êtes deux ignobles criminels ! On n'a pas le droit de se placer au-dessus des lois et de faire une chose aussi abominable ! Comment avez-vous pu me faire vivre dans de telles conditions et commettre une telle atrocité ? Vous êtes deux psychopathes sans cœur ni empathie !

Elle pointa un index menaçant.

— Mais ne croyez pas que vous allez vous en tirer comme ça, je vais porter plainte.

— J'ai conscience que ce que vous avez subi est horrible et je vous en demande pardon. J'irai moi-même me dénoncer au commissariat. Je comprends que je mérite d'être punie ! s'écria Zoé en éclatant en sanglots.

Un peu désarçonnée par ces remords sincères, Noëlie n'ajouta rien.

— Mais je ne vous ai pas tout raconté, reprit Zoé. Avant son accident, votre père...

— Mon père a eu un accident ? hurla Noëlie, au bord de la crise d'hystérie.

— Hélas ! oui, souffla Zoé, indignée que Léo n'ait pas informé Noëlie du décès de son père comme elle l'en avait prié.

Consciente que le plus dur restait à dire, elle inspira une grande goulée d'air, avant de poursuivre sa confession : les confidences du père sur sa maladie incurable et sa décision de mettre fin à ses jours. Et surtout le secret de leur naissance qui allait bouleverser Noëlie : elle apprendrait que ceux qu'elle prenait pour ses parents étaient des étrangers qui l'avaient volée à Marie, sa propre mère. Leur mère à toutes les deux. Quand elle évoqua le suicide du vieil homme, Noëlie devint blême. Les cernes de ses yeux s'agrandirent et elle parut soudain avoir vieilli de dix ans. Elle s'effondra en sanglots – des sanglots violents et déses-pérés, comme une enfant. Zoé posa son bras sur son épaule. Noëlie se redressa et rugit :

— Ne me touchez pas ! Vous me faites horreur ! Vous m'avez volé ma vie. Papa est mort et vous ne m'avez pas prévenue. Je n'ai même pas pu aller à son enterrement !

Elle leva la main, et Zoé crut qu'elle allait la frap-per. Pourtant, elle ne chercha pas à esquiver le coup, jugeant qu'elle méritait un châtiment.

— Vous êtes des monstres, vous ne respectez rien !

Les yeux de Noëlie flamboyaient de colère et elle lui cracha à la figure.

Zoé ne songea pas à s'essuyer le visage. Elle com-prenait cette fureur. Elle aurait voulu garder pour tou-jours ce crachat sur sa face. Elle ne quittait pas des yeux, comme hypnotisée, ces yeux verts semblables aux siens, remplis de haine, ces prunelles qui essayaient de la tuer par leur éclat. Et pourtant, elle se sentait envahie d'amour pour cette femme pétrie de la même chair et du même sang qu'elle.

— J'en ai eu conscience, se défendit-elle. Je suis même allée trouver Léo chez lui et je l'ai supplié de vous mettre au courant du décès, mais il n'a rien voulu entendre. Il me fait peur. Il ne recule devant rien. Il a l'intention de vous supprimer. D'où ma démarche d'aujourd'hui. Je ne veux pas qu'il vous tue, vous êtes ma sœur jumelle.

— Comment ça, votre sœur ? Vous ne m'êtes rien. Je ne vous connais pas. Je vous ai dit que je suis fille unique, lança Noëlie d'une voix aussi coupante qu'une lame.

— Je n'ai pas terminé, écoutez la suite, et vous comprendrez. La veille de son suicide, votre père m'a dévoilé un lourd secret de famille qu'il ne voulait pas emporter dans la tombe.

Et elle lui rapporta, aussi fidèlement qu'elle le put, les confidences du vieux docteur sur les circonstances de leur naissance. Quand elle parvint au bout de son récit, elle leva solennellement la main et conclut :

— Voilà, c'est ce que m'a confié votre père, je vous jure que tout ce que je viens de vous raconter est vrai. Je n'ai rien inventé. Agathe, l'ancienne sage-femme, et votre mère pourraient vous le confirmer. Ce sont les deux seules personnes à avoir partagé son secret. Nous sommes jumelles, c'est ce qui explique notre ressemblance.

Quand Zoé se tut, Noëlie était livide comme un spectre. Elle se prit le visage dans les mains et resta de longues minutes ainsi, à pleurer sans bruit.

Zoé demeura silencieuse. Elle se sentait trop culpabilisée pour parler. Sa sœur allait la rejeter dans le néant. C'en serait fini pour elle. Elle respirait difficilement. Ses yeux brûlaient. Elle écarquilla les paupières et renversa la tête en arrière pour empêcher ses larmes de couler.

Noëlie la dévisagea longuement. Non, ce n'était pas un roman jailli de l'imagination fertile d'un auteur de thrillers. Cette femme était sa sœur. Une jumelle dont elle découvrait maintenant l'existence, à presque la moitié de sa vie. La réalité dépassait la fiction. La sœur qu'elle avait appelée de ses vœux durant son enfance solitaire s'était matérialisée devant elle...

Elle s'affala sur le sol et s'abandonna aux sanglots convulsifs qui secouaient son corps. Elle pleura longtemps.

Quand elle se releva enfin, ses yeux étaient rouges. Puis, quelque chose traversa son regard, une sorte d'étincelle. Comme si elle s'approchait de son reflet dans une glace, elle avança son visage vers celui de sa jumelle, le plus près possible, et lui demanda :

— Quel est votre nom ?

D'une voix qui tremblait de peur et d'espérance, Zoé murmura dans un souffle :

— Je m'appelle Zoé.

Noëlie prit une longue inspiration, sortit un Kleenex de la poche de son pantalon informe et le lui tendit pour qu'elle essuie le crachat de son visage.

— Alors, comme ça nous sommes jumelles... souffla-t-elle.

Elle s'interrompit. Elle était incapable d'exprimer ce qu'elle ressentait. Comme un courant fort et subtil qui passait entre elles. Elle le sentait vibrer dans l'air, avec une telle force, une telle profondeur qu'elle pressentit que sa sœur allait désormais faire partie de sa vie.

Elles gardèrent le silence quelques secondes. Un silence lourd, ponctué par le crissement des cigales. Puis Noëlie esquissa un faible sourire :

— Il nous en aura fallu du temps pour nous réunir.

Elle parlait avec douceur.

Zoé posa sa main sur la sienne. Noëlie ne la repoussa pas.

— Vous me pardonnez ? balbutia-t-elle.

— Oui, mais on peut se tutoyer.

Le visage de Zoé rayonna. Reconnaissante, elle laissa tomber sa tête sur l'épaule de sa jumelle, avec le soupir las de l'enfant perdu et retrouvé. Elles restèrent un long moment sans parler, blotties l'une contre l'autre.

— Que va-t-on faire maintenant ? demanda enfin Noëlie.

— J'ai tout prévu, répondit Zoé. Je vais me déshabiller et vous... euh... tu vas mettre mes vêtements et je vais te maquiller pour te redonner des couleurs. Ensuite, tu vas rentrer chez toi dans ta voiture et reprendre ta vie. Tu n'auras qu'à me déposer à la gare Saint-Charles et je retournerai chez mes... ou plutôt chez nos grands-parents dans la Drôme.

— Alors cela veut dire que l'homme qui a monté cette infâme machination restera impuni ? s'insurgea Noëlie.

— Léo, il va avoir la trouille de sa vie quand il verra ce soir que tu t'es enfuie. Il pensera que tu vas porter plainte. Comme la bicoque appartient à son frère qui est dans la police, il s'attendra à être démasqué et arrêté.

— Oui, mais si je reprends ma vie d'avant comme si de rien n'était, il ne sera pas inquiété. Et moi, je veux me venger de ce qu'il nous a fait, à toutes les deux. Il a fait de toi sa complice et il m'a fait vivre des jours épouvantables. Cela a été horrible, inhumain. S'il ne m'a pas tuée, ce n'est pas par empathie, mais par peur. C'est un lâche qui mérite de purger une longue peine de prison. Est-ce que tu l'aimes encore ? Dis-le-moi franchement.

— Non, il me dégoûte, et surtout il me fait peur, avoua Zoé.

Elle rougit en pensant à son amour coupable pour Victor.

— Si tu le dénonces, je serai impliquée moi aussi, mais là n'est pas le problème. J'accepte la prison. Je mérite d'être punie pour tout le mal que je t'ai fait. J'ai été la dernière des salopes.

— Non, il n'en est pas question. Je ne veux pas te perdre. Enfant, j'ai toujours rêvé d'avoir une sœur. Et maintenant que la vie me fait le cadeau merveilleux d'une jumelle, je veux le garder. Et puis, tu as trop de choses à m'apprendre sur mes racines !

Noëlie réprima un sanglot.

— Quoi qu'aient pu faire mes parents adoptifs, ils m'ont aimée et je les aimerai toujours sans les juger, mais j'ai envie de connaître ma vraie famille, mes racines, mon sang.

— Je suis si heureuse ! s'écria Zoé qui sentait le lien étrange qui les attachait l'une à l'autre alors qu'elles se parlaient pour la première fois.

Un lien fort et mystérieux.

— Écoute-moi bien, reprit Noëlie, je crois que je tiens ma vengeance. Et, sois tranquille, tu ne seras pas accusée de complicité. Au contraire, tu passeras pour la victime de ce salaud.

Lorsqu'elle lui eut exposé son plan, elle sourit à Zoé. Et Zoé lui rendit son sourire, trahissant toute la connivence, le contact secret qui les unissait déjà jusqu'au tréfonds de leur être.

— Si tout se passe comme prévu, ce sale individu sera ce soir sous les verrous !

Noëlie tendit la main, saisit le bras de Zoé. Elle était épuisée, abattue par toutes les révélations qu'elle venait d'entendre, désespérée à l'idée qu'elle ne reverrait jamais plus l'homme qu'elle avait pris pour son père, mais derrière son désespoir, il y avait un sentiment nouveau : la joie d'avoir une sœur jumelle. Un alter ego, un double. Un cadeau du ciel !

— Tu as bien compris ce que tu devras dire aux policiers ?

Zoé opina et se mit à trembler de tous ses membres. Elle claquait des dents.

— N'aie pas peur, la rassura Noëlie, tout se passera bien, fais-moi confiance.

— Je suivrai ton plan à la lettre, dit Zoé.

— Ah ! tant que j'y pense, n'oublie pas de reprendre ton ancien langage, de parler comme tu le faisais avant.

— Oui, je vais redevenir moi-même, la fille vulgaire, bébête et sans culture !

— Je ne voulais pas te vexer, se récria Noëlie, confuse, prenant conscience de ce que sa remarque pouvait avoir d'offensant pour sa jumelle. C'est juste qu'il faut que tu ressembles à la Zoé que tu étais avant pour que ce soit crédible.

— O.K. !

— Bon, je vais te laisser.

— Est-ce qu'on se verra demain ? demanda Zoé d'une voix hésitante.

— Pourquoi pas ? Au fait, tu vas dormir dans ton ancien appartement ?

— Non, j'aurais trop peur que Léo revienne.

— Ça m'étonnerait, il sera sûrement placé en garde à vue.

— Oui, mais Léo pourrait être pistonné par Sylvio !

— Sylvio ? Qui est-ce ?

— Son frangin qui est dans la police.

— Eh bien, dans ce cas, tu n'auras qu'à aller chercher tes affaires et prendre ensuite une chambre d'hôtel.

Cette solution plut à Zoé, mais maintenant qu'elle n'était plus Noëlie, la riche bourgeoise, mais qu'elle était redevenue Zoé, elle n'avait plus ni sou ni maille. Elle était pauvre comme Job. Elle rougit, n'osant pas avouer à sa sœur ses ennuis pécuniaires.

— C'est que... euh... c'est difficile à dire...

— Quel est le problème ? demanda Noëlie.

— Eh bien, je n'ai pas de quoi payer l'hôtel. Il va falloir que je cherche du boulot.

Noëlie ouvrit son sac, en tira son portefeuille et sortit sa carte bancaire.

— Tiens, prends ça, dit-elle, tu peux tirer autant d'argent que tu veux.

Une flamme malicieuse s'alluma dans son regard.

— Tu connais Victor, il a certes des défauts, mais il n'est pas pingre ! ajouta-t-elle avec un petit rire. Tu pourras me la rendre demain, je t'attendrai à dix heures sur le vieux port, au café de la Marine. On ira marcher dans les calanques. Je t'emmènerai dans un coin isolé où on sera tranquilles pour bavarder. On a beaucoup de choses à se raconter. Envoie-moi un texto ce soir pour me tenir au courant de la suite des événements. Sois tranquille, Léo passera une sale nuit derrière les barreaux !

Zoé prit la carte et remercia Noëlie avec effusion.

— Bon, il faut que j'y aille. Courage. À demain, Zoé !

Zoé regarda sa sœur avec les yeux tristes d'un enfant qui pressent qu'il va être abandonné. Elle n'avait pas envie de la voir partir. Elle avait peur de ce qui l'attendait.

— À demain ! souffla-t-elle en rentrant dans la bicoque obscure.

Noëlie demeura une minute sur le seuil. Zoé crut voir son image, telle qu'elle l'avait vue le matin même dans la glace de sa chambre. À l'aide d'une armada de houppettes, de crayons, de crèmes et de fards, elle avait aidé Noëlie à réparer les dommages que sa descente en enfer avait imprimés à son visage. La robe ample dissimulant sa maigreur, elle avait retrouvé son ancienne apparence pour regagner ses pénates, tandis que Zoé, qui avait enfilé avec dégoût le T-shirt raide de sueur et de crasse et le pantalon de jogging que sa sœur avait portés pendant les semaines de séquestration, prenait sa place dans l'infecte geôle. Noëlie lui fit un petit signe d'encouragement avant de donner un tour de clef.

68

Zoé était seule maintenant dans sa prison. Elle alluma la torche et se dirigea vers la paillasse. Le lit grinça de tous ses ressorts rouillés quand elle s'allongea, dégoûtée par l'odeur de moisi que dégageait le vieux matelas et par les relents âcres des vêtements de sa jumelle. Couchée sur ce lit défoncé, elle prit réellement conscience du supplice qu'ils avaient fait endurer à Noëlie, en la laissant croupir plus de trois semaines dans ce gourbi insalubre. Comme une larve à l'intérieur d'un noyau. Elle avait beau savoir que cet enfermement n'allait durer que quelques heures, elle était envahie d'une sensation de claustrophobie avec l'impression d'étouffer. Elle alluma la radio pour se sentir moins seule.

Elle pensa à sa sœur jumelle qui lui avait pardonné son forfait, et un étrange sentiment de paix s'empara d'elle. Elle avait tourné le dos au mal, elle en avait terminé avec tous les faux-fuyants et les mensonges. Elle était comme délivrée, libérée d'un poids. Comme si elle avait reçu l'absolution après la confession. Elle était lavée de sa faute qu'elle n'oublierait jamais.

Elle la porterait toujours, comme la croûte qui disparaît, une fois la blessure guérie, en laissant une imperceptible cicatrice. Elle n'était plus Noëlie, la grande bourgeoise. Elle était de nouveau Zoé. Elle était redevenue elle-même.

DEUXIÈME PARTIE

LE RETOUR

69

Noëlie marcha sur le sentier rocailleux pour rejoindre sa Golf. Elle frémit en se souvenant de sa tentative de fuite et de son désespoir quand son ravisseur l'avait rattrapée. Elle avait eu envie de mourir. Mais tout cela était derrière elle. Elle allait reprendre sa vie là où elle l'avait quittée.

C'était pourtant une autre femme qui sortait de cette épreuve. Plus forte, moins superficielle. La pensée de ne pas sortir vivante de sa prison lui avait fait prendre conscience de sa finitude, de la fragilité et du caractère éphémère de l'existence. Maintenant, elle voulait mordre dans la vie à pleines dents, goûter chaque instant, saisir chaque petit bonheur fugace, car elle avait compris que le bonheur n'est pas un idéal inaccessible comme elle l'avait cru jusque-là. Être heureux, c'était tout simplement être à l'air libre, respirer à pleins poumons les parfums de lavande et de thym, entendre le crissement des cigales, lever les yeux vers le ciel étoilé. Ces choses toutes simples qu'elle avait considérées comme allant de soi tant qu'elle n'en avait pas été privée. Tout à coup, elle fut prise d'un étourdissement.

Des points dansaient comme des papillons noirs devant ses yeux. Elle sentit ses jambes se dérober sous elle. Le soleil brûlant et toutes ses émotions commençaient à avoir raison de son corps malmené pendant trois semaines.

Elle s'assit au volant et attendit que le malaise se dissipe pour démarrer. Zoé lui avait donné toutes les indications nécessaires pour regagner la ville. Elle y arriva une demi-heure plus tard. Avisant une cabine téléphonique, elle se gara au bord du trottoir et descendit. Elle composa le numéro de la police et, déguisant sa voix, elle signala qu'une femme était séquestrée dans une masure de la garrigue. Elle indiqua la route à suivre.

— Si vous voulez attraper son geôlier, c'est facile, conclut-elle, il vous suffira d'aller le cueillir à la nuit tombée. Il s'y rend tous les soirs pour ravitailler sa prisonnière.

Après avoir raccroché précipitamment, elle gagna les beaux quartiers.

Quand elle actionna la télécommande de la grille, son cœur battait à tout rompre. Après son absence, elle était dans l'état d'esprit d'un extraterrestre qui débarque sur la planète Terre. Elle se gara devant le perron. Le labrador se précipita vers elle.

— Carl ! s'écria-t-elle en lui tapotant le museau, mais le chien se contenta de la renifler sans lui faire fête, comme s'il ne reconnaissait pas sa maîtresse.

L'imposante villa n'avait pas changé. La piscine miroitait au soleil comme un saphir dans son écrin. Elle éprouva une étrange sensation de peur à l'idée de pénétrer dans la maison. En même temps, elle avait envie de se précipiter à l'intérieur. Elle aimait cette bâtisse qu'elle avait décorée avec amour. Qui avait été son refuge. Elle s'y était toujours sentie en sécurité. Mais comment pourrait-il en être ainsi désormais ? Peut-être que cette terreur disparaîtrait lorsque son ravisseur serait derrière les barreaux. Elle prit une profonde inspiration et ouvrit la porte d'entrée. Margot sortit de la cuisine, un tablier autour de la taille. Elle s'essuyait les mains à un torchon, le visage empourpré.

— J'ai fait les chambres. Et pour le déjeuner, vous le faites vous-même ? Faudrait savoir ! demanda-t-elle, l'air revêche.

Noëlie s'étonna de cette question. Détestant cuisiner, elle avait chargé Margot de la préparation des repas. Elle remarqua d'autre part l'arrogance nouvelle dont faisait montre sa femme de ménage qui, sous la houlette de Zoé, avait apparemment pris ses aises. Il fallait resserrer la vis et la remettre à sa place. Son autorité naturelle à l'égard de la valetaille reprit du service.

— Faites le repas ! lui ordonna-t-elle sèchement.

Ce ton péremptoire eut l'effet escompté : selon le vieil adage : *Oignez vilain, il vous poindra, poignez vilain, il vous oindra !*, la grosse Margot redevint obséquieuse. Tout miel.

— Bien, madame, susurra-t-elle d'un ton doucereux.

Avant de franchir le seuil de la cuisine, elle se retourna pour ajouter :

— Au fait, votre mère vous a réclamée à plusieurs reprises, elle voulait vous voir, la pauvre, elle ne va pas très bien !

— Elle a téléphoné ?

— Comment ça, téléphoné ? Elle est ici, dans son lit ! répondit la grosse femme, les yeux écarquillés.

Décidément, quelque chose ne tournait pas rond chez sa patronne, pensa-t-elle. Tantôt empruntée et manquant d'autorité, tantôt cassante et hautaine.

— Ah oui, où ai-je la tête ? J'y vais de ce pas, dit Noëlie en tournant les talons.

Elle gravit l'escalier au pas de course, honteuse d'avoir pu oublier que sa mère séjournait chez elle et qu'elle avait besoin de toute son affection. Il lui était difficile d'imaginer le décès de son père qu'elle avait vu pour la dernière fois en bonne santé, du moins le croyait-elle, puisqu'il avait si bien su leur dissimuler sa maladie. Voir sa tombe l'aiderait à faire son deuil. Elle se promit d'aller l'après-midi se recueillir au cimetière. Elle fit tourner la poignée de la porte et entra dans la chambre d'amis. Elle s'avança doucement vers le lit. La vieille dame était couchée, le buste redressé par de nombreux oreillers. Noëlie la trouva minuscule.

— Ah ! tu es là, ma chérie, murmura-t-elle en agitant une main diaphane.

— Oui, maman, je suis là ! s'écria Noëlie.

Elle se jeta dans ses bras.

— Oh ! maman, souffla-t-elle contre sa joue, c'est si bon de retrouver sa maison.

Elle la couvrit de baisers.

— Je t'aime, maman !

— Mon Dieu, ma chérie, on dirait que tu reviens d'un long voyage ! Aurais-tu recouvré la mémoire ?

Noëlie ne comprit pas tout de suite le sens de ces paroles. Puis, il lui revint que sa sœur avait simulé l'amnésie. Il était temps de mettre fin à cette comédie.

— Oui, maman, je me souviens de tout maintenant.

Sa mère lui sourit.

— J'en suis heureuse. Tu sais, quand tu n'avais aucun souvenir, j'avais un peu l'impression d'être en présence d'une étrangère. Dieu merci, je te retrouve, ma fille chérie ! Tu te rappelles ton enfance ?

— Oui, maman. Et je veux que tu saches que je t'aime.

Elle était sincère. Même si cette femme n'était pas sa mère biologique, elle l'aimait profondément. Dans son enfance, elle avait représenté pour elle le centre du monde. Quand elle avait soif de chaleur ou de caresses, c'était vers elle qu'elle se tournait. Au point qu'il lui arrivait d'être jalouse de son père qui lui prenait sa mère. Il suffisait qu'il paraisse pour que son épouse n'ait d'yeux que pour lui. Rien ne comptait plus pour elle. Pas même son enfant. Et Noëlie qui se sentait alors abandonnée rêvait d'une sœur avec qui elle aurait tout partagé.

« Et cette sœur, je l'ai enfin trouvée. »

La vieille dame sembla soudain très lasse et se tassa dans son lit, la tête agitée d'un mouvement convulsif.

— Je ne me remettrai jamais du départ de ton père, se plaignit-elle d'une voix faible. Sans lui, je n'ai pas envie de continuer à vivre.

À la pensée de son père qu'elle ne reverrait plus jamais, Noëlie éclata en sanglots. Sa mère lui prit la main et la serra très fort.

— Je crois que je vais encore dormir avant le déjeuner, dit-elle.

— Si tu veux, je te monterai un plateau ! lui proposa Noëlie.

— Non, je préfère descendre et manger avec toi.

— Tu es sûre que tu pourras ? s'inquiéta Noëlie.

— Si je passe mes journées au lit, je finirai par devenir grabataire ! Et j'ai hâte de rentrer chez moi. Tous mes souvenirs sont là-bas.

Noëlie l'embrassa et se retira sur la pointe des pieds. Elle se dirigea vers sa chambre. En refermant la porte, elle se sentit envahie d'un tel sentiment de sécurité qu'elle faillit fondre en larmes.

La pièce était telle qu'elle l'avait quittée, trois semaines auparavant. Une éternité ! Margot venait de faire le ménage. Elle avait aspiré la moquette et tiré les rideaux pour ne pas laisser entrer la chaleur. Elle se promena dans la pénombre fraîche, touchant un objet ici ou là : le flacon de parfum, le peigne et la brosse, posés sur la coiffeuse, le couvre-lit bien lisse, les journaux que Victor lisait le soir avant de se coucher, empilés sur la table de chevet à côté du radio-réveil.

Elle quitta ses vêtements et se fit couler un bain. Pendant que la baignoire se remplissait, elle monta sur le pèse-personne et remarqua qu'elle avait perdu cinq kilos. Il allait falloir qu'elle se remplume. La glace renvoyait l'image d'une grande femme bien faite, mais incontestablement trop maigre pour son ossature forte. Elle ouvrit la bouche et constata avec soulagement que ses dents, qu'elle n'avait pas pu brosser pendant des semaines, étaient encore blanches, saines, bien plantées, seule une molaire avait besoin d'être couronnée. Elle avait manqué son rendez-vous chez le dentiste. Il allait lui falloir sans tarder reprendre contact avec le Dr Hédenté. Ses lèvres étaient pâles et son teint blafard comme celui d'une morte. Il est vrai qu'elle avait vécu enterrée vivante pendant des jours et des jours. Cette pensée la fit frémir. Elle fit quelques exercices d'assouplissement à la manière d'une danseuse étoile sur le point d'entrer en scène et, quand la baignoire fut pleine, elle glissa voluptueusement son corps dans la tiédeur de l'eau parfumée. Elle ferma les yeux et s'abandonna au plaisir du bain qui lui sembla le plus merveilleux qu'elle ait jamais pris !

Une demi-heure plus tard, elle sortit de la baignoire, revigorée. Dans le dressing, elle admira ses vêtements comme si elle les découvrait pour la première fois. Elle choisit une robe bain de soleil multicolore et alla s'asseoir à la coiffeuse. Elle sortit les fonds de teint. Il fallait à tout prix masquer son visage amaigri, l'étoffer en jouant sur les clairs-obscurs et les contrastes. Elle appliqua une couche plus claire sur le menton, le front et à la racine du nez, et ombra les joues et les tempes pour donner du relief à ses traits tirés. Elle lissa ensuite ses cheveux et mit du rouge à lèvres et une touche légère de blush.

Le résultat était satisfaisant. Personne n'aurait pu croire qu'elle sortait de trois semaines de captivité. Puis, après avoir contemplé son image dans le miroir, elle descendit au rez-de-chaussée. Humant les délicieux effluves qui sortaient de la cuisine, elle se rendit compte qu'elle mourait de faim. Il est vrai qu'elle n'avait pas mangé de repas chaud depuis trois semaines.

Sur la terrasse ombragée, le couvert était mis pour deux personnes. Victor restait à l'hôpital entre midi et deux heures et les enfants prenaient le repas de midi à la cantine. Elle allait déjeuner en tête à tête avec sa mère.

« Ma mère qui n'est pas ma mère... »

La vieille dame descendit de sa chambre et s'installa en face d'elle. Elle chipota dans son assiette, alors que Noëlie mangeait de bon appétit la ratatouille provençale et les brochettes de poulet.

— C'est délicieux ! Tu n'as pas faim, maman ?

— Depuis que ton père n'est plus là, j'ai perdu l'appétit.

— Il faut t'alimenter pour recouvrer tes forces !

— À quoi bon ? Sans Ambroise, ma vie n'a plus aucun sens. Je voudrais le rejoindre.

— Ne dis pas ça, maman ! On a tous besoin de toi ! s'exclama Noëlie, au bord des larmes.

Sa mère soupira.

— Bof, je ne sers plus à grand-chose maintenant.

Noëlie piqua un petit baiser sur le visage parcheminé.

— Ne dis pas des choses pareilles, maman. Tu sais qu'on t'aime et qu'on veut te garder encore pendant des années. J'espère que tu seras centenaire. Je suis heureuse de t'avoir ici, avec nous.

— C'est gentil, ma petite chérie, mais je ne veux pas vous encombrer plus longtemps. Dès que je me sentirai moins patraque, je rentrerai chez moi. Je ne serai pas seule, Agathe est là, Dieu merci !

« Ma marraine Agathe qui a aidé papa à me voler à ma mère. »

— Tu veux un café, maman ? demanda-t-elle.

— Non, merci. Je vais faire la sieste, répondit la vieille dame en pliant sa serviette.

Noëlie se leva, emporta les assiettes à la cuisine et revint avec une tasse de café fumant.

— Qu'est-ce que tu vas faire cet après-midi ? s'enquit sa mère.

— Je vais aller au cimetière sur la tombe de papa.

— Si je ne me sentais pas si faible, je serais volontiers venue avec toi. Porte-lui des roses ! Le pauvre, il aimait tant s'occuper de sa roseraie !

Et, à ces mots, des larmes perlèrent dans les yeux de la vieille Adeline.

Noëlie but son café et accompagna sa mère dans la chambre. Elle l'aida à s'allonger dans son lit et l'embrassa.

— Si tu as besoin de quelque chose, Margot sera là. J'irai chercher les enfants à l'école.

Noëlie avait hâte de retrouver Marion et Kevin qu'elle avait cru ne jamais revoir. Et elle se promit de tenir sa résolution d'être désormais une bonne mère, patiente et à l'écoute.

70

Une fois la table débarrassée, les assiettes et les couverts rangés dans le lave-vaisselle, Noëlie prit un sécateur et sortit sur la terrasse. Un rosier de roses rouges grimpait le long des poutres en bois de l'auvent. Elle cueillit un bouquet qu'elle déposa sur la banquette de la Golf. Au moment précis où elle introduisait la clef de contact, son portable émit un petit bip qui signalait la réception d'un texto. Elle l'ouvrit et lut le message :

JE NE T'OUBLIE PAS. JE PENSE TOUJOURS À TOI. TONY.

C'était Antoine. Depuis son retour chez elle, elle n'avait pas eu le loisir de penser à lui. Il devait se faire un sang d'encre. Elle fut saisie d'un désir irrépressible de le voir, de tout lui raconter. Elle tapa fébrilement :

J'ARRIVE ! NOËLIE.

Elle envoya le message et démarra.

Elle se gara devant les grilles noires du cimetière, prit le bouquet de roses et descendit de voiture. Elle franchit le portail et longea l'allée centrale jusqu'à la somptueuse tombe en marbre de la famille Nobleval, recouverte d'un amas de couronnes et de fleurs fanées. De là, on apercevait la mer.

Sur une plaque, en lettres d'or, on pouvait lire :

ICI REPOSE AMBROISE NOBLEVAL
PROFESSEUR DE MÉDECINE
CHEF DU SERVICE DE GYNÉCOLOGIE-OBSTÉTRIQUE
1922 † 2014

Et c'est en voyant les dates de naissance et de mort qu'elle prit pleinement conscience de la disparition de celui qu'elle avait aimé comme un père.

Une vague de chagrin la submergea. Elle en eut le souffle coupé. Elle passa une main humide sur les lettres dorées et déposa son modeste bouquet de roses à côté des gerbes flétries et pourrissantes. Elle tomba à genoux sur la terre mouillée.

— Même si tu n'étais pas mon géniteur, tu resteras toujours pour moi mon père. Je t'aime, papa, murmura-t-elle.

Et, la tête penchée sur la plaque, elle éclata en sanglots.

Elle pleurait à la fois ce père profondément épris de sa femme, tantôt enjoué, tendre et indulgent ou dur, autoritaire et implacable comme le Dieu de l'Ancien Testament, et sa vie qu'elle avait gâchée en lui sacrifiant son premier amour. En se mordant la lèvre, aveuglée par la force de ses souvenirs, elle se revit enfant, morte de peur de lui déplaire. Quoi qu'elle fît, elle avait l'impression que ce n'était pas parfait, qu'il allait lui ôter son amour. Cet homme altier, exigeant et dominateur, qu'elle craignait et admirait en même temps et dont elle n'avait cessé de quémander l'estime, n'avait-il pas eu tort de s'imposer comme un modèle à respecter et à imiter, comme une sorte de surmoi intraitable ? N'aurait-il pas dû lui accorder une chance de s'épanouir, d'être heureuse ? Mais n'avait-elle pas été fautive parce que trop faible ? N'aurait-elle pas dû s'affirmer et épouser Antoine au lieu de se condamner à l'insatisfaction et au mépris de soi en cédant à sa volonté ? Quel horrible gâchis !

Mais à quoi bon ruminer ? Il était trop tard, le mal était fait. Le cours du temps était irréversible. Une fois passé, pas de retour en arrière possible. Elle sortit un mouchoir, essuya ses larmes et quitta le cimetière pour aller retrouver Antoine.

71

Noëlie sonna et grimpa les étages au pas de course. Antoine l'attendait sur le palier. Il lui tendit les bras et elle se blottit contre lui, retrouvant avec émotion son odeur familière et rassurante, un mélange de tabac blond et de lotion après-rasage. Puis il l'écarta, et ses yeux bleus la scrutèrent intensément.

— Je suis si heureux ! Laisse-moi te regarder.

Il contempla son visage avec amour.

— Tu as recouvré la mémoire ? demanda-t-il.

— Je n'ai jamais été amnésique !

— Comment ça ? Tu ne m'as pas reconnu quand je t'ai abordée dans ta rue !

— C'est une histoire incroyable !

— Entre, ma chérie, tu vas tout me raconter.

Il s'effaça pour la laisser pénétrer dans la grande pièce lumineuse au décor simple et accueillant. Il lui servit un verre de jus d'orange et s'assit à côté d'elle sur le canapé rembourré couvert de coussins. Quand elle eut terminé son récit, il la regarda, médusé.

— Cette histoire est digne d'un thriller ! Racontée

par tout autre que toi, je penserais que c'est une affabulation, tant c'est inimaginable !

— Je te jure que c'est vrai.

— Je te crois, ma chérie. D'ailleurs, maintenant, les choses s'éclairent, notamment le texto signé par toi que j'ai reçu le soir de ton agression et qui m'a déboussolé. J'avais immédiatement vu qu'il ne pouvait pas être de toi, mais il demeurait une énigme. Et puis, je suis soulagé d'avoir eu affaire à ta sœur qui m'a éconduit sans savoir qui j'étais. Tu ne peux pas imaginer combien j'en ai souffert. L'idée que tu pouvais avoir oublié mon existence était trop cruelle. C'est incroyable à quel point vous vous ressemblez, ta jumelle et toi. Tu as dû avoir un sacré choc quand tu l'as vue devant toi.

— Oui, c'était hallucinant, comme dans un rêve. J'ai vraiment cru voir mon reflet dans une glace.

— Et tu ne veux pas porter plainte pour séquestration ?

— C'était mon intention première, mais quand j'ai appris que Zoé était ma sœur jumelle, j'ai ressenti quelque chose de très fort. Comme si, jusque-là, j'avais été incomplète et que je retrouvais une moitié perdue. C'est difficile à expliquer. Avec elle, j'ai comme recouvré l'unité, j'ai eu l'impression que nous ne faisions qu'un. Comme le mythe de l'androgyne de Platon, l'histoire des moitiés coupées qui se reconnaissent !

Le regard bleu d'Antoine rayonnait de bienveillance et de sollicitude.

— Je te comprends, ma chérie, les liens entre les vrais jumeaux sont étranges. On raconte qu'entre eux il existe comme une télépathie mystérieuse. Mais dis-moi, que vas-tu faire ? Comptes-tu révéler ce secret à ta famille ?

— On a combiné une vengeance pour se débarrasser de Léo, ensuite on se verra régulièrement en cachette, car je ne veux pas que maman apprenne que papa m'a dévoilé son secret avant de mourir. Elle n'a jamais voulu que je sache qu'elle n'était pas ma mère biologique de peur que je ne l'en aime moins !

Antoine hocha la tête sans rien dire. Elle but une gorgée de jus d'orange avant de lancer :

— Tu sais, Antoine, quand j'étais séquestrée dans cette horrible bicoque, j'ai beaucoup réfléchi. J'ai même prié, alors que je ne sais même pas si je crois en Dieu. Mais toutes les croyances qu'on m'a inculquées au catéchisme ont refait surface, et je n'avais plus que le recours de la prière. Quand on pense sa dernière heure venue, on se raccroche à tout. Je me suis rendu compte que je m'étais comportée en enfant gâtée, que j'avais été une mauvaise mère et une mauvaise épouse. Et j'ai fait alors le vœu de me consacrer à ma famille si j'en sortais saine et sauve. Et j'ai été exaucée.

Antoine hocha la tête, sans rien dire. Noëlie détecta sur son visage des signes d'anxiété qui seraient passés inaperçus aux yeux de quiconque ne l'eût pas connu comme elle le connaissait.

— Tu veux mettre fin à notre relation, c'est ça ? demanda-t-il d'une voix rauque, à peine plus forte qu'un murmure.

Les yeux embués de larmes, il avait l'air jeune et vulnérable.

Elle se savait responsable de sa tristesse et s'en voulait. Elle soupira et caressa de ses doigts sa mèche rebelle qui l'émouvait tant.

— C'est ce que je devrais faire pour être fidèle à mon vœu, mais j'ai peur que ce ne soit au-dessus de mes forces. Je t'aime, Antoine, je ne pourrais pas renoncer à toi. Tant pis si je suis damnée et si je dois brûler pour l'éternité dans les flammes de l'enfer.

Et, avec un petit rire, elle chantonna les derniers vers d'*Hernani* :

— *Morte - Oh ! je suis damné !*

Et elle ajouta, espiègle :

— Dussé-je être damnée, tant pis, je t'adore !

Antoine enfouit sa tête dans le creux de son épaule :

— Noëlie, souffla-t-il.

Ce simple mot résumait à lui seul son désir. Il avait faim d'elle. Ses lèvres cherchèrent les siennes, et elle répondit avec fougue à son baiser.

Soudain monta dans le silence le cri d'une mouette qui s'était posée sur le rebord de la fenêtre. Un piaulement plaintif qui ressemblait aux vagissements d'un bébé.

Puis le silence retomba.

— Prends-moi, Tony ! l'appela-t-elle, s'offrant à lui.

Il la regardait fixement.

— Tony, répéta-t-elle, en proie au désir.

— Tu es sûre que c'est ce que tu veux ? demanda-t-il. Que tu ne le regretteras pas ?

— Oui ! Viens !

Quand ils furent nus, elle se renversa sur le canapé, enroula ses bras et ses jambes autour de lui et l'agrippa comme une naufragée sa planche de salut. Ses ongles lui labouraient le dos, tandis qu'elle pressait passionnément son corps contre le sien dans le désir de se fondre en lui.

Ils jouirent à l'unisson. En un cri.

72

Noëlie se gara en face de l'école, descendit de voiture et se mêla au troupeau des mères de famille qui attendaient leur progéniture. Bientôt, le flot des enfants surexcités par la journée de classe se déversa sur le trottoir. Kevin, qui avait aperçu sa mère, se précipita et lui sauta au cou.

— Ah ! maman, c'est super, je suis invité mercredi après-midi à l'anniversaire de Jules. Dis, je pourrai y aller, maman ?

— Bien sûr, mon chéri, répondit Noëlie, émue de retrouver son petit garçon en pleine forme.

Elle l'embrassa avec tendresse.

— Il te faut aller le dire à sa maman, elle est là-bas !

Noëlie alla parler avec la mère du petit Jules, une grosse matrone boudinée dans un bermuda qui faisait ressortir sa paire de fesses dodues. Ils partirent ensuite chercher Marion au lycée.

Elle attendait avec quelques amis devant la grille. Elle se précipita joyeusement vers la voiture, ouvrit la portière et lança son sac à dos sur le siège arrière. Puis elle se laissa glisser à côté de Noëlie et l'enlaça en criant :

— Super, mam', demain, le prof de philo est absent, je pourrai faire la grasse matinée !

— Tu pourras surtout en profiter pour réviser ton bac ! ne put s'empêcher de lâcher Noëlie.

L'adolescente la regarda, surprise. Apparemment, Zoé ne se souciait guère des études de *sa* fille, en conclut Noëlie.

— Ah ! que je suis heureuse de vous voir, les enfants ! s'exclama-t-elle.

Ils ne répondirent pas. Kevin jouait sur sa tablette et Marion battait la mesure, les écouteurs du MP3 vissés sur les oreilles. Décidément, il lui était toujours difficile d'établir un contact avec ses enfants, pensa-t-elle, énervée. Puis, se remémorant ses bonnes résolutions, elle essaya de considérer les choses du bon côté. Ils n'avaient rien remarqué de suspect, et c'était là l'essentiel : les jumelles étaient donc interchangeables.

À peine arrivé à la maison, Kevin engloutit un bol de céréales.

— Et toi, Marion, tu ne veux pas manger quelque chose ? lui demanda Noëlie.

— Je n'ai pas envie de rester énorme.

— Comment ça, rester énorme ?

— Ben, après la naissance du bébé.

— La naissance du bébé ? Quel bébé ? s'étonna Noëlie.

Marion leva des yeux arrondis d'incompréhension.

— Mais enfin, maman, tu as encore perdu la mémoire ou quoi ? On dirait que tu as oublié que je suis enceinte !

Interloquée, Noëlie ouvrit à son tour des yeux

ronds. Ses pensées se bousculèrent. Sa fille était enceinte, et Zoé ne lui en avait pas touché mot ! Cette grossesse semblait aller de soi ! C'était fou. Comment son mari avait-il pu accepter que sa fille ado gardât le bébé ? Il était quand même bien placé pour résoudre ce problème ! Et puis qui était le père de cet enfant ? Sûrement son dernier petit copain, un lycéen immature, comme elle. Comment Marion pourrait-elle commencer des études supérieures avec un gamin sur les bras ? Si elle pensait que sa mère assumerait son éducation, elle se trompait. Elle n'avait pas envie de se charger d'un nouvel enfant. Elle avait donné ! Mais il ne fallait surtout pas commettre d'impair, se comporter comme si elle était au courant de la situation.

— Bien sûr que je le sais, mais je suis perturbée, car tous mes souvenirs sont revenus d'un coup ! dit-elle.

— Ah ! super ! s'écria Kevin. Maintenant tu sais qui on est ?

— Oui, mon chéri. Je me souviens de ta naissance et du magnifique bébé que tu étais.

Elle gardait surtout en mémoire les hurlements ininterrompus qu'il poussait toutes les nuits et qui l'obligeaient à se lever. Des nuits blanches. Un cauchemar qu'elle n'avait pas envie de revivre avec le bébé de sa fille.

— Bon, Kevin, tu vas monter faire tes devoirs maintenant.

— Je veux d'abord nager, protesta le petit garçon.

— Non, tu te baigneras seulement quand tu m'auras récité tes leçons. Je suppose que vous avez des tables à apprendre.

— Mais d'habitude, tu me laisses aller à la piscine en rentrant de l'école...

— Eh bien, désormais, tu finis d'abord ton travail et tu te baignes ensuite. Inutile de discuter.

— C'est trop con !

— Parle correctement, veux-tu ! Je ne tolère pas la vulgarité !

— Tu m'avais dit que c'était pas grave de dire des gros mots et de pas « châtrer » son langage, et toi aussi, tu en dis des gros mots, l'autre jour, tu as crié « bordel de merde », protesta-t-il.

— D'abord on ne dit pas châtrer mais châtier son langage. Ensuite j'exige que tu parles une langue correcte. Si jamais je t'entends encore prononcer une grossièreté, tu reçois une paire de claques, compris ?

Le petit garçon se retira en grognant dans sa chambre.

— Tu es redevenue sévère tout d'un coup, remarqua Marion, la mine grincheuse.

— Il faut que Kevin apprenne que le travail passe avant le divertissement. D'ailleurs, toi aussi, tu devrais être au travail. Si je me souviens bien, l'épreuve de philo a lieu dans quinze jours.

— Bof, je serai collée, je n'ai rien foutu !

— Eh bien, il est encore temps de donner un coup de collier. Ne rien faire n'est pas une solution. Tu as réfléchi à ce que tu feras avec un enfant si tu n'as pas de métier ? s'énerva Noëlie.

— On en a déjà discuté, maman, soupira Marion, excédée.

Noëlie ne sut que répondre, ignorant ce que Zoé avait bien pu dire à sa fille. La situation lui échappait, elle n'était plus maîtresse chez elle. Un mélange de colère et d'angoisse l'envahit. Elle sentait fondre toutes ses belles résolutions...

73

— Je t'attends, chérie ! lui susurra Victor avec un petit sourire égrillard qui surprit Noëlie entrant dans la chambre.

Décidément, en trois semaines, sa famille avait changé. Non seulement Marion attendait un enfant avec la bénédiction de son père, mais même le petit Kevin – d'habitude docile comme l'agneau qui vient de voir le jour ! – commençait à se buter et à devenir insolent. Elle venait d'avoir une nouvelle scène avec lui. Quand elle était allée dans sa chambre pour le rituel baiser du soir, elle l'avait trouvé penché sur un jeu vidéo. Malgré son injonction, il avait refusé de se coucher. Elle avait dû tempêter et le menacer. Il avait fini par obtempérer avec une grimace, en lançant :

— Tu es méchante aujourd'hui ! D'habitude, tu me laisses terminer la partie avant d'aller au lit !

Zoé avait fait régner la chienlit dans sa maisonnée ! Il était impératif qu'elle reprenne sa famille en main.

— Je voudrais d'abord te poser une question, dit-elle à son mari qui tapotait sur la couette, l'invitant à le rejoindre dans la couche conjugale. Trouves-tu vraiment raisonnable que Marion garde son bébé ?

Victor haussa les sourcils.

— Tu connais la réponse ! s'exclama-t-il. Je me suis tué à te répéter que c'était aberrant, mais c'est toi qui as insisté pour lui laisser le choix.

Encore une idée saugrenue de Zoé. N'ayant jamais été mère, elle n'avait pas la moindre notion des difficultés d'élever un enfant. Décidément, son bref passage dans la maison avait fait des ravages !

— Est-ce trop tard pour la faire changer d'avis ?

Victor secoua la tête avec agacement.

— C'était mon souhait, mais tu t'y es formellement opposée.

Elle se passa nerveusement la main dans les cheveux.

— Réflexion faite, je pense que tu avais raison. Marion est trop jeune pour assumer un enfant.

— Et c'est maintenant que tu le dis, alors que je n'ai pas arrêté de te le seriner ! s'écria-t-il avec une pointe d'irritation dans la voix. Si tu avais réfléchi plus tôt, on se serait mis d'accord pour faire le forcing auprès de Marion. J'aurais pratiqué une IVG et, ni vu ni connu, le problème était résolu en deux coups de cuillère à pot. On aurait pu ainsi se dispenser de recevoir les parents du garçon. Au demeurant, ils auraient préféré eux aussi la solution de l'avortement. Tu as vu la tronche du commissaire ?

Le commissaire ? Quel commissaire ? Noëlie se creusa la tête, avant de se souvenir que Marion sortait avec Yann, un garçon qu'elle avait trouvé très bien élevé. C'était Antoine qui lui avait révélé pendant un déjeuner au restaurant que ce garçon était le fils du commissaire Orsini. Elle se revit éclater de rire en déclarant qu'elle pourrait laisser sa fille aller chez lui sans crainte ! Elle se rappela aussi son malaise sur le trottoir, à la sortie du restaurant. Elle avait été assaillie d'images terrifiantes, comme dans un cauchemar. C'était la veille de son enlèvement, un rêve prémonitoire éveillé... Elle frissonna à ce souvenir.

— Tu ne dis rien ? demanda Victor.

Elle s'éclaircit la voix avec un air penaud.

— Tu as raison, reconnut-elle, je me suis emballée trop vite à l'idée du bébé. Cette grossesse est grotesque, le garçon n'a certainement pas la maturité d'être père de famille. J'aurais dû essayer de persuader Marion d'interrompre cette grossesse.

— Il est peut-être encore temps de le faire, déclara Victor, satisfait de la nouvelle disposition d'esprit de son épouse. J'ai remarqué que vos rapports s'étaient nettement améliorés depuis ton agression.

— Tu trouves ?

— Oui, elle a l'air de t'écouter, elle ne se braque plus comme avant. Tu devrais lui parler dans ce sens.

— Je le ferai dès demain matin au petit déjeuner, promit-elle.

— Espérons que tu arriveras à la convaincre. Et maintenant, si l'on passait aux choses sérieuses ? ajouta-t-il avec un clin d'œil qu'elle jugea déplacé. Tu viens, chérie ?

Il attendit, puis, comme elle ne bougeait pas, il insista :

— Allez, viens !

— Non, je vais prendre un bain, répliqua-t-elle sèchement avant de s'engouffrer dans la salle de bains.

Elle ouvrit à fond le robinet de la baignoire et se brossa les dents. Puis, en poussant un profond soupir, elle se glissa dans le bain parfumé débordant de mousse, le deuxième de la journée. Elle voulait effacer toutes les heures passées vautrée dans sa crasse telle une truie dans sa fange. Elle posa la tête contre le rebord de la baignoire et ferma les yeux dans l'espoir de faire disparaître les images du cauchemar qui continuaient à la hanter. Aujourd'hui, Zoé connaissait à son tour l'enfer de cet enfermement, mais maintenant le dénouement était proche. Bientôt, elle serait vengée de Léo. Puis elle pensa à Antoine. Un élan d'émotion la saisit, elle sourit, revivant les instants magiques, l'étreinte passionnée, la conversation sur l'oreiller...

Soudain, elle sentit un léger courant d'air sur son visage et rouvrit les yeux. Victor était entré dans la salle de bains. Nu comme un lombric.

Elle se redressa, expédiant un jet d'eau par-dessus le bord de la baignoire.

— Qu'est-ce que tu fais là ? demanda-t-elle, agressive.

— Tu ne devines pas ? répondit-il avec un sourire lubrique en esquissant un geste paillard.

Puis, en titubant un peu, il s'approcha de la baignoire et, négligeant les éclaboussures humides, tendit les mains vers les seins de sa femme, en bafouillant :

— Tu es belle, Noëlie, allez viens !

Elle le regarda, abasourdie, esquisser un geste déplacé.

— Viens, je te dis... Oh ! Noëlie, j'ai envie de toi, je te veux comme ça, toute mouillée... Regarde, j'ai la trique, viens...

Elle ne reconnaissait plus son pudique mari dans cet homme métamorphosé en mâle libidineux et vulgaire !

— Assez ! Sors immédiatement ! hurla-t-elle.

— Allons viens, sois gentille ! insista-t-il.

Noëlie saisit à deux mains le pommeau de douche et en dirigea brusquement le jet droit sur la face congestionnée de son mari. Inondé, aveuglé, Victor recula en vacillant. Dégrisé, il quitta la salle de bains en claquant la porte. Elle acheva de se rincer, ferma le robinet de la douche, enjamba le rebord de la baignoire, puis tout en glissant ses pieds dans ses mules, elle attrapa une serviette et se sécha avant d'enfiler sa nuisette.

Quand elle revint dans la chambre, Victor était allongé sur le lit, l'air morose.

— Qu'est-ce qui te prend, tu n'as plus envie de câlins ?

Cette question inhabituelle la prit de court. Jamais il ne s'était exprimé dans un langage aussi mièvre qu'elle jugeait populaire. Dans son milieu, le sexe était un sujet tabou dont il était inconvenant de parler. Décidément, Zoé avait laissé son empreinte partout, jusque dans la couche conjugale.

« Sacrée Zoé, elle a transformé mon prude mari en un porc libidineux ! »

Elle ravala la remarque acerbe qui lui montait aux lèvres de crainte qu'un changement radical dans l'attitude de sa femme ne lui parût suspect.

— Tous les souvenirs qui sont revenus d'un coup m'ont épuisée, et je n'aspire qu'au sommeil ! se justifia-t-elle.

Elle se coucha à côté de lui et lui tourna le dos :

— Bonne nuit ! lança-t-elle d'un ton sec en éteignant la lampe de chevet.

74

Dans la bicoque, Zoé était aux aguets. Elle attendait la venue de Léo qui n'allait pas tarder. Noëlie lui avait affirmé qu'il arrivait régulièrement à la tombée de la nuit. À la radio, les infos de vingt et une heures venaient de se terminer. Il devait être en route.

La journée avait été longue. Elle avait tourné dans la pièce à la lueur vacillante de la torche, comme une mouche enfermée dans un bocal. Avec l'envie de hurler. Elle avait essayé de voir le jour par les interstices des volets, mais ils ne laissaient filtrer qu'un rai de lumière ténu. Elle s'était alors souvenue que les ouvertures avaient été bouchées par Sylvio à l'aide de planches. Dans ces ténèbres gluantes, il était impossible de distinguer le jour de la nuit. Elle se demandait comment sa sœur avait pu tenir trois semaines enfermée dans cet étouffoir. Heureusement qu'elle avait la radio qui la reliait au monde extérieur. Après les infos de dix-neuf heures, elle avait perçu des bruits de moteur et des éclats de voix. Elle en avait conclu que les gendarmes, alertés par le coup de fil de Noëlie, avaient dû se poster autour de la masure dans l'attente de son ravisseur qu'ils voulaient surprendre en flagrant délit.

Soudain, elle entendit le déclic de la clef dans la serrure. Elle se coucha sur la paillasse puante, la tête tournée vers la porte qui ne tarda pas à s'ouvrir. La silhouette de Léo chargé d'une sacoche se découpa dans l'embrasure.

— Voici le ravito ! s'écria-t-il gaillardement.

Elle sauta d'un bond hors du lit qui grinça.

— Pas un geste ! Vous êtes en état d'arrestation ! hurla alors une voix de stentor tandis que quatre policiers faisaient irruption dans la pièce.

Ils ceinturèrent Léo, le plaquèrent contre le sol et le menottèrent. L'un d'eux, un gros homme avec une démarche de pingouin, se précipita vers elle en clamant :

— Vous êtes libre maintenant, madame. Vous n'avez plus rien à craindre.

Il montra Léo, couché sur la terre battue.

— Votre agresseur ne peut plus vous nuire. Et voici le médecin qui va vous examiner ! ajouta-t-il en désignant un grand escogriffe en blouse blanche qui franchissait à son tour la porte de la maisonnette.

Ce dernier l'ausculta, soucieux, lui prit le pouls, la tension, testa ses réflexes et promena une lumière devant ses yeux.

— Apparemment, tout est O.K., fit-il. Vous vous sentez bien ?

— Oui, mais je me sens faible et surtout sale.

— Nous allons vous conduire en ambulance à l'hôpital pour un check-up plus complet. Vous pourrez bénéficier d'un soutien psychologique ; c'est nécessaire après l'épreuve que vous venez de vivre.

Allongé sur la terre battue, la bouche ouverte, Léo ressemblait à un requin échoué sur le rivage. Zoé remarqua qu'il avait mouillé son pantalon. Une soudaine bouffée de pitié l'envahit qu'elle s'efforça de refréner. Cet homme était dangereux. Il fallait le mettre hors d'état de nuire.

— Êtes-vous en mesure de nous donner votre nom ? lui demanda le policier bedonnant.

Il avait un visage poupin troué de fossettes et des yeux perçants. Zoé baissa les siens pour esquiver son regard scrutateur.

— Zoé Besson, souffla-t-elle.

Léo la dévisagea, médusé.

— Connaissez-vous le nom de l'homme qui vous séquestrait ? poursuivit le policier en désignant Léo.

— Oui, c'est mon copain Léo Orsini, répondit Zoé en prenant l'accent populaire des faubourgs. Il m'a enfermée ici parce que j'ai pas voulu tapiner pour lui ! Qu'est-ce que c'est que ce sale mec ? Je suis pas une pute, moi, merde ! Il m'a fichu une raclée que je vous dis pas, le salaud, il m'a menacée de me buter et il m'a foutue dans ce gourbi qui est à son frangin, le commissaire.

Léo, abasourdi, tenta vainement de se redresser.

— C'est faux, elle ment ! glapit-il. Cette femme n'est pas ma copine ! Elle s'appelle en réalité Noëlie Escartepigne. Ma copine Zoé Besson a pris la place de cette bourge qui est son portrait craché ! Elle y est, chez ces bourges, impasse des Mimosas, vous pouvez vérifier, putain de merde !

Zoé se dressa sur ses ergots.

— Qu'est-ce que tu racontes comme craques ?

T'es complètement à la masse, mec, rétorqua-t-elle en accentuant encore son accent populaire.

Et, à l'adresse du policier :

— Ne le croyez pas, je suis Zoé Besson, j'le jure ! J'connais pas la meuf dont il parle. Il est barge, ce mec, vous me voyez prendre la place d'une gonzesse dans la haute ?

Le policier émit un petit ricanement, montrant clairement qu'il trouvait rocambolesque l'histoire de Léo. L'un de ses collègues étouffa un petit gloussement et fit tournoyer son index sur sa tempe en désignant Léo.

— Je vous crois, c'est évident que vous êtes sa compagne, et non pas la bourgeoise qu'il prétend ! C'est grotesque !

— Dites que vous me prenez pour un fou, c'est ça ? hurla Léo en gesticulant, au bord de la crise d'hystérie.

Les policiers se précipitèrent et le maîtrisèrent à grand-peine. Il se débattait, ruait et rugissait comme un possédé.

— Bon, embarquez-moi cet individu dans le fourgon. Nous allons poursuivre l'interrogatoire au poste. Et vous, madame, vous viendrez faire votre déposition au commissariat à votre sortie de l'hôpital.

— Je pense qu'ils vont vous garder pour la nuit, intervint le médecin. Après le traumatisme que vous venez de vivre, vous avez besoin de repos.

— Allons, Léo, je voudrais comprendre pourquoi tu persistes dans tes mensonges. Comment veux-tu que je t'aide, bon sang, si tu ne me dis pas la vérité ? aboya le commissaire qui commençait à perdre patience.

— Je te jure, Sylvio, que c'est vrai. Pourquoi tu ne veux pas me croire, merde ?

— Comment veux-tu que je croie ton roman ? Franchement, tu me prends pour un con ? Tu as enfermé Zoé, point barre. Au demeurant, tu ne manques pas d'air d'avoir utilisé mon cabanon pour commettre ton forfait !

Sylvio aimait cette petite masure isolée au milieu d'hectares de bois et de garrigue. Jeune policier, il allait s'y ressourcer ou chasser, et même s'il revenait souvent bredouille, cela ne le gênait pas, car ce qu'il préférait c'était laisser tout simplement le temps couler dans le calme et la solitude, loin de la civilisation, sans électricité, ni eau courante, ni téléphone. C'était son refuge. Il se faisait cuire le gibier sur un feu de bois, se lavait dans le ruisseau et s'éclairait à la lampe à pétrole. La première fois qu'il y avait emmené Hortense, sa fiancée à l'époque, elle avait poussé des cris d'orfraie, ne concevant pas de vivre ainsi sans confort. Pour lui complaire, il avait espacé ses petites escapades et fini par y renoncer définitivement, laissant la maisonnette à l'abandon.

— Bordel, c'est la bourge que j'ai enlevée, glapit Léo. Et Zoé m'a aidé à monter le coup, combien de fois faudra-t-il que je te le répète ?

— Arrête ton char, Ben-Hur ! D'ailleurs, je l'ai vue, Mme Escartepigne, il y a trois jours. Nous avons été reçus chez elle, ta belle-sœur, Yann et moi, car – tu le sais peut-être – ton neveu a engrossé leur fille. Eh bien, la femme que j'ai eue en face de moi n'était pas Zoé, même si leur ressemblance physique est frappante. Crois-moi, je m'en serais aperçu. Sans vouloir dénigrer Zoé, Mme Escartepigne possède une distinction et une classe que n'a pas ta copine.

Il chassa, énervé, une mouche qui s'acharnait sur son crâne chauve.

— C'est pourtant la vérité, s'obstina Léo. J'ai vu sa photo sur Facebook et j'ai combiné ce coup. Zoé était d'accord pour prendre la place de cette bourge. Elle s'est entraînée à parler pointu et à se tenir comme dans la haute. Et on a réussi notre coup, personne n'a rien remarqué de louche !

Son frère, le commissaire, poussa un soupir d'exaspération. Il se gratta le crâne et hurla :

— Que faut-il faire, bon sang, pour te convaincre de dire la vérité ? Ah ! j'y suis ! Je vais te confronter à Mme Escartepigne.

Il prit son portable et composa le numéro.

— Allô, madame Escartepigne, ici M. Orsini, le commissaire... Pourriez-vous passer au commissariat, s'il vous plaît ?... Tout de suite, si c'est possible... Eh bien, c'est parfait, madame, je vous attends !

Et, s'adressant à son frère :

— J'espère qu'après la confrontation avec cette dame, tu te décideras à me dire la vérité. D'ailleurs, attends de la voir, et tu jugeras par toi-même qu'on ne peut pas la confondre avec ta copine ! C'est le jour et la nuit !

Léo serra les poings d'impuissance. Il avait compris que les deux femmes s'étaient liguées contre lui. Il ne pouvait produire aucune preuve de la véracité de ses dires. Il était bel et bien coincé, fait comme un rat. Et son frère l'avait prévenu que le délit d'enlèvement et de séquestration était puni de vingt ans de réclusion criminelle. Il s'était fait avoir comme un bleu par ces deux connes ! Il leva les poings, assailli par des pensées de meurtre.

76

Depuis qu'elle a retrouvé la mémoire, maman est redevenue trop chiante. Elle était genre copine et maintenant elle me bassine de nouveau avec le bac. Ce matin au petit déj, elle m'a gavée grave avec le BB. Elle m'a dit que ce serait mieux que j'avorte, parce qu'on était trop jeunes, Yann et moi, pour avoir un enfant, que je devrais plutôt penser à mon avenir, et bla-bla-bla ! Je lui ai rappelé qu'elle avait avorté à mon âge et qu'elle avait trouvé ça traumatisant. Ça l'a clashée. Elle m'a matée, comme si elle avait oublié qu'elle m'avait raconté ça. J'en ai marre, moi je veux le garder, mon BB, et Yann maintenant, il le veut aussi. Et tout le monde était d'accord. Y a pas de blem. C'est trop cool...

Le portable émit un bip. Marion lâcha son stylo et décrocha. Après le coup de fil, elle se remit à son journal.

Yann m'a appelée. Son oncle Léo vient d'être arrêté. Il avait enfermé Zoé dans un cabanon parce qu'elle refusait de faire la pute. Mais Léo a dit que c'était des craques. Il a raconté qu'il avait kidnappé maman qui est le sosie de Zoé et que Zoé avait pris sa place chez nous. Le commissaire a téléphoné à maman. Elle vient de partir au commissariat. C'est une histoire de ouf, et personne ne croit Léo, mais moi, je me demande si ce n'est pas vrai, parce que le changement de maman, je trouve ça chelou. Après son agression, elle était trop transformée. Yann va se renseigner pour savoir où crèche Zoé. Je veux aller la voir pour lui demander si c'est vrai qu'elle a pris la place de maman pendant trois semaines.

Le portable bipa de nouveau. C'était justement Yann qui avait le renseignement : Zoé logeait maintenant à l'hôtel Bellerive.

Noëlie se présenta au commissariat et fut introduite dans la salle d'interrogatoire. Elle avait mis une tenue à la fois sobre et élégante : une jupe droite bleu marine et un chemisier blanc. Le commissaire l'accueillit avec un large sourire et moult courbettes.

— Ah ! madame Escartepigne, bonjour ! C'est très aimable à vous d'être venue si vite. Je me suis permis de vous demander de passer, car cet homme, qui est malheureusement aussi mon frère, prétend vous avoir séquestrée trois semaines.

Il désigna Léo, affalé sur une chaise. On aurait dit un condamné à mort sous la Terreur, surveillant l'installation de la guillotine depuis la fenêtre de sa cellule. Noëlie ne l'avait pas remarqué en entrant dans la pièce. À sa vue, elle sentit un frisson lui parcourir le dos, mais elle fit un effort pour cacher son trouble. Et, soudain, elle réalisa la portée des paroles qu'elle venait d'entendre. Si ce Léo était le frère du commissaire Orsini, il était l'oncle de l'enfant qu'attendait Marion. Il était hors de question que ce malfrat entrât dans sa famille ! Encore une bonne raison pour convaincre Marion de se faire avorter, quitte à l'y contraindre. Elle avait déjà commencé le matin même à lui décrire les tracas qui l'attendaient avec un bébé sur les bras. Marion s'était butée, il allait falloir maintenir la pression pour la faire craquer. C'était dans l'intérêt de tous.

— Regardez bien cet homme ! Le connaissez-vous ?

Elle sursauta et toisa Léo avec hauteur avant de déclarer, péremptoire :

— C'est la première fois que je le vois.

— Je m'en doutais, fit le commissaire en jetant un regard noir à son frère.

Léo poussa le cri d'un chat qu'on égorge.

— Vous mentez ! rugit-il. Vous ne pouvez pas nier que vous étiez enfermée dans la bicoque et que je vous ai apporté tous les soirs du ravito. Je ne vous ai pas maltraitée ni violée, alors que j'aurais pu. Je vous ai porté des tas de bricoles et je vous faisais même prendre l'air et faire des balades !

Noëlie pouffa.

— Ha, ha ! Qu'est-ce que c'est que cette histoire de fou ? Vous prétendez m'avoir séquestrée ? C'est du délire, je n'ai pas quitté ma famille ! s'exclama-t-elle.

Et se souvenant de la visite des Orsini que Victor avait mentionnée la veille, elle se tourna vers le père de Yann :

— D'ailleurs monsieur le commissaire peut en témoigner : je l'ai reçu récemment chez moi avec son épouse et son fils. Pour être cette femme qu'il prétend avoir enlevée, il faudrait que je sois douée du don d'ubiquité !

— C'est exact, confirma le commissaire. Il est vrai que vous êtes le sosie de Zoé. C'est la concubine de mon frère, la femme qu'il séquestrait et que nous avons délivrée hier soir.

Léo fulminait. Toutes dents dehors, il avait l'air d'un requin prêt à l'attaque. Il brandit le poing en direction de Noëlie.

— C'est un coup monté, je te jure, Sylvio, que c'est elle !

— N'aggrave pas ton cas en persistant dans tes mensonges. Nous allons être contraints de te mettre en garde à vue.

Il raccompagna Noëlie jusqu'à la porte.

— Je vous prie d'excuser ce dérangement, j'étais naturellement persuadé que vous n'étiez en rien impliquée dans cette affaire d'enlèvement, mais j'ai voulu convaincre mon frère de mensonge. Je ne comprends pas pourquoi il s'obstine à raconter cette histoire abracadabrante. Il a dû découvrir votre photo sur Facebook, et votre ressemblance frappante avec sa compagne lui aura fait perdre la tête ! Si je puis me permettre de vous donner un conseil : ne livrez pas à tout le monde des détails sur votre vie privée, c'est dangereux ! Quand vous surfez sur les réseaux sociaux, il vous faut à tout prix préserver votre confidentialité. Cela vous évitera bien des ennuis, comme le piratage et l'usurpation d'identité.

— Je vous remercie de toutes ces précieuses recommandations. J'ai été inconsciente, je le reconnais humblement. Désormais, je serai vigilante.

L'épreuve douloureuse qu'elle venait de vivre l'avait guérie de son goût de surfer sur Internet. Elle avait d'ailleurs le matin même fermé définitivement sa page Facebook. Au virtuel, elle préférait maintenant le réel. La vraie vie dont elle avait été privée pendant des semaines.

— Vous n'êtes pas la seule, à en juger par les plaintes que nous recevons d'internautes qui se sont mis dans le pétrin par négligence ! La plupart n'ont pas conscience qu'Internet est un outil dangereux qui vous expose à bien des déboires. Il y a tant de déséquilibrés sur le Net !

Il lui tendit la main.

— Eh bien, au revoir, madame. Je pense que nous aurons l'occasion de nous revoir souvent en famille !

— À ce sujet, j'ai encore réfléchi à la situation de nos enfants, dit Noëlie, saisissant la balle au bond, et j'en suis arrivée à la conclusion qu'ils sont trop jeunes pour avoir déjà un bébé.

Le commissaire poussa un soupir de soulagement.

— Eh bien, sachez que je partage entièrement votre point de vue, dit-il vivement. Mais n'allez surtout pas croire que nous voulons nous soustraire à nos obligations. Si votre fille persiste dans sa décision, nous sommes prêts à l'épauler. Mais rien ne me sortira de la tête qu'ils font une bêtise. Ils ont toute la vie devant eux pour avoir un gosse !

— Je suis tout à fait d'accord avec vous. J'ai essayé ce matin encore de convaincre ma fille. J'avoue que si elle optait pour une IVG, mon mari et moi-même en serions soulagés.

Le commissaire lui adressa un grand sourire.

— Au revoir, madame. Merci d'être venue, et je vous demande encore une fois d'excuser le désagrément que je vous ai causé.

— J'ai été ravie de pouvoir vous aider. Au revoir, monsieur le commissaire.

78

— Alors, Zoé, tu quittes Léo, et je comprends ta décision, après ce qu'il t'a fait subir. Tu sais que tu peux compter sur nous. Hortense et moi, nous pouvons t'héberger le temps que tu trouves un appartement, déclara le commissaire à Zoé qui, après une nuit à l'hôpital, était venue signer sa déposition.

Il lui servit un peu de café d'une cafetière électrique qu'il avait gardée allumée. Tandis qu'elle buvait à petites gorgées, il l'observa. Certes, elle ressemblait à s'y méprendre à Noëlie, mais il lui parut inimaginable qu'elle eût pu usurper son rôle sans éveiller les soupçons de la famille.

Avec son T-shirt d'un blanc douteux et son jean raide de crasse, elle avait tout d'une clocharde. Pourtant, après trois semaines de réclusion, elle avait le teint étonnamment frais et bronzé. Serait-il possible que son frère lui ait dit la vérité ? Il se représenta Noëlie, sa distinction et son élégance. Et ce léger doute fut vite balayé : jamais la souillon qui lui faisait face n'aurait pu donner le change et se faire passer pour cette femme du monde aux manières si raffinées.

Comme Hortense, sa propre femme, Noëlie avait de la classe, l'aisance naturelle, l'assurance allant de soi, alliée au zeste d'arrogance propre à ceux qui sont nés avec une cuillère d'argent dans la bouche, alors que les rejetons issus des basses couches, comme Zoé ou lui-même – il était payé pour le savoir ! –, gardaient toujours, comme collé à la peau, un je-ne-sais-quoi de plébéien.

— Je ne vais peut-être pas rester ici. J'ai bien envie de retourner chez mes grands-parents dans la Drôme, dit Zoé.

— Écoute, tu sais que tu seras toujours reçue à bras ouverts chez nous. Et si tu as besoin d'argent, n'hésite pas à venir me trouver. Avec ce que mon frangin t'a fait subir, je te dois bien ça !

— Je te remercie, Sylvio, tu es vraiment sympa, mais il me reste encore quelques économies. Je vais loger à l'hôtel en attendant de prendre une décision, répondit-elle, touchée par la proposition du frère de Léo qu'elle ne connaissait pourtant pas très bien, n'ayant pas eu souvent l'occasion de le côtoyer.

Il faut dire que Sylvio, qui ne jugeait pas son frère fréquentable, n'avait que très rarement honoré leur domicile de sa présence !

— Qu'est-ce qui va arriver à Léo ? demanda-t-elle.

— Pour le moment, il est en garde à vue. En raison de la gravité du délit, il va être mis en examen. Comme je connais le juge d'instruction, je vais tâcher de lui éviter la préventive et d'obtenir son placement sous surveillance électronique. Qu'est-ce que tu veux, c'est quand même mon frangin ! Mais rassure-toi, si tu restes ici, il ne pourra en aucun cas te contacter. Il portera un bracelet et tous ses déplacements seront contrôlés. Bon, eh bien, bonne chance, et donne-moi de tes nouvelles !

— Au revoir, Sylvio, et encore merci !

Après avoir quitté le commissariat, Zoé prit le métro pour aller chercher ses affaires. Dans l'appartement, tout était comme lors de sa dernière visite à Léo. Des miasmes de pourriture flottaient dans la pièce où régnait un chaos indescriptible. Au bord de la nausée, elle ouvrit la fenêtre, tira un sac de voyage du placard et commença à trier les vêtements et quelques objets et souvenirs qu'elle désirait emporter. Elle remplit un sac-poubelle avec tout ce dont elle ne voulait pas s'encombrer. Quand elle eut terminé, elle jeta un dernier regard sur cet appartement où elle avait vécu pendant quinze ans – des années gâchées – et sortit. Elle ferma à double tour, cacha la clef sous le paillasson et descendit l'escalier, chargée des deux sacs. Au rez-de-chaussée, elle déposa le sac-poubelle dans une benne, traversa le terrain vague pour gagner l'arrêt du bus. Elle avait repéré un petit hôtel non loin du centre-ville. C'est là qu'elle allait vivre provisoirement en attendant de prendre une décision concernant son avenir. Tout dépendrait de ce que lui dirait sa jumelle lors de leur rencontre de l'après-midi.

— Vous désirez, mademoiselle ? demanda la réceptionniste de l'hôtel Bellevue, une blonde oxygénée aux dents de castor, en interrompant son jeu vidéo.

Le ton était peu amène.

— Je voudrais voir une personne qui a pris une chambre ici. Mme Besson.

— Chambre 202 au deuxième étage.

La réceptionniste se tourna et jeta un coup d'œil au tableau où étaient accrochées les clefs.

— Elle s'y trouve, l'ascenseur est à gauche, lança-t-elle avant de se replonger dans son jeu.

Marion la remercia et monta dans l'ascenseur vieillot à la cage grillagée. La chambre 202 se trouvait au bout d'un large couloir recouvert d'une épaisse moquette qui étouffait le bruit des pas. Elle s'arrêta devant la porte, le cœur battant, et frappa deux petits coups.

— J'arrive ! cria une voix qui aurait pu être celle de Noëlie.

La porte s'ouvrit et le visage de « sa mère » apparut dans l'entrebâillement.

— Maman ! s'écria Marion, ébahie.

— Tu te goures, ma belle, j'n'ai pas d'gosse ! fit Zoé, qui avait immédiatement reconnu Marion.

Pour ne pas se trahir, elle accentua sciemment son accent des faubourgs.

Marion recula, troublée.

— Excusez-moi, je suis la copine de Yann. C'est lui qui m'a donné votre adresse. Quand il a vu une photo de ma mère dans mon portefeuille, il a d'abord cru que c'était vous. C'est pour ça que je suis ici. Je voulais voir son sosie.

— Entre ! fit Zoé, reprenant la situation en main après un instant de stupeur. Assieds-toi ! dit-elle en désignant le grand lit qui occupait presque tout l'espace. Alors comme ça, tu m'as prise pour ta mère parce qu'on se ressemble comme deux gouttes d'eau !

— Pour ça oui, j'ai halluciné quand vous m'avez ouvert la porte ! opina Marion en la dévorant du regard. Y a que la façon de parler et les vêtements qui changent.

— Je suppose que ta mère est plus élégante que moi ! dit Zoé.

Avec un petit rire, elle désigna son jean délavé et son T-shirt qui dataient de Mathusalem.

— Au fait, tu connais Léo ?

— Je l'ai vu une fois. Je suis allée à votre appart avec Yann pour vous rencontrer, mais Léo nous a dit que vous vous étiez tirée, c'est comme ça qu'il a dit.

— Ah ! vous êtes passés chez nous ! Yann venait chercher de la came, pas vrai ? Ce salaud de Léo vous a raconté des salades, je ne m'étais pas tirée, c'est lui qui me séquestrait. Il m'a fichu une rouste carabinée et il m'a enfermée dans la bicoque de son frangin. Tout ça parce que je voulais pas tapiner. Faudrait pas me prendre pour une pute, quand même ! Mais il s'est fait « pécho », le ballot, et il va filer au violon ! Il l'a dans l'os !

— Oui, je l'ai appris tout à l'heure par Yann. Léo a raconté qu'il avait kidnappé ma mère et que vous aviez pris sa place chez nous, c'est ça ?

Zoé laissa échapper un rire de gorge.

— Oui, c'est ce que ce con a raconté à son frangin ! Franchement, tu me vois, moi, chez toi en train de jouer les bourges ? Ha, ha, ha ! Elle est bien bonne ! J'aurais été une grosse naze déguisée en bourgeoise. J'aurais été grillée dès la première minute, quand j'aurais ouvert le bec ! Pas vrai ?

Marion opina, obligée de se rendre à l'évidence : malgré la ressemblance physique, il aurait été impossible de prendre cette femme aux manières et à l'accent vulgaires pour sa mère si policée. Elle rougit, confuse.

— Excusez-moi de vous avoir dérangée ! dit-elle.

— Pas de quoi, ma belle.

— Au revoir, madame.

Zoé voulait encore retenir cette adolescente – sa nièce – à laquelle elle s'était attachée et qu'elle aimait comme sa fille.

— Ça me botte d'avoir un peu de visite ! dit-elle. On peut tchatcher un peu. Tu veux une clope ?

— Oui, je veux bien.

Zoé tendit le paquet à Marion qui prit une cigarette, l'alluma et tira une bouffée.

— Tu fais quoi dans la vie ? T'es encore aux écoles ?

— Ben, je passe le bac dans quinze jours, mais je vais me planter, j'ai rien foutu. Et en plus je suis enceinte de Yann.

— Et tes parents, ils n'ont pas dû rigoler que t'attendes un moutard, je suppose.

— Au début, ma mère était d'accord pour que je garde le bébé, et maintenant, on dirait qu'elle a changé d'avis. Ce matin, elle m'a dit qu'avorter serait mieux pour tout le monde. Et je sens qu'elle va continuer à me tanner avec ça. Elle est redevenue trop chiante. Du coup, je me suis demandé si l'histoire de Léo n'était pas vraie.

— Ah bon, tu pensais que j'avais piqué la place à ta mère ! s'écria Zoé, frappée par la lucidité de l'ado.

— Oui, avoua Marion, rouge comme un homard. Quand elle est rentrée de l'hosto, elle n'était plus la même, comme si c'était une autre femme qui avait pris sa place !

Les lèvres de Zoé ébauchèrent un sourire furtif.

— Qu'est-ce qui avait changé ? demanda-t-elle.

Le regard perdu dans le vague, Marion fit des ronds de fumée avant de répondre :

— Ben, avant, ma mère, elle n'était jamais là, et quand elle y était, elle ne m'écoutait jamais, elle n'essayait pas de me comprendre, elle me gueulait toujours après. Et tout d'un coup, avec l'amnésie, elle s'est mise à me parler comme à une copine et à me raconter les conneries qu'elle avait faites quand elle avait mon âge. Même qu'elle avait avorté. C'était super cool. On s'entendait hyper bien. Et maintenant, depuis que la mémoire lui est revenue, elle est de nouveau comme avant, chiante de chez chiante. Y a que les études qui comptent, je suis trop jeune pour avoir un bébé, et patin-couffin...

Zoé écrasa sa cigarette dans le cendrier qui débordait de mégots ; puis, elle se pencha vers la table de nuit, ouvrit le tiroir et en sortit un nouveau paquet.

— Et toi, tu veux toujours le garder, ton mouflet ? fit-elle en allumant une cigarette.

— Oui ! Mes parents et ceux de Yann se sont mis d'accord. Je ne sais pas pourquoi maman a changé encore d'avis tout d'un coup. Moi, j'en ai ma claque. Un jour, elle est trop cool et le lendemain elle est à cran et je me fais engueuler.

— Ta mère pense que t'es mal barrée et que tu risques de t'en mordre les doigts. Élever un môme, ça peut être galère, mais personne ne peut t'obliger à avorter si tu ne veux pas.

Zoé se promit de décrire à Noëlie l'état d'esprit et les sentiments de sa fille. Elle le ferait lors de leur rencontre de l'après-midi, en espérant qu'elle arriverait à la convaincre qu'il fallait laisser Marion libre de décider de sa vie, et avant tout se montrer plus tolérante.

— Je suis sûre que ta mère finira par accepter. En attendant, je te conseille de bosser ton bac. Pense au bébé, fais-le pour lui !

Marion se leva.

— Bon, eh bien, merci. Personne ne sait que je suis venue vous voir et il faut que je rentre.

— Allez, courage ! dit Zoé en lui ouvrant la porte. Je vais peut-être me tirer d'ici, mais si je reste dans le coin, je te donnerai mon adresse et si tu as envie de tailler une bavette, tu pourras venir !

— Oui, ça me ferait plaisir. Allez, au revoir, madame.

Zoé se fit violence pour ne pas la serrer très fort dans ses bras en la couvrant de baisers, mais elle se contenta de lui piquer un petit bécot sur la joue. Elle aimait cette adolescente comme sa propre fille et regrettait amèrement de ne plus pouvoir jouer son rôle de mère. Au fond d'elle-même, elle était intimement persuadée que Marion aurait été plus heureuse avec elle qu'avec sa vraie mère qui ne savait pas la prendre. Et puis, après tout, n'était-elle pas sa tante ?

80

— Tu sais que ta fille est sacrément futée ! Elle a soupçonné la vérité pour nous deux, dit Zoé avec un petit rire.

À quinze heures, elle avait rejoint Noëlie dans un troquet du vieux port. Après avoir bu un citron pressé, elles avaient pris la route côtière qui longeait la plage grouillante de monde. Puis la chaussée grimpant de plus en plus haut dans la falaise s'était rétrécie. Après une succession de virages en épingle à cheveux, Noëlie avait garé la Golf en face d'un petit chemin sablonneux. Elles avaient quitté la voiture, pris leur sac à dos et s'étaient engagées dans le sentier. Un ciel radieux d'un bleu profond illuminait la garrigue. Les ombres des chênes verts, des pins et des oliviers tordus par le mistral s'étiraient sur la terre peuplée de bruyères, de genévriers et d'ajoncs d'où montaient la crécelle lancinante des cigales et le parfum pénétrant du thym, du romarin et de la lavande.

— Marion a soupçonné que tu avais pris ma place ? s'étonna Noëlie. Comment le sais-tu ?

— Elle est venue me voir ce matin !

— Quoi ? Et pourquoi ça ? s'écria Noëlie, interloquée. D'où connaît-elle ton existence ? Et comment a-t-elle pu te trouver ?

— C'est son copain Yann qui lui a donné mon adresse. Par lui, elle savait que tu avais un sosie. Elle avait été chez Léo avec lui pour essayer de me voir et il leur avait raconté que je m'étais tirée dans la Drôme. Elle ne se doutait pas que je vivais sous son toit ! Et ce matin, quand Yann lui a répété l'histoire que Léo a servie à son père, elle s'est demandé s'il ne disait pas la vérité. Mais rassure-toi, maintenant qu'elle m'a vue, elle est convaincue de s'être trompée !

— Tu en es sûre ?

— Tout à fait. J'ai parlé comme une vraie fille des banlieues ! Elle n'a plus aucun doute à ton sujet, même si elle trouve que tu as beaucoup changé et que tu es lunatique.

— Dis-moi, Zoé, tu avais oublié de m'annoncer que Marion était enceinte, lança Noëlie d'un ton de reproche. Imagine ma surprise quand elle m'a parlé de sa grossesse et de la naissance du bébé dont j'étais censée me réjouir, alors que je suis persuadée que c'est une pure folie.

— Marion m'a dit que tu l'avais incitée à avorter.

— Tu ne crois pas que ce serait la meilleure solution ?

— Si, mais moi, quand j'étais sa mère – je veux dire quand j'étais à ta place –, je ne lui ai rien imposé du tout parce que je pense que c'est à elle de décider, et pas à ses parents.

— Alors qu'elle est dans l'impossibilité d'assumer son enfant ? On a quand même, Victor et moi, notre mot à dire, se rebiffa Noëlie.

— As-tu réfléchi aux conséquences d'un avortement contraint et forcé ? Votre fille ne l'oublierait jamais et vous haïrait.

Et Zoé raconta à sa sœur le traumatisme dans lequel l'avait plongée son IVG à l'âge de Marion.

— Tu as sûrement raison, Zoé, concéda Noëlie, mais je ne peux m'empêcher de penser que c'est une bêtise. En plus, je n'aime pas l'idée que Léo, un malfrat, soit l'oncle de l'enfant et entre dans notre famille !

— Il va aller en prison et ne réapparaîtra pas de sitôt !

— N'empêche que cela ne me plaît pas. On ne peut pas dire que la famille paternelle soit reluisante !

Et, avec un soupir :

— « Qui vivra verra ! » Mais laissons le chapitre des enfants, on est là pour parler de nous. Je veux tout savoir sur toi et sur ta... pardon... sur notre famille !

Et tandis qu'elles progressaient lentement sur le chemin rocailleux, Zoé se mit à raconter sa vie : son enfance heureuse chez ses grands-parents dans le village perché avec ses venelles médiévales et son château fort en ruine, la petite école qui rappela à Noëlie l'atmosphère du *Grand Meaulnes*, les baignades dans la Drôme... Elles arrivèrent enfin à un promontoire qui dominait la mer et s'assirent sous un pin parasol au bord de la falaise d'où montait le fracas des lames qui explosaient en gerbes d'écume contre les rochers. La brise marine apportait ses effluves chargés d'iode et de goémon.

— Que c'est beau ! s'écria Zoé en respirant à pleins poumons l'air cristallin.

— Oui, c'est papa qui m'a fait découvrir cet endroit quand j'étais petite. Maintenant, je viens me ressourcer ici !

— Avec mes grands-parents, on faisait aussi de grandes balades dans les bois. On cherchait des champignons ou on ramassait des pommes de pin pour allumer le feu en hiver.

Zoé ouvrit son sac et en tira un album.

— Tiens, regarde, je t'ai apporté des photos de famille.

Noëlie le feuilleta avec curiosité.

— Je comprends maintenant d'où je tiens ma tignasse rousse ! Que nos grands-parents étaient jeunes ! s'écria-t-elle en désignant une photo qui les montrait tous les deux devant leur fermette.

La grand-mère était une grande femme aux yeux pétillants de malice, avec une chevelure auburn qui lui tombait à la taille et une tenue hippie, le grand-père un solide gaillard aux épaules carrées et aux cheveux longs retenus en queue-de-cheval.

— Oui, à la mort de notre mère, mamie n'avait que trente-huit ans, et papy quarante. Et ils faisaient tous les deux moins que leur âge. Et c'est encore le cas aujourd'hui. Tiens, regarde-les sur cette photo récente. On ne croirait jamais qu'ils ont soixante-quinze ans !

Noëlie regarda attentivement la photo du couple, en T-shirt, jean et baskets à côté d'un tandem.

— C'est vrai, on leur donnerait à peine la soixantaine ! s'exclama-t-elle. Ils ont l'air vraiment sympa, tu as dû être heureuse avec eux.

— Oui, ils sont adorables, un peu bohèmes, mais ils n'avaient pas la moindre idée de la manière d'élever un enfant. Déjà avec ma mère, ou plutôt *notre* mère, leur éducation avait été un fiasco elle se droguait et fuguait. Quand elle est morte en couches et qu'ils se sont vus avec un bébé sur les bras, ils ont été dépassés. Ils m'ont laissée tout faire. Et j'en ai profité.

Noëlie l'écoutait, fascinée.

— Moi, c'était tout le contraire. J'ai été si couvée par ma mère que je me sentais étouffée. Elle était stressée et anxieuse, imaginant toujours le pire. Si j'avais un quart d'heure de retard en rentrant de l'école, je la trouvais dans tous ses états, sur le point d'alerter la police. Quand je nageais loin de la plage, elle me guettait pour être sûre que je n'allais pas me noyer. Elle était trop âgée pour s'occuper d'un enfant !

— Tu as de la chance ; moi, bien que ne manquant de rien sur le plan matériel, je me suis sentie abandonnée, mal aimée, indésirable. Mes grands-parents étaient tellement amoureux qu'il n'y avait pas de place pour une tierce personne. J'étais de trop.

— Les miens aussi étaient très épris l'un de l'autre. Je me souviens que j'étais un peu jalouse de ma mère parce que papa n'avait d'yeux que pour elle. S'il m'a volée à ta mère... je veux dire à notre mère, c'est uniquement pour lui faire un cadeau. Lui, il ne souffrait pas du manque d'enfant. Sa femme lui suffisait. Je le sentais inconsciemment et j'en étais malheureuse, car je l'aimais et surtout je l'admirais. Pour gagner son amour, je me comportais comme un petit mouton docile.

— Moi, c'est le contraire. Pour attirer leur attention, je leur en ai fait voir de toutes les couleurs ! J'ai fait les quatre cents coups, j'ai couché avec tous les gamins du village. Et au collège, je n'ai rien fichu. J'ai tout plaqué après la troisième.

— Et ils n'ont pas cherché à t'en dissuader ?

— Non, je ne me suis jamais heurtée à un seul interdit. Ils cédaient à toutes mes lubies pour avoir la paix. Quand j'ai décidé de voler de mes propres ailes et de quitter la Drôme pour venir ici, ils ont été soulagés d'être déchargés de toute responsabilité.

Et Zoé raconta ses années de galère à Marseille, sa rencontre avec Léo, les hauts et les bas de leur relation.

— Voilà, ma vie. Elle n'a rien de folichon ! conclut-elle.

Elle se tut. On entendit le bourdonnement d'un hors-bord.

— Et maintenant, que comptes-tu faire ? demanda Noëlie.

— Je ne sais pas. Si je reste ici, il me faudra d'abord trouver un boulot et un appart.

— Dans la rue piétonne du centre-ville, une boutique de mode cherche une vendeuse. Est-ce que cela t'intéresserait ?

— Oh ! ce serait super ! Je n'ai vraiment pas envie de retourner bosser à l'hosto. C'est trop dur.

— Eh bien, vas-y demain. Je suis sûre que tu feras l'affaire.

— Oui, et pour l'appartement, tu as une idée ?

Un vol de grandes mouettes blanches aux ailes déployées passa au-dessus des à-pics de la masse rocheuse et s'éloigna en rasant les vagues vers les montagnes bleues qui se découpaient en filigrane derrière la ville.

— Pas loin de chez nous, expliqua Noëlie, un couple a mis en location un ancien pavillon de concierge qui vient de se libérer.

— Tu crois que ce sera à la portée de ma bourse ?

— Oui, ce sont de vieilles personnes fortunées qui ne louent pas pour l'argent, mais pour avoir une présence sécurisante. Tu n'as qu'à aller le visiter dès demain, et s'il te plaît, tu pourras emménager tout de suite. En plus, ce serait bien, car c'est à deux pas de chez nous et on pourrait se voir souvent.

— Super ! s'écria Zoé, les yeux brillants, en regardant avec reconnaissance le visage de sa sœur, si semblable au sien.

— Zoé, est-ce que nous pourrions nous rendre ensemble dans la Drôme ? Je meurs d'envie de faire la connaissance de mes grands-parents, demanda Noëlie après un silence.

— Oui, bien sûr, c'est une excellente idée. Ce sera une sacrée surprise pour eux. Je suis sûre qu'ils t'adopteront !

— On pourrait aller y faire un saut un week-end. Avant le bac, car je ne veux pas laisser Marion toute seule quand elle passera les épreuves. Je dirai à Victor que je suis invitée chez Marie-Jeanne, une bonne copine de fac qui habite à Saint-Raphaël et qui me servira d'alibi !

— Super, pourquoi pas samedi ? s'écria Zoé, heureuse à l'idée de ce voyage au pays natal dont elle gardait la nostalgie.

81

— Ça y est ! On arrive dans la Drôme ! s'écria Zoé en désignant un panneau bleu indiquant Montélimar, la ville du nougat.

Elle pointa l'index à gauche vers deux énormes cheminées d'où s'échappait un panache de vapeur blanche et cotonneuse.

— Et là-bas, regarde, c'est la centrale de Cruas !

Le mistral s'engouffrait dans la vallée du Rhône. Le ciel était déjà d'un bleu intense, virant au blanc à l'horizon. La chaîne lointaine du Vercors se devinait à travers une légère brume de chaleur. De loin en loin, on distinguait des villages enfouis au pied des montagnes, d'autres perchés sur les collines, des champs de lavande et des fermes couleur ocre ou crème, coiffées de tuiles romaines roses. Zoé éprouvait une étrange sensation de liberté. Elle se retenait pour ne pas chanter à pleins poumons. Elle avait presque oublié ses ennuis, comme si un fil invisible venait de se rompre, à bout de résistance.

Elle éclata de rire.

— Pourquoi ris-tu ? demanda Noëlie.

— Parce que je suis bien et que j'aime être avec toi.

— Moi aussi, je suis heureuse. Mais maintenant qu'on approche, j'ai un peu le trac.

— Pourquoi ? Nos grands-parents sont adorables, tu verras, ils te mettront tout de suite à l'aise.

— Ce n'est pas ça, c'est l'idée que je vais rencontrer mes vrais grands-parents qui me trouble.

— Ralentis, on prend la prochaine sortie en direction de Montélimar nord.

Noëlie prit la bretelle annoncée et elles quittèrent l'autoroute.

— Tu prends la direction Crest, tu verras le donjon, c'est le plus haut de France.

Zoé était contente de faire découvrir à sa sœur les beautés de cette région où elle avait passé son enfance. À Crest, elles s'arrêtèrent à la terrasse d'un café sur les quais de la Drôme à l'ombre de grands marronniers. Elles sirotèrent leur boisson avant de reprendre la route.

Une demi-heure plus tard, elles arrivaient au village de Suze. Elles le traversèrent et grimpèrent une route étroite et escarpée qui montait à travers bois. Quelques kilomètres plus loin, un panneau indiquait *Miellerie du lavandin*. Elles tournèrent dans un chemin de terre, et la maison apparut. Une fermette pimpante, avec ses pots de géraniums aux fenêtres et sa treille qui courait le long de la façade, même si elle montrait quelques signes de délabrement : la peinture bleue des volets qui s'écaillait ou une fente verticale qui lézardait les murs. Elle était située à l'orée d'une petite forêt de chênes et d'érables. Une grande prairie peuplée d'une quarantaine de ruches descendait en pente douce vers un ruisseau. On entendait le bruissement d'une cascade. Elles quittèrent la voiture. Un vieux caniche noir sortit de la maison et se jeta littéralement sur Zoé en aboyant de joie.

— Je te présente Boby ! dit Zoé en entraînant Noëlie vers la porte d'entrée qui était grande ouverte et elle cria : Mamie ! C'est moi !

Une main ouvrit les persiennes entrebâillées à la fenêtre de l'étage. Une femme souriante se pencha et cria joyeusement :

— Zoé, quelle bonne surprise ! Je descends tout de suite.

Une porte claqua, il y eut un bruit de dégringolade et la grand-mère apparut sur le seuil. C'était une grande femme robuste, vêtue d'un jean et d'une chemise d'homme nouée à la taille. Ses cheveux roux striés de fils argentés étaient remontés en chignon sur sa tête. Elle avait un nez retroussé piqué de taches de son et d'immenses yeux verts qui pétillaient de malice. Noëlie eut l'impression d'être projetée dans l'avenir et de se regarder dans un miroir : c'est ainsi qu'elle serait dans une quarantaine d'années ! Aucun doute, cette femme était sa grand-mère. La vieille dame enlaça tendrement Zoé.

— Tu as emmené de la visi...

Elle ne put terminer. Elle resta la bouche ouverte, comme frappée par la foudre, le regard braqué sur Noëlie.

— Je rêve ou je vois double, parvint-elle enfin à articuler.

— C'est ma sœur jumelle, ta deuxième petite-fille, dit Zoé.

La grand-mère écarquilla de grands yeux.

— Qu'est-ce que tu racontes ?

— Je vais te l'expliquer, mais où est papy ? Ce serait mieux qu'il soit là pour entendre l'histoire.

— Il cure le poulailler. Attends, je l'appelle.

Elle mit les mains en porte-voix et claironna :

— Chéri, viens vite, on a de la visite ! Une surprise !

Un grand gaillard costaud et jovial avec sa moustache à la gauloise, ses favoris en pattes de lapin et les frisottis blonds et gris s'échappant de dessous sa casquette, surgit devant elle. En voyant les jumelles, il resta cloué sur place, sidéré.

— Bonjour, papy ! s'écria Zoé en s'élançant à son cou.

— C'est ton sosie ? demanda-t-il, les yeux aussi ronds que ceux de sa femme, toisant Noëlie qui baissait les yeux, gênée.

— Non, Bernard, intervint sa femme. Zoé va nous expliquer. Entrez !

La porte d'entrée donnait directement dans une grande pièce. Une véritable cuisine d'autrefois avec un vaisselier en noyer, une cheminée où pendait une marmite accrochée à la crémaillère, un évier en pierre, un antique fourneau et une table de ferme recouverte d'une toile cirée au-dessus de laquelle se balançait un ruban poisseux où les mouches allaient se coller avec un petit grésillement. Tout était propre et tranquille. Les tomettes rouges gardaient encore des traces d'humidité, indiquant qu'on venait de passer la serpillière. Un gros chat roux dormait sur une chaise. Zoé lui tapota le museau.

— Salut, Pilou !

Le matou ouvrit les yeux, regarda Zoé avec indifférence et se rendormit illico.

— Eh bien, on peut dire qu'il est content de me voir ! remarqua-t-elle avec un petit rire.

— Ça tombe bien, j'ai justement fait de la soupe au pistou, ton plat préféré ! dit la grand-mère en montrant la cocotte qui chantait sur le fourneau. Asseyez-vous. Bernard, tu nous sers du vin d'orange ? C'est notre fabrication de l'hiver.

Une fois qu'ils furent installés à la table devant leur verre, Zoé raconta toute l'histoire. Quand elle eut terminé son récit, les grands-parents avaient les larmes aux yeux.

— Alors, comme ça, nous avons deux petites-filles ! s'exclama la grand-mère en enlaçant Noëlie avec tendresse.

— C'est incroyable, cette histoire ! fit le grand-père. Un docteur qui vole l'enfant d'une patiente, on ne voit ça que dans les romans ou dans les films !

Il se tourna vers Noëlie.

— Bienvenue à la maison, Noëlie !

Et il l'embrassa à son tour.

— Parle-moi de toi ! lui dit-il. Je te tutoie, puisque tu es ma petite-fille !

— Et moi, est-ce que je peux vous appeler papy et mamie ? Je suis si heureuse d'avoir retrouvé des grands-parents, je n'en avais plus depuis longtemps ! Ils sont morts quand j'étais petite.

— Bien sûr, mon enfant ! s'écria la grand-mère, émue aux larmes. Nous sommes si heureux d'avoir deux grandes petites-filles !

— Une petite-fille tombée du ciel ! ajouta son mari en écho.

Noëlie leur raconta sa vie. Quand ils apprirent qu'ils étaient arrière-grands-parents, ils ne se tinrent plus de joie et voulurent voir des photos des enfants.

— Ils sont adorables, et que font-ils ?

— Sa fille est enceinte ! annonça Zoé.

— Quel âge a-t-elle ?

— Dix-sept ans.

— Elle est bien jeune !

— Eh bien, pour le coup, nous allons être trisaïeuls ! s'exclama le grand-père. Ça ne nous rajeunit pas, pas vrai, Violette ! ajouta-t-il dans un éclat de rire.

Sa femme émit le petit gloussement de la poule qui vient de pondre.

— Il faudra nous amener tes enfants, on aimerait les connaître, dit-elle à Noëlie.

Noëlie rougit, gênée.

— C'est que... à part Zoé, personne n'est au courant, même pas mon mari !

— Pourquoi ? demanda le grand-père, étonné. Y a pas de mal à découvrir qu'on a une jumelle.

— C'est que mon père, la veille de son suicide, a révélé son secret à Zoé à l'insu de ma mère adoptive. Elle n'a jamais voulu que je connaisse la vérité. Elle devait s'imaginer que si j'apprenais qu'elle n'était pas ma mère biologique, je ne l'aimerais plus. Elle a peut-être honte aussi de ce qu'ils ont fait. Je suis une enfant volée à votre fille, ma vraie mère.

— Oui, tu aurais vécu avec nous si ton père ne t'avait pas enlevée ! Note que tu n'aurais pas grandi dans d'aussi bonnes conditions. Nous avons toujours tiré le diable par la queue !

— J'ai été très heureuse avec vous, mamie, protesta Zoé. Je n'ai jamais manqué de rien. Si j'ai fait des bêtises, je suis la seule responsable. J'étais pressée de rentrer dans le monde des adultes, mais c'était une erreur. J'aurais dû rester avec vous et continuer mes études.

La grand-mère acquiesça.

— C'est vrai que tu étais une enfant difficile, rebelle comme ta mère qui nous en a fait faire des cheveux blancs ! Mais nous avons des torts, nous aussi. J'en ai conscience maintenant. Nous étions peut-être un peu trop vieux pour élever un bébé. Et puis, nous étions égoïstes. Nous ne pensions qu'à nous. Nous aurions dû te retenir et nous ne l'avons pas fait et...

— Arrête tes *mea culpa*, ma chérie, la coupa le grand-père. Tous les parents font des erreurs, c'est normal ! Mais un jour, Noëlie, il faudra que tes enfants connaissent la vérité sur leurs origines. Un secret de famille, c'est comme un cadavre dans un placard. Ça pourrit et ça sent mauvais ! Et le descendant qui l'exhume par hasard peut avoir sa vie empoisonnée.

— Oui, je le leur révélerai un jour, dit Noëlie.

— À la bonne heure ! approuva le grand-père.

— Mais je le ferai quand maman ne sera plus de ce monde, poursuivit-elle. Je vous promets que vous aurez leur visite.

Ses grands-parents qu'elle venait de découvrir l'avaient conquise par leur simplicité et leur gentillesse. Elle se sentait bien chez eux. Tout y était authentique, sans frime ni clinquant.

— Si tu nous servais la soupe au pistou, chérie. Toutes ces émotions m'ont creusé l'appétit ! lança le grand-père.

Après le repas, que Noëlie trouva délicieux, la grand-mère lui fit visiter son atelier de poterie et de peinture, et le grand-père l'emmena faire le tour du propriétaire. Il lui montra ses ruches, lui expliqua la vie des abeilles. Il la mena dans la « miellerie », le petit magasin où ils vendaient leur miel et tous les produits dérivés. Zoé la conduisit dans sa chambre sous les toits. Noëlie s'émerveilla des meubles rustiques : la grande armoire en noyer, remplie de couvertures, de serviettes et de draps brodés qui embaumaient la lavande, l'ensemble de toilette ancien avec la cuvette et le broc en porcelaine, le grand lit bateau avec son gros édredon rouge et la commode en merisier contenant tous les trésors d'enfant de sa jumelle. Elles passèrent une bonne partie de la nuit à discuter et se découvrirent une foule de points communs.

Au moment du départ, le dimanche en fin d'après-midi, Noëlie avait les larmes aux yeux. Elle avait vraiment l'impression de faire partie de cette famille si chaleureuse qui l'avait immédiatement adoptée. Elle se promit de suivre les conseils de son grand-père et de révéler un jour la vérité à ses enfants et à son mari.

82

— Je n'y comprends rien ! marmonna Victor en arpentant la salle de repos où il était venu boire un café entre deux interventions.

Depuis le jour où elle avait recouvré la mémoire, Noëlie lui posait une véritable énigme. Après sa métamorphose spectaculaire durant les semaines qu'avait duré son amnésie, voilà qu'elle était redevenue la femme froide et distante, pétrie d'inhibitions, qu'il avait toujours connue. Ce changement qui coïncidait avec le retour de ses souvenirs était d'autant plus rude et frustrant que Victor était tombé sous le charme de la femme amnésique, simple, directe, sensuelle et sans tabou, qui le regardait avec une adoration mêlée d'admiration. Mais cette femme avait été comme effacée, gommée par l'afflux des souvenirs. Même si elle avait enfin consenti la veille à faire l'amour, Noëlie n'avait pas dissimulé son ennui, fixant le plafond avec une moue dégoûtée. Elle n'avait même pas cherché à donner le change comme elle le faisait autrefois. À croire qu'elle ne ressentait rien pour lui. Une fois libérée du « devoir conjugal », elle lui avait jeté un regard si froid qu'il s'était comme senti prisonnier d'un rideau de glace.

Il s'arrêta devant la baie vitrée zébrée de gouttes. Aujourd'hui, le temps était morose, à l'image de son humeur. De gros nuages noirs annonciateurs d'un orage balayaient le ciel. Il venait de quitter le bloc après avoir pratiqué une césarienne en urgence, car le cœur du bébé donnait des signes de faiblesse. Tout s'était bien passé, Dieu merci. Et la prochaine intervention ne devrait pas poser de problème.

— Tu en fais une tête !

Victor, tiré de ses réflexions, leva les yeux. C'était Charles Boivin qui venait de pénétrer dans la pièce. Il se versa une bière et s'assit à la table en face de son confrère.

— Un ennui dans le boulot ? demanda-t-il.

— Non, c'est Noëlie. Depuis l'agression, je n'arrive plus à la cerner.

— Elle a recouvré la mémoire ?

— Oui, et elle a de nouveau changé de personnalité.

— Comment ça ?

— Après son amnésie, elle s'était comme libérée de tous ses complexes. Au lit, elle était devenue une bombe, une autre femme, si tu vois ce que je veux dire...

Un éclair lubrique dans le regard, le Dr Boivin émit un petit sifflement.

— Le réchauffement climatique avait fait fondre l'iceberg ! Tu me ferais presque regretter que ma femme n'ait pas reçu de coup sur la tronche !

Victor contemplait son café, l'air ailleurs. Il haussa les épaules.

— Elle a recouvré la mémoire et elle est redevenue comme avant l'agression. La grande bourgeoise, glaciale et arrogante. Tu piges quelque chose, toi ?

Charles avala une grande lampée de bière, posa son verre et fit craquer, une à une, les jointures de ses doigts boudinés.

— Cela doit être le choc. Tu sais quoi ? Tu devrais la rendre jalouse. Tu t'envoies en l'air avec Juliette, la nouvelle aide-soignante, vachement bandante, et ta femme te revient ! En un mot, tu fais d'une pierre deux bons coups !

Et ses joues rosirent du plaisir d'avoir pu caser un bon mot.

— Non, ma femme s'en fout, elle n'est pas jalouse.

— Alors, emmène-la en week-end. Un week-end en amoureux, rien de tel pour réveiller la bête. Elle se remettra à baiser comme une déesse !

Et, pour accompagner cette prédiction égrillarde, il lui donna un coup de coude complice dans les côtes, une bourrade qui fit hoqueter Victor.

83

— Tu accepterais, Zoé, de prendre ma place ce week-end ?

Noëlie avait fait un saut dans le petit pavillon meublé que sa jumelle occupait depuis une semaine à quelques rues de sa maison. Après l'avoir visité, Zoé, enchantée, avait signé immédiatement le bail. Bien sûr, elle avait soulevé la question du montant du loyer, mais Noëlie l'avait balayée d'un mot.

— J'ai assez d'argent pour deux. Et puis, si tu y tiens, tu pourras toujours me rembourser plus tard ! Mais je suis si heureuse de te gâter, ne m'enlève pas ce plaisir !

Elles avaient repeint ensemble les murs, accroché des rideaux, ciré les meubles... Noëlie lui avait acheté les objets de première nécessité, elle lui avait donné des coussins multicolores pour égayer le vieux clic-clac, un téléviseur et un coucou de la Forêt-Noire qu'elle avait rapporté autrefois d'un voyage scolaire en Allemagne. Zoé était infatigable. L'installation terminée, Noëlie, fourbue, s'était installée dans un fauteuil. Avec l'impression de se dédoubler, elle avait regardé son sosie courir de la cuisine minuscule au living-room, s'émerveillant de son enthousiasme, de son efficacité, de sa gaieté surtout. Zoé chantonnait en préparant la petite fête improvisée pour pendre la crémaillère ! Une joyeuse dînette en face de son reflet ! Leurs genoux se touchaient sous la table étroite. Elles s'étaient amusées comme deux gamines espiègles, se volant le pain, buvant dans le même verre et piquant des fous rires. À la fin du dîner, Zoé avait sorti une bouteille de clairette. Elle avait fait sauter le bouchon au plafond et, les yeux dans les yeux, elles avaient trinqué au bonheur de ne plus être une moitié orpheline, mais un être entier ayant retrouvé la partie manquante !

Sur les conseils de sa sœur, Zoé s'était présentée à la boutique de mode. Devant son élégance raffinée et ses bonnes manières – Zoé n'avait pas eu de mal à jouer la grande dame ! –, la patronne l'avait embauchée sur-le-champ, et elle n'avait pas eu à le regretter : dès le deuxième jour, Zoé s'était avérée une excellente vendeuse. Elle avait un goût inné et savait conseiller les clientes. En un mot : tout baignait dans le miel.

Le seul problème pour Noëlie était Victor. Il se montrait de plus en plus pressant. Pensant lui faire une surprise, il avait sorti de sa poche deux billets d'avion Marseille-Venise. Il les avait brandis triomphalement sous son nez en clamant :

— Chérie, on va passer un petit week-end en amoureux !

Noëlie l'avait remercié du bout des lèvres. Elle n'avait pas envie de partir avec son mari. C'était avec Antoine qu'elle aurait voulu passer le week-end.

Et, soudain, elle avait eu une idée lumineuse : proposer à sa jumelle la « lune de miel » avec son mari. Si Zoé acceptait de faire le voyage à Venise, elle aurait deux jours complets avec Antoine. Les enfants seraient chez leur grand-mère. Agathe, qui vivait désormais avec la vieille Adeline, se réjouissait d'avance à la perspective de les recevoir.

— Ces enfants mettront un peu de gaieté à *La dolce vita* qui est bien triste depuis le départ d'Ambroise ! avait-elle déclaré à Noëlie, lorsque celle-ci lui avait annoncé qu'elle partait à Venise avec son mari.

Les enfants étaient ravis, car ils adoraient Agathe et la magnifique maison de leur grand-mère avec son accès direct à la mer. Noëlie était soulagée aussi de prendre un peu de distance avec ses enfants qu'elle trouvait de plus en plus insupportables. Kevin se rebellait sans cesse et devenait insolent. La veille, il lui avait fait une scène, car elle n'avait pas voulu lui montrer le maniement du petit tracteur destiné à tondre la pelouse. Elle en aurait été d'ailleurs incapable !

— C'est le travail du jardinier ! s'était-elle récriée.

— Mais tu le faisais bien, avant, et ça te plaisait !

Il l'avait ensuite harcelée pour qu'elle l'aide à bêcher son petit carré de jardin. Noëlie, qui avait horreur des travaux de jardinage, avait naturellement refusé, pensant que sa jumelle, avec son penchant pour les besognes ancillaires, avait l'art de semer la zizanie dans sa maisonnée.

— Tu es devenue trop méchante ! lui avait-il hurlé avant de monter s'enfermer dans sa chambre.

Les relations avec Marion n'étaient pas meilleures. L'adolescente se butait sans arrêt. Comme son frère, elle lui reprochait d'avoir changé et d'être de nouveau une mère « genre chiante de chez chiante ». En un mot : la situation lui échappait et devenait ingérable.

En entendant la proposition de Noëlie, Zoé bondit de joie.

— Un week-end à Venise, dis-tu ? Bien sûr que ça me botte, mais cela ne te gêne pas que... euh... je couche avec Victor ?

— Pas du tout, au contraire. Si je te le propose, c'est parce qu'un tête-à-tête en amoureux avec lui, je trouve ça mortel ! On n'a plus rien à se dire et je m'ennuie comme un rat.

— Tu ne l'aimes plus ? s'étonna Zoé.

— À vrai dire, cela n'a jamais été l'amour fou.

Elle marqua un temps de silence avant de poursuivre :

— J'ai épousé Victor pour ne pas décevoir papa, mais je n'ai jamais pris mon pied avec lui. J'ai toujours simulé le plaisir, alors que je ne ressentais rien, si ce n'est l'envie qu'il en finisse le plus vite possible. Rien de comparable avec Antoine, mon premier amour. Depuis que je l'ai retrouvé, je ne supporte plus que Victor me touche. Il me dégoûte !

— C'est vrai qu'il a du charme, Antoine, mais je préfère Victor. Je suis amoureuse de lui, et puisque ça ne te dérange pas, je suis partante. Je suis folle de joie de faire ce voyage à ta place.

— Ah ! je suis soulagée que tu acceptes, tu m'enlèves une épine du pied ! On fera l'échange demain soir, je dormirai ici, et toi, tu prendras ma place dans le lit conjugal ! Le départ à Venise est prévu après-demain dans la matinée.

— O.K. ! Je suis réellement heureuse. C'est la première fois que je prendrai l'avion, jubila Zoé.

84

— Notre hôtel donne sur la plage, tu vas adorer, chérie ! s'écria Victor en ouvrant la portière à Zoé.

Ils s'installèrent dans la voiture de location et quittèrent le parking de l'aéroport de Venise en direction du Lido.

La veille, Noëlie était venue au petit pavillon. Elles avaient fait l'échange des vêtements, puis Zoé était partie à la villa au volant de la Golf. Elle éprouvait une joie immense à l'idée de retrouver les enfants ! Victor avait été retenu à l'hôpital jusque tard dans la nuit. Elle ne l'avait pas entendu rentrer. Éreintée par sa journée à la boutique, à peine avait-elle posé la tête sur l'oreiller qu'elle s'était endormie. Ils s'étaient envolés pour Venise à neuf heures. L'avion avait atterri une heure et demie plus tard. Après sa nuit blanche, Victor avait somnolé, alors que Zoé, une fois passée la petite panique au moment du décollage, était restée le visage collé au hublot, émerveillée comme une enfant devant une devanture de Noël.

Sur le parking de l'hôtel du Lido, un bagagiste, long comme un jour sans pain, avec une mince moustache noire, transporta leurs bagages jusqu'à un bungalow de plain-pied sur la plage. Il leur ouvrit la porte, s'effaça pour les laisser entrer. La pièce était plongée dans la pénombre. Il tira les rideaux et le soleil pénétra à flots dans la chambre. Il pointa l'index vers une bouteille dans un seau posé sur une table jouxtant le large lit.

— Du champagne pour les amoureux ! clama-t-il en français avec un accent italien d'opérette, avant de refermer doucement la porte en chantonnant : *Ah ! l'amore quante cose fa fare l'amore !*

— C'est magnifique ! s'écria Zoé, ravie.

Victor la regarda, troublé par le changement subtil qui s'était opéré chez « sa femme » qui le regardait, un grand sourire aux lèvres. Elle avait retrouvé sa joie de vivre et son enthousiasme. Il la trouva très belle dans sa robe légère qui dansait autour de sa silhouette et mettait en valeur ses jambes fines et ses seins fiers. Il s'approcha d'elle et lui prit les mains. Puis il recula d'un pas pour la contempler.

— Laisse-moi te regarder, tu es en beauté !

Zoé était au comble du bonheur.

— Embrasse-moi, chéri, lui demanda-t-elle, d'une voix rauque.

Un peu surpris de retrouver la femme amoureuse, il l'attira dans ses bras et s'empara de sa bouche. Zoé se pressait contre lui, les lèvres entrouvertes. Il sentait ses seins fermes contre sa poitrine. Le souffle court, il lui retourna son baiser avec ardeur. Le tissu léger de sa robe glissa entre ses doigts dans un frémissement soyeux.

— J'ai tellement envie de toi, chérie ! lui souffla-t-il à l'oreille, saisi d'un appétit dévorant.

Soudain, ils se retrouvèrent nus sur le lit, leurs mains et leurs lèvres se cherchant avec fièvre, se caressant avec fougue. Et Victor connut l'extase au-delà de ses fantasmes les plus fous. Comme si le temps avait suspendu son vol, il ne fut plus que sensations vertigineuses. La femme sage et pudique avait disparu comme par enchantement. C'était la séductrice, la bacchante impétueuse, impudique et inventive, qui le portait au paroxysme du plaisir. Quand il reprit ses esprits, il était allongé près de Zoé, le corps frémissant, le cœur affolé. Tournant la tête, il la contempla, débordant d'amour et de gratitude.

— Ô chérie, je t'ai retrouvée !

— Tu m'avais perdue ? gloussa-t-elle.

Elle était couchée sur le dos, les yeux fermés, et ses seins se soulevaient au rythme de sa respiration.

— Oui, tu étais redevenue si froide !

Et, comme s'il craignait d'avoir rêvé, il tendit timidement la main et lui caressa un sein.

Avec un sourire lascif, elle posa sa main sur la sienne et il sentit sa chair palpitante.

— Je suis heureux, murmura-t-il.

— Si nous trinquions ? proposa Zoé avec entrain.

Victor saisit la bouteille, fit sauter le bouchon au plafond et le champagne jaillit en un torrent de mousse. Il s'empressa de remplir les deux flûtes. Il en coula autant dans le lit que dans les coupes. Zoé partit d'un rire sonore.

— C'est ce que fait toujours le jeune marié dans les films romantiques, pouffa-t-elle.

Il en tendit une à Zoé et leva la sienne.

— À nous deux, chérie, à nos amours !

— À nos amours ! répéta Zoé, espérant qu'elle aurait souvent l'occasion de remplacer Noëlie dans le lit de Victor.

— Alors, ce week-end ? demanda Noëlie le lundi matin à Zoé en lui ouvrant la porte du pavillon où elle l'attendait pour l'échange des rôles.

Une Zoé au visage hâlé, épanoui en un radieux sourire. Resplendissante.

Elle venait de vivre une véritable lune de miel, avec tous les ingrédients romantiques dignes d'un roman Harlequin : l'incontournable promenade en gondole et le baiser sous le pont des Soupirs, promesse d'un amour éternel, la flânerie main dans la main dans le labyrinthe des ruelles, des canaux, des arches et des ponts, le dîner aux chandelles, la musique douce et les nuits ardentes...

— Fantastique ! Et toi ?

— Moi aussi, j'ai passé un week-end de rêve ! dit Noëlie.

Avec Antoine, ils étaient partis à la recherche de leurs émois de jeunesse. Ils avaient marché des heures dans la garrigue provençale en quête de la source près de laquelle ils avaient campé vingt ans plus tôt. Ils avaient dressé leur petite tente au même endroit, ressuscitant les amours passées, le temps perdu et retrouvé.

— Je voudrais vivre toujours à tes côtés, ne jamais te quitter, lui avait soufflé son amant au moment de la séparation.

C'était aussi le vœu de Noëlie, mais elle n'était pas libre ; elle avait sa famille, son mari et ses enfants...

— Eh bien, il faudra remettre ça ! Je suis toujours partante ! s'écria Zoé avec enthousiasme. Puisque tu n'es pas jalouse, je peux t'avouer qu'avec ton mari, je prends mon pied.

— Pourquoi voudrais-tu que je sois jalouse ? Je n'ai jamais aimé Victor. Le pauvre, il va y perdre son latin et se demander si sa femme n'est pas schizo. Après les ardeurs torrides du dimanche, il va trouver la banquise du lundi ! pouffa Noëlie.

Elle regarda l'heure.

— Bon, il faut que j'y aille, j'ai promis à Marion de l'accompagner à sa première échographie.

Elle avait suivi les conseils de Zoé et fini par accepter la grossesse de sa fille, bien qu'elle la désapprouvât, continuant à penser au fond d'elle-même que c'était une erreur monumentale. Mais il avait bien fallu s'y résigner.

— Comme je t'envie d'être bientôt grand-mère ! soupira Zoé.

— Eh bien, moi, je t'envie d'être libre et sans attaches. Les enfants nous enchaînent et sont une source d'ennuis.

— Et de bonheur ! De quoi te plains-tu ? Ils sont adorables, tes gosses.

— Adorables peut-être, mais parfois difficiles à supporter, lui rétorqua Noëlie en changeant de tenue.

Elles quittèrent ensemble l'appartement. Le magasin ouvrait à neuf heures et les vendeuses devaient y être une demi-heure avant l'ouverture.

— Je te dépose à la boutique ? lui demanda Noëlie.

— Oui, si tu veux, sinon j'ai le temps, je peux y aller à pied.

— Je suis contente de passer un moment supplémentaire avec toi, allez, monte ! répliqua Noëlie en lui ouvrant la portière.

Elles devisèrent joyeusement pendant le trajet, et Noëlie se gara devant la boutique de mode. Zoé l'embrassa.

— Allez, *bye* ! Passe une bonne journée ! lui dit-elle avant de quitter la voiture.

— Toi aussi, à bientôt, Zoé !

En prononçant ces mots, Noëlie eut un peu honte d'avoir une journée de farniente devant elle, alors que sa sœur allait travailler pendant des heures, enfermée dans un magasin.

— Tu verras, tu auras un nouveau week-end merveilleux avec Victor, ajouta-t-elle pour se déculpabiliser.

Elle était comme la bonne fée qui, d'un coup de baguette magique, donne à Cendrillon le pouvoir de se transformer en princesse et de rencontrer son prince charmant ! Avoir un sosie et pouvoir mener une double vie était une chose fabuleuse qui tenait du conte de fées !

— Il a une tête immense, c'est normal ça, docteur ? demanda Marion, soudain inquiète, en regardant l'écran.

— Ne vous faites pas de souci, tout est normal ! répondit le radiologue en souriant. Mais attendez... ajouta-t-il en se penchant vers l'image.

Marion sursauta.

— Y a quelque chose d'anormal, docteur ?

Plongé dans son examen de l'image échographique, il ne répondit pas. Angoissée, Marion scrutait le visage de l'homme qui fronçait les sourcils.

— Pouvez-vous vous mettre sur le côté, s'il vous plaît ? demanda-t-il à sa patiente.

Il aida Marion à se tourner. Les yeux toujours rivés à l'écran, il reprit :

— Je vois deux têtes !

— C'est pas normal ? hurla Marion, horrifiée.

Le radiologue eut un petit rire.

— Mais si, rassurez-vous, vous avez tiré le gros lot ! Vous attendez deux bébés !

— Deux bébés, des jumeaux ! gémit Marion.

Elle laissa sa tête retomber sur la table de consultation, tétanisée.

— Ce sont des filles ou des garçons ? demanda-t-elle, après un silence lourd.

— C'est encore trop tôt pour le dire, expliqua le médecin avant d'ajouter avec un large sourire : Maintenant, vous allez bien vous reposer, car – votre père pourra vous le confirmer –, une grossesse gémellaire requiert beaucoup de précautions. Et vous êtes bien jeune. Une fois le choc passé, vous verrez les choses sereinement. L'aventure qui vous attend sera deux fois plus belle !

Il essuya le ventre de Marion qu'il avait enduit de gel. Elle descendit de la table et quitta le cabinet.

Sa mère, assise dans la salle d'attente, se leva d'un bond.

— Alors, cette échographie ? demanda-t-elle.

— J'attends deux bébés !

— Quoi ? Des jumeaux ? s'écria Noëlie, catastrophée.

— Oui, répondit Marion.

La vue de ses bébés l'avait bouleversée. Elle ne savait plus que penser, d'autant qu'elle sentait bien le manque d'enthousiasme de Yann à l'idée d'être père. Il ne l'avait même pas accompagnée à l'échographie, prétextant une course urgente, ce qui l'avait peinée. Comment allait-il réagir quand il saurait qu'il y avait deux bébés au lieu d'un ? Elle commençait à entrevoir que ses parents avaient raison : qu'il n'était pas assez mûr pour être père et qu'elle devrait tout assumer elle-même. Mais sa décision était prise et il était trop tard pour reculer. De toute manière, maintenant qu'elle avait vu ses deux bébés, elle voulait les garder à tout prix.

— Il va falloir prévenir ton père, dit Noëlie.

Il sortait justement de la salle d'accouchement.

— Marion attend des jumeaux !

La voix de Noëlie sonnait comme celle d'un médecin prononçant une sentence de mort. Victor en resta la bouche ouverte, le souffle coupé, comme un poisson hors de l'eau.

— Quoi ? s'exclama-t-il, au bout d'une minute.

Et, à l'adresse de Marion :

— Cela ne va pas être facile, surtout si tu comptes continuer tes études. Enfin, c'est ton choix, soupira-t-il.

— Eh bien, à ce soir ! dit Marion, déçue de la réaction paternelle, en se détournant pour qu'il ne voie pas ses larmes.

La mère et la fille prirent l'ascenseur. Elles débouchèrent dans le hall, franchirent la porte vitrée et émergèrent dans la clarté radieuse de la matinée.

— Tu permets, maman, je vais annoncer la nouvelle à Yann.

Elle se dirigea vers un banc, sortit son portable et composa le numéro.

— Allô, Yann, c'est moi, Marion...

— Ah ! salut, Marion.

— Je viens de passer l'écho.

— Ah bon, et alors ?

— Et alors... j'ai les résultats. J'attends des jumeaux...

— Ah, merde !

— C'est tout ce que tu trouves à dire ?

— C'est un coup dur, merde ! Déjà un seul, c'était pas de la tarte, alors là...

Marion raccrocha, furieuse, et éclata en sanglots.

— Il a mal réagi ? demanda Noëlie en la prenant dans ses bras.

« Il fallait s'y attendre », pensa-t-elle.

— Je t'aiderai, Marion ! promit-elle, ne sachant comment consoler sa fille.

Mais elle n'ignorait pas ce que cette promesse impliquait : le sacrifice de sa liberté et la corvée du pouponnage dont elle avait une sainte horreur.

87

— Maman, si tu es debout, assieds-toi ! Je suis reçue !

Noëlie fut tellement surprise par cette nouvelle inattendue qu'elle faillit lâcher son portable.

Marion était partie à huit heures voir les résultats du bac qui devaient être affichés dans la matinée sur les grilles du lycée. Sans grand espoir. Hormis la dissertation de philo que, contre toute attente, elle pensait avoir réussie – le sujet : *Peut-on prouver sa liberté ?* l'avait inspirée ! –, elle était persuadée qu'elle allait se planter.

— On a attendu jusqu'à onze heures avant qu'ils accrochent les listes, et j'ai trop flippé ! Tu aurais vu le bordel, ça gueulait de partout et on se marchait tous dessus !

— Félicitations, ma chérie. Et Yann, il est reçu ? demanda Noëlie.

— Non, il a déconné et y a une embrouille.

— Je ne comprends pas le problème. Il est collé, c'est ça ?

— Pire, il a triché et il s'est fait gauler ! Et il flippe grave pour l'annoncer à son père.

— Quoi ? Il a fraudé le jour du bac ? Tu ne me l'avais pas dit ! s'écria Noëlie, scandalisée. C'était pourtant un bon élève !

— Allons, maman, tu sais bien qu'il n'arrêtait pas de pomper à toutes les interros. Sans la triche, il est nul. Je t'avais même montré la montre à antisèches que j'avais achetée avec lui. Heureusement que j'ai fait ce que tu m'as conseillé et que je ne l'ai pas utilisée.

Les cheveux de Noëlie se hérissèrent sur sa tête. La pensée que sa fille eût pu frauder au bac la faisait frémir. Elle bénit sa sœur d'en avoir dissuadé Marion. Pour une fois, elle avait été de bon conseil.

— Pourquoi n'as-tu pas dit à Yann qu'il était dangereux de tricher à un examen ?

— C'est ce que j'ai fait, maman, mais il n'a pas voulu m'écouter.

Marion avait montré à Yann un site Internet qui mentionnait les sanctions encourues en cas de fraude au bac. Le candidat pris en flagrant délit était frappé d'une interdiction de le repasser pendant cinq ans. « Avec les bébés, tu ne peux pas te permettre de courir ce risque ! » l'avait-elle sermonné. Il n'avait rien voulu entendre, prétendant que, sans tricher, il irait droit dans le mur. Et il s'était fait attraper à l'épreuve d'histoire. L'examinateur lui avait confisqué son smartphone. Il allait être convoqué devant une commission et ne pourrait peut-être pas se représenter à l'examen avant 2019.

— C'est vraiment inconscient de sa part, on dirait qu'il n'a pas réalisé qu'il allait être père, remarqua Noëlie d'un ton acerbe, avant de raccrocher.

« Ah ! si seulement Marion n'était pas enceinte, tout baignerait dans l'huile ! » pensa-t-elle.

Zoé lui permettait de s'évader du ronron quotidien tous les week-ends avec son amant. Victor filait sa romance avec sa jumelle. Chacun y trouvait son compte et tout le monde était heureux !

Le bonheur de Victor connaissait, bien sûr, des éclipses. Après ses béatitudes vénitiennes, il avait reçu une douche froide. Le lundi soir, alors qu'il tentait des manœuvres d'approche auprès de « sa tendre moitié », elle l'avait regardé avec une agressivité non dissimulée avant de le repousser sèchement :

— Laisse-moi décompresser, je suis épuisée !

Mais, à la longue, il avait fini par se faire une raison et par accepter les changements d'humeur de son épouse dont les ardeurs ne s'éveillaient le plus souvent qu'en fin de semaine. Il mettait cette sorte de dédoublement de la personnalité sur le compte du traumatisme qu'elle avait subi lors de l'agression, espérant vivement que la « Noëlie aguichante du dimanche », dont il était éperdument amoureux, finirait par avoir le dessus sur la « Noëlie éteignoir du lundi » qu'il avait toujours connue.

Noëlie soupira en pensant à l'arrivée des bébés qui allait tout chambouler. Elle serait absorbée par les biberons et les couches et ne pourrait plus rejoindre Antoine. À moins que Zoé, qui se réjouissait déjà à l'idée de pouponner les jumeaux, ne consente à la remplacer plus souvent...

Elle composa le numéro du portable de Victor. Il décrocha instantanément.

— Victor, tiens-toi bien, Marion a le bac !

— C'est un miracle !

— Mais Yann a un gros problème ! Il a été pris en flagrant délit de triche.

— Quel con ! Il n'en avait pas besoin, il était brillant.

— Brillant ? Ses profs se sont tous fait avoir ! Marion vient de me dire qu'il trichait sans arrêt en classe. Il s'est fichu dans un sacré pétrin.

— J'imagine la tête d'Orsini, la honte pour un commissaire ! Ce garçon est complètement irresponsable. Dire qu'il va être père, j'en frémis !

— En tout cas, on va fêter ce soir le succès de Marion. Je vais acheter un gâteau.

— Pourquoi tu ne nous fais pas plutôt une tarte maison ? Tes gâteaux sont bien meilleurs que ceux des pâtissiers.

« Ah ! c'est vrai, Zoé est un cordon-bleu », se souvint-elle.

— Je n'ai pas le temps, j'ai rendez-vous chez Hédenté pour ma couronne. Tu rentres à quelle heure ?

— Sauf imprévu, je serai à la maison à sept heures.

— Parfait, à ce soir.

— À ce soir, ma chérie !

D'un pas décidé, Zoé marchait dans le dédale des couloirs de l'hôpital qu'elle avait tant de fois nettoyés. Elle arriva à l'accueil où un petit homme à la face rougeaude était en train de se faire rabrouer par une infirmière que Zoé connaissait de vue et qui n'avait jamais daigné lui accorder un regard, lorsqu'elle passait devant elle, armée du matériel d'entretien.

— Seuls les membres de la famille sont admis. Combien de fois faudra-t-il que je vous le répète, monsieur, lui disait-elle sèchement, le toisant de toute sa hauteur.

L'homme se mit à se dandiner d'un pied sur l'autre.

— Mais...

— Il n'y a pas de mais, vous n'avez rien à faire ici !

Apercevant alors Zoé, elle plaqua un sourire mielleux sur sa face revêche.

— Ah ! madame Escartepigne, quelle bonne surprise ! Je suppose que vous venez voir votre fille. Elle est dans la chambre 304. Votre mari en sort à l'instant.

Le cœur battant à l'idée qu'elle aurait pu croiser « son mari du dimanche », Zoé la remercia et longea le long couloir jusqu'à la chambre de Marion. Elle toqua.

— Entrez ! répondit l'adolescente.

Zoé pénétra dans la chambre. Une grande pièce ensoleillée, avec une terrasse qui donnait sur le parc. Marion, couchée dans le lit, la tête appuyée contre des oreillers, jouait à *Candy Crush* sur son smartphone. Elle avait dû être hospitalisée d'urgence la semaine précédente en raison de maux de ventre et de pertes de sang. En tant que patiente privilégiée, elle bénéficiait d'un traitement de faveur. Elle occupait une chambre individuelle et le personnel était aux petits soins pour la fille du grand patron. Ayant frôlé la fausse couche, elle allait devoir rester allongée pendant une bonne partie de sa grossesse.

Zoé, affolée à l'annonce de cette nouvelle, avait enfilé une tenue de Noëlie pour venir faire une petite visite à sa nièce.

— Comment vas-tu, ma chérie ? Tiens, je t'ai apporté une lecture amusante, dit Zoé en lui tendant des BD sur les profs, dénichées à la FNAC.

— Merci, mam'.

— Tu sais que j'ai eu très peur ! Je suis soulagée de voir que maintenant tout va bien, dit-elle en l'embrassant.

— Ah bon ? fit Marion. J'ai eu l'impression que tu aurais été plutôt soulagée que je fasse une fausse couche, et papa aussi d'ailleurs.

— Comment peux-tu dire une chose pareille ? s'offusqua Zoé. Tu ne peux pas savoir à quel point j'étais inquiète.

504

— Pourtant, vous êtes tous contre cette grossesse, si tu crois que je ne m'en suis pas aperçue ! Même Yann qui n'est même pas venu me voir !

Et Marion éclata en sanglots.

Zoé, qui comprenait que Marion avait vu juste et que cette grossesse était considérée par tous comme indésirable, ne sut que dire. Elle se contenta de serrer Marion dans ses bras. Ah ! combien elle aurait voulu être à la place de Noëlie pour dorloter Marion et avoir la joie de s'occuper des bébés à naître !

SEPT MOIS PLUS TARD

Marion regardait, comme hébétée, les deux bébés écarlates, installés dans leur couffin, qui poussaient des hurlements perçants. Le soleil hivernal pénétrait à l'oblique par la grande baie vitrée pour ricocher sur le trumeau rococo au-dessus de la cheminée où dansait un bon feu, avant de se fragmenter en de multiples arcs-en-ciel. Yann, affalé sur le sofa, avait envie de se boucher les oreilles. Ces cris stridents lui déchiraient les tympans. Marion regarda sa montre.

— C'est l'heure de la tétée, les petites ont faim, c'est pour ça qu'elles pleurent, dit-elle.

Et, avec un soupir :

— Il faut leur donner le biberon, et je suis crevée.

Marion avait accouché trois semaines auparavant. La fin de la grossesse avait été une véritable épreuve. Avec son ventre volumineux et ses vingt-cinq kilos supplémentaires, elle n'en pouvait plus. L'accouchement avait été particulièrement long et difficile. Après la naissance de Chloé, le premier bébé, on avait dû pratiquer une césarienne en urgence, car Emma, le deuxième, se présentait par le siège. À sa sortie de la maternité, elle était encore trop faible pour vivre seule avec Yann dans l'appartement aménagé pour le jeune couple. Elle était donc restée chez ses parents et, secondée par sa mère, elle s'occupait des bébés avant la rentrée universitaire.

Depuis l'arrivée des petites jumelles, Noëlie, qui pouponnait du matin au soir et se levait la nuit, était à bout de nerfs. Elle était aussi très inquiète pour l'avenir, car Yann – comme elle l'avait prédit – ne se comportait pas en père responsable, loin de là. Contraint et forcé, il avait assisté à l'accouchement, mais n'avait manifesté aucune émotion à la naissance de ses enfants. Il venait tous les soirs voir les bébés, mais il le faisait par obligation, l'air détaché. Marion et ses filles semblaient le laisser complètement indifférent.

Quand il avait été informé de sa fraude au bac, le commissaire était entré dans une colère noire. En tant que représentant de l'ordre, il avait été si humilié par le comportement déshonorant de son fils qu'il l'avait fait embaucher illico par un ami garagiste, avec la consigne de lui en faire baver. Mettre les mains dans le cambouis jusqu'à ce qu'il soit autorisé à repasser son bac lui apprendrait la vie. Son patron lui ayant laissé son samedi libre, afin qu'il pût profiter de ses filles, Yann était venu passer l'après-midi avec Marion.

Noëlie, heureuse de ce répit qui lui permettait de souffler un peu et de se changer les idées, était partie après le repas chez Zoé. Elle voulait lui demander de jouer les nounous à sa place le lendemain dimanche. Elle avait vraiment besoin de se reposer, loin du tintouin. Elle avait d'autant moins de scrupules à faire une telle demande à sa sœur qu'elle savait que le pouponnage n'était pas pour Zoé une corvée, mais une source de joie.

Marion sortit deux des quatorze biberons qu'elle avait lavés et stérilisés le matin, y mit une dose de lait en poudre, puis versa de l'eau et les posa dans le chauffe-biberon. Au bout de quelques minutes, elle en retira un, fit couler une goutte de lait sur son poignet pour vérifier la température, comme le lui avait montré l'infirmière de la maternité. Elle prit Chloé qui hurlait le plus fort, s'installa sur une chaise et commença à la nourrir.

— Tu avais faim, mon bébé, souffla-t-elle en contemplant béatement les petites lèvres roses qui pompaient goulûment sur la tétine.

Elle regarda Yann qui restait vautré dans le sofa, l'air absent.

— Yann, lui cria-t-elle, donne l'autre biberon à sa sœur !

— Je ne sais pas faire ça ! répondit-il avec une moue.

— Il faudra bien que tu m'aides, protesta-t-elle, en tenant le bébé bien droit pour lui faire faire son rot. Avec sept tétées par jour, je ne peux pas m'en sortir toute seule.

Elle reposa le bébé qui se remit à hurler et prit l'autre.

— Pourquoi continue-t-elle à brailler ? demanda Yann, visiblement énervé.

— Il va falloir lui changer la couche, dit-elle, à bout de nerfs.

— Bon, ben, tu le feras, bougonna Yann, moi je vais prendre un peu l'air, ces cris me les brisent, je n'en peux plus.

Sans se départir du sourire un peu niais de la mère béant devant sa progéniture, Marion fit téter Emma, lui tapota le dos et la reposa dans son couffin. Elle monta ensuite les deux bébés dans sa chambre.

En attendant de s'installer avec Yann dans le nouvel appartement où elle avait aménagé une chambre d'enfants, elle avait placé les berceaux de chaque côté de son lit. Elle coucha Chloé, activa le mobile musical au-dessus de sa tête et posa Emma sur la table à langer. Elle sortit une couche du paquet et la changea avant de la reposer dans son berceau et de prendre sa sœur pour accomplir la même tâche. Un double travail qu'elle commençait à connaître par cœur. Une fois couché, le bébé prit son pouce et se tut instantanément. Elle berça l'autre qui s'était mis à vagir et qui s'endormit à son tour. Heureuse à l'idée d'avoir enfin une plage de tranquillité, Marion rangea les affaires. Quand tout fut en ordre, elle contempla ses filles avec fierté. Le cœur gonflé d'amour, elle leur piqua un petit baiser sur le front et descendit au rez-de-chaussée.

Au salon, Yann fumait une cigarette en sirotant une bière.

— Les petites dorment, annonça-t-elle.

— Eh ben, c'est pas trop tôt, fit-il. Ces braillements me les cassent. Je me demande comment tu peux supporter ces cris jour et nuit. C'est à devenir dingue.

— Il faudra bien que tu t'y fasses quand on vivra ensemble dans l'appart. Elles crient jour et nuit.

— Parce que tu crois que je vais me lever la nuit ? Je suis crevé, moi, je bosse ! protesta Yann.

— Parce que je ne fous rien, moi, c'est ça ? Et je ne suis pas aussi crevée que toi, peut-être ? Je te préviens, quand je vais aller à la fac, on devra partager le travail, je ne peux pas faire tout toute seule ! lui lança Marion, rouge de colère.

— Tu me les gonfles, toi et tes gamines ! Je n'ai pas envie de venir vivre ici, c'est trop chiant !

L'incrédulité et la lassitude se peignirent sur le visage de Marion.

— Tu veux me laisser les élever toute seule, c'est ça ? Tu n'es qu'un sale égoïste !

— Je te rappelle que c'est toi qui as voulu garder ces gosses. Moi, je n'en voulais pas, bordel !

— Eh ben alors, tire-toi, salaud, je me débrouillerai sans toi. La porte est ouverte, je ne te retiens pas !

Soulagé, Yann sortit sans demander son reste, heureux de pouvoir vaquer à des occupations moins chiantes. S'occuper des chiards, c'était un boulot de meuf, comme l'aurait dit tonton Léo.

90

Quand Zoé lui ouvrit la porte, Noëlie remarqua qu'elle avait une mine épouvantable, comme si elle n'avait pas fermé l'œil de la nuit.

— Qu'est-ce qu'il se passe ? lui demanda-t-elle, inquiète.

— Sylvio vient de me téléphoner pour m'apprendre que Léo exécuterait sa peine sans aller en taule, répondit-elle, les yeux exorbités par la peur.

— Comment ça ? Il a été condamné et il n'ira pas en prison ?

— Non, grâce aux appuis de son frère, il va porter un bracelet électronique à la cheville. Sylvio lui a même trouvé un boulot dans une usine à Gardanne. J'ai la trouille, Noëlie, il va vouloir se venger.

— Mais avec un bracelet, il sera surveillé, je suppose. Et il n'a pas intérêt à faire des bêtises, sinon c'est la prison...

— Je connais Léo, je sais qu'il est capable de tout !

— Tu en as parlé au commissaire ?

— Oui, il m'a dit qu'il n'y avait aucune raison d'avoir peur : il sera relié à une équipe de surveillants qui contrôleront s'il respecte bien ses heures de sortie. Mais qui l'empêchera de faire un détour par ici en rentrant du boulot ? À partir d'aujourd'hui, je vais vivre dans la panique.

— Écoute, Zoé, je venais te proposer de prendre ma place demain à la maison, mais si tu veux y aller tout de suite, je suis d'accord pour rester ici dès maintenant. Pouponner pendant deux jours te fera oublier Léo. Moi, je n'ai pas peur de lui et je pourrai décompresser un peu. J'en ai besoin, je suis à cran.

À cette idée, les yeux de Zoé se mirent à briller. Elle adorait s'occuper des petites jumelles.

— Je ne demanderais pas mieux, dit-elle, mais je dois bosser. Je ne peux pas laisser tomber la patronne comme ça, un samedi après-midi. C'est le jour d'affluence à la boutique.

— Eh bien, j'irai à ta place. Je saurai bien me débrouiller. Fais-moi confiance. Je préfère encore servir les clientes plutôt que subir les criailleries des bébés. J'en ai plein les oreilles !

— Tu ferais ça pour moi, Noëlie ? Tu es hyper sympa ! s'écria Zoé en sautant au cou de sa sœur.

Pendant qu'elles échangeaient leurs vêtements, Zoé donna à Noëlie des renseignements sur son travail et elles quittèrent l'appartement. Zoé prit le volant et déposa Noëlie non loin de la boutique.

— Allez, *bye*, et encore merci !

— C'est moi qui te remercie, Zoé, de m'accorder deux jours de répit en me libérant de la corvée du pouponnage !

Zoé démarra, et Noëlie marcha sur le trottoir jusqu'à la rue piétonne où se trouvait le magasin, poétiquement baptisé *Au paradis de la mode*. Elle poussa la porte et entra, déclenchant le tintement d'une clochette. La boutique à l'éclairage tamisé faisait songer à un jardin, avec des effluves de muguet et de lilas qui évoquaient le printemps. Plusieurs clientes fouillaient parmi les vêtements. La patronne, une grande bringue brune, bien pomponnée, moulée dans un fourreau en lin, était en train de ranger des foulards.

— Vous avez l'air fatigué, Zoé, constata-t-elle.

— Je n'ai pas très bien dormi ! expliqua Noëlie.

Ce qui était la vérité. Les bébés l'avaient réveillée à trois heures du matin pour la tétée, et les ronflements de Victor l'avaient empêchée de retrouver le sommeil. Et comme une nuée de corbeaux, les idées noires s'étaient abattues sur elle. « Nuit blanche, idées noires ! » comme le disait son père. Le fiasco de son mariage, l'avenir gâché de sa fille qui, à dix-sept ans à peine, avait déjà la charge de deux enfants, Yann, un père trop jeune que la paternité n'avait pas mûri, sur qui Marion ne pourrait pas compter et qui finirait par l'abandonner. Marion qui se retrouverait un jour seule avec ses filles. Noëlie avait songé aussi aux corvées qui l'attendaient quand sa fille reprendrait ses études : pouponner du matin au soir. Mariée trop jeune, elle se rendait compte qu'elle n'avait pas eu de jeunesse.

Envolées les belles résolutions prises dans l'infâme bicoque ! Maintenant, elle voulait vivre pleinement son amour avec Antoine, partager avec lui les joies intellectuelles, connaître enfin une vie riche, profonde, pleine de sens et de petits bonheurs : tout ce dont elle avait été privée avec Victor. Grâce à son sosie, elle avait la chance de vivre des instants magiques. Mais pouvait-elle utiliser indéfiniment sa sœur à des fins égoïstes ? Zoé ne pourrait pas rester éternellement dans l'ombre. Elle avait droit elle aussi au bonheur. À part entière.

— Avez-vous cette jupe dans la taille 40 ?

La voix rauque de fumeuse d'une poupée pomponnée, parfumée, en vison et sac Ricci en bandoulière, la ramena brusquement à la réalité.

— Oui, bien sûr, répondit-elle avec un large sourire.

Elle parcourut les rangées, faisant glisser les cintres le long du portant, et lui tendit la jupe.

— Les cabines sont au fond du magasin, lui indiqua-t-elle.

Une jeune femme blonde, vêtue d'un long manteau en castor blanc, était en arrêt devant un caraco affriolant accroché de manière suggestive au-dessus des étagères de lingerie. Noëlie eut l'impression de l'avoir déjà vue quelque part, mais elle n'arriva pas à se souvenir où. La femme la regarda et esquissa un vague sourire avant de s'engouffrer dans une cabine d'essayage. Noëlie se tourna vers une jeune fille qui faisait défiler une à une les robes de mariée sur leur présentoir, dans un cliquetis de perles et un bruissement de taffetas qui rappelait celui de la brise dans le feuillage.

— Je peux vous aider ? lui proposa-t-elle aimablement.

— Je... je jette juste un coup d'œil, je vous remercie, bredouilla la jeune fille rougissante.

La grande bringue blonde sortit de la cabine et se dirigea vers la caisse. Noëlie se précipita.

— Vous êtes la femme du Dr Escartepigne ? demanda-t-elle tout de go à Noëlie.

— Non pas du tout, je ne suis pas mariée, répondit Noëlie en affichant une mine étonnée.

— J'aurais dû m'en douter. Je vois mal la femme d'un chirurgien travailler comme vendeuse ! En tout cas, c'est votre sosie, lâcha la femme avec un petit rire méprisant.

Noëlie se souvint alors de l'avoir rencontrée à une conférence donnée par Victor. Elle était l'épouse d'un célèbre cardiologue. La femme paya le caraco et les sous-vêtements sexy qu'elle avait choisis et sortit de la boutique.

Amusée, Noëlie vit la jeune fille tomber en arrêt devant une robe. Satinée, blanche comme de la neige, elle avait un corsage tout simple, légèrement échancré, conçu pour épouser les formes féminines. Elle regarda l'étiquette du prix, émit un petit sifflement indiquant qu'il dépassait de loin son budget, mais ne put pas résister à la tentation de voir la robe sur elle. Elle se glissa en catimini jusqu'au miroir qui couvrait la porte d'une des cabines d'essayage. Elle jeta un regard circulaire autour d'elle. Personne ne faisait attention à elle. Elle ôta prestement la robe du cintre et la plaqua contre son corps mince, par-dessus son jean et son pull. Puis elle virevolta dans tous les sens pour admirer son reflet. Soudain, elle se raidit. Le miroir avait capté le regard de Noëlie qui l'avait surprise pendant qu'elle se pavanait. Prise en flagrant délit, elle rougit comme une pivoine, remit la robe sur son cintre et la suspendit au hasard, les mains tremblantes. Noëlie s'approcha.

— Elle est belle, n'est-ce pas ?

— Je m'excuse de l'avoir sortie, mais elle est trop chère pour moi.

— Il n'y a pas de mal à ça, rien ne vous interdit de regarder les robes. Vous vous mariez bientôt ?

— Ben, je voudrais bien, mais mon copain n'est pas décidé.

La jeune fille quitta la boutique et Noëlie dut s'occuper d'une nouvelle cliente. Et quelle cliente ! Sa copine Élodie. Elle portait un manteau noir et une toque assortie, posée sur ses cheveux oxygénés.

— Salut, Noëlie ! s'exclama-t-elle. Quelle surprise ! Je dois renouveler ma garde-robe. Depuis ma lipo, j'ai perdu huit centimètres de tour de taille...

— Vous devez faire erreur, madame, on ne se connaît pas, lança Noëlie. Je suis vendeuse ici.

Élodie en resta la bouche ouverte, interloquée.

— Ah ben, ça alors ! C'est plus fort que de jouer au bouchon ! Incroyable. Je connais votre sosie !

— Tout le monde a un sosie, madame, c'est bien connu ! rétorqua Noëlie en étouffant un petit rire.

À la fermeture, elle était sur les rotules.

— Eh bien, bon week-end, Zoé, à lundi ! lui lança la patronne avec un grand sourire qui montrait qu'elle était satisfaite de sa nouvelle recrue qu'elle trouvait très classe.

Heureuse d'en avoir terminé, Noëlie quitta le magasin au pas de course. Elle allait retrouver Antoine pour un week-end de rêve.

91

Léo était d'une humeur massacrante. Il donna un coup de pied dans une des canettes de bière jonchant le terrain vague qu'il traversait pour regagner son immeuble délabré. Il en avait marre d'avoir le fil à la patte, il avait envie d'extraire comme un cor au pied ce bracelet électronique qu'il portait à la cheville vingt-quatre heures sur vingt-quatre et qui le reliait à une équipe de surveillance contrôlant tous ses mouvements. Il en avait plein le dos de son travail à l'usine. Il s'était plaint au frangin commissaire :

— Je pète des câbles dans ce turbin, je suis naze, pas de week-end, des horaires à la con, je déprime. C'est pas une vie ! Tu peux le comprendre, Sylvio !

— Estime-toi heureux de ne pas croupir derrière les barreaux, lui avait rétorqué son frère avec un regard dur et brillant comme celui d'un juge. N'oublie pas que, sans moi, tu serais en détention préventive. Et tu as intérêt à foutre la paix à Zoé après ce que tu lui as fait subir !

Léo était sorti de ses gonds.

— Putain, combien de fois faudra-t-il que je te répète que cette salope n'est pas une victime ? Elle était de mèche avec moi pour kidnapper la bourge !

— Arrête ton char, bordel ! Tu n'as pas encore compris qu'en racontant ces craques qui impliquent la femme d'un notable tu ne faisais qu'aggraver ton cas ?

— C'est la vérité, bordel de merde ! s'était-il obstiné.

Mais en vain. Son frère refusait de croire son histoire qu'il jugeait invraisemblable. Pour lui, il s'était comporté comme un proxénète en voulant forcer Zoé à se prostituer. Il l'avait maltraitée et séquestrée. Elle était donc la victime qu'il fallait protéger des agissements de son tortionnaire.

En pensant à Zoé et à la bourge qui s'étaient liguées contre lui, il serra les poings. Ces deux salopes s'étaient bien foutues de sa gueule, et se faire rouler dans la farine par deux gonzesses était quelque chose qu'il ne pouvait pas supporter. Mais il était bien décidé à se venger. Il n'avait plus rien à perdre. Il savait où elle bossait, la garce. Dans une boutique de fringues pour bourges pleines aux as. Et elle logeait dans les beaux quartiers. Dans la zone interdite fixée par le juge. Mais il avait la parade pour s'y rendre sans être inquiété. Il avait lu sur Internet qu'il suffisait d'entourer le bracelet électronique d'une feuille de papier alu pour brouiller le dispositif de géolocalisation et ne plus être repérable à distance par les autorités policières. Zoé ne perdait rien pour attendre. Et même s'il était arrêté, il s'en foutait. De toute façon, il n'avait plus envie de cette vie à la con...

Maintenant, il allait se défoncer à mort. Il ouvrit en tremblant de rage le sac plastique que lui avait livré un pote, déversa un petit tas de cocaïne et fit deux lignes sur un miroir ébréché avec une carte à jouer. Il se pencha et les sniffa avec une courte paille, avant de frotter ce qui restait sur ses gencives. L'effet fut immédiat.

— Quel pied ! murmura-t-il.

Et il partit dans un trip qui le fit voguer loin, très loin. Comme une mouette se balance au gré du vent. Libre, sans entraves...

92

— Où elles sont mes petites puces ? s'écria joyeusement Zoé en montant l'escalier quatre à quatre.

Elle ouvrit la porte de la chambre de Marion et resta figée dans l'embrasure. Les bébés hurlaient dans leurs berceaux et leur mère sanglotait, couchée en travers de son lit.

— Qu'y a-t-il ? Tu es malade ? demanda Zoé en se précipitant vers elle.

— C'est Yann, il est parti, il ne veut pas m'aider, je ne m'en sortirai jamais toute seule... Je n'en peux plus, articula Marion.

— Calme-toi, ma chérie, l'apaisa Zoé en lui caressant le visage. Je suis là maintenant. Détends-toi !

— Tu es déjà rentrée ? Je croyais que tu partais tout l'après-midi.

— Non, ma chérie, je suis rentrée tout de suite pour ne pas te laisser seule, je sais que tu as besoin de moi.

Elle sortit les bébés des berceaux et les prit dans ses bras en les berçant doucement. Les cris cessèrent instantanément.

— Il faut les changer, dit Marion avec des sanglots dans la voix. Je n'y arriverai jamais.

— Repose-toi, ma chérie, je m'en occupe.

Elle posa le premier bébé sur la table à langer et le changea en un tour de main, avant de passer au deuxième. On aurait pu croire, à voir l'habilité avec laquelle elle maniait les nourrissons, qu'elle avait fait cela toute sa vie. Cinq minutes plus tard, ils étaient couchés dans leurs berceaux et gazouillaient gaiement en regardant tourner les oiseaux multicolores du mobile musical fixé au-dessus de leur tête.

— Voilà, c'est terminé. Tu vois qu'il ne fallait pas paniquer.

— Ce matin, mam', tu en avais ras le bol, je l'ai bien senti.

— Non, c'est juste que j'étais fatiguée. J'aime beaucoup m'occuper des jumelles, protesta Zoé.

C'était la vérité.

— Tu sais, maman, Yann est dégueulasse, il s'est tiré quand je lui ai demandé de m'aider. Il se fout des bébés.

— C'est encore un gamin, mais je suis là, ma chérie. Tu sais quoi ? Demain, je te laisse quartier libre. Vous pourrez prendre du bon temps tous les deux. Ça vous fera le plus grand bien ! Un jeune couple a besoin de distraction.

Ravie, Marion noua ses bras autour du cou de « sa mère » et l'embrassa avec gratitude.

— T'es super sympa, mam', je t'adore !

Et Zoé, prise d'un vertige de tendresse, répondit à ses effusions en la couvrant de baisers.

Elle était dans la salle de bains en train de se passer

un gant d'eau fraîche sur le visage lorsque son portable sonna.

— Allô, Noëlie ? c'est Élodie.

— Bonjour, fit Zoé sur la défensive, ne sachant pas qui était son interlocutrice.

— Figure-toi qu'il m'est arrivé un truc incroyable cet après-midi, poursuivit la femme. J'achetais de nouvelles fringues dans une boutique branchée de la rue piétonne, *Au paradis de la mode...* Après ma lipo, c'est super, j'ai perdu des centimètres, je suis hyper contente, tout le monde admire ma taille de guêpe, c'est géant...

Zoé se souvint alors de la blonde oxygénée, mamelles à l'air, qui lui avait adressé la parole sur la plage.

— ... et là, tu sais quoi ? Je suis tombée sur ton sosie !

— Ah bon ! fit Zoé, amusée en imaginant la scène : Noëlie confrontée dans la boutique à une de ses copines.

— C'était une vendeuse. J'ai cru halluciner, c'est ton portrait craché. Jusqu'au moment où elle m'a parlé, bien sûr, car cette pauvre fille n'a pas la classe des gens de notre milieu. C'était toi en version populo !

93

— Cela va peut-être te choquer, Tony, mais je ne ressens rien pour mes petites-filles, si ce n'est de l'agacement. Pourtant, j'ai essayé de tenir mes bonnes résolutions, mais c'est plus fort que moi, je n'y arrive pas. Je ne suis pas faite pour ça. Être mère de famille est au-dessus de mes forces et rentrer à la maison après ce week-end merveilleux est un supplice, déclara Noëlie à son amant, le lundi matin, jour de la séparation.

Ils venaient de faire l'amour. Leurs esprits s'étaient unis en même temps que leurs corps. Parfaitement à l'écoute de leurs désirs respectifs. Elle était comblée. Apaisée. Dans les bras d'Antoine, ses angoisses fondaient. Plus rien ne comptait, hormis le moment présent. Elle avait besoin de l'énergie de son amant, de l'appétit effréné qu'il avait d'elle. Elle aurait pu rester allongée là pour toujours, à glisser ses doigts dans sa mèche, à regarder les petits poils blonds qui commençaient à poindre sur son menton et le long de sa mâchoire, les cheveux qui grisonnaient sur les tempes.

— Non, cela ne me choque pas, la rassura-t-il. Chacun réagit différemment. Tu n'es pas portée sur les gosses, et c'est ton droit.

— J'aime mes enfants, bien sûr, mais si c'était à refaire, je n'en aurais pas. Le fameux instinct maternel, je ne l'ai jamais ressenti. Je pense comme Élisabeth Badinter que c'est un mythe, une construction sociale. Je n'ai jamais eu envie d'être enfermée dans le rôle de mère nourricière totalement dévouée à sa progéniture. Après leur naissance, j'ai vécu un cauchemar. Je me sentais engluée dans une vie qui n'était pas la mienne. J'aurais voulu être libre, indépendante, créer, écrire. Pour moi, la création aurait largement pallié la pro-création. La maternité m'a complètement abrutie.

— C'est parce que tu n'aimais pas Victor.

— Tu as peut-être raison, mais je n'ai jamais eu le désir de me reproduire. Je me suis occupée de Marion et de Kevin, bien sûr, mais je l'ai fait comme un devoir, sans plaisir. Les couches, les tétées, les maladies infantiles, plus tard l'école, les anniversaires, l'horreur ! Bref, tout ce qui épanouit les mères que je voyais autour de moi a été une corvée, au point que je culpabilisais, me disant que j'étais une mère indigne ! Contrairement à Zoé, je n'arrive pas à communiquer avec Marion. Dès que je lui fais une remarque, elle se bute.

— Eh bien, c'est une chance que tu aies trouvé ton double pour te remplacer ! On peut passer des jours et des nuits ensemble, et en toute impunité !

— Sûr, mais à la longue, c'est un peu dégueulasse d'utiliser Zoé. Je lui offre la vie dont elle a toujours rêvé, un mari et des enfants qu'elle aime, pour les lui reprendre aussitôt. Je suis intimement convaincue qu'elle souffre de cette situation ambiguë, même si elle ne me l'a pas dit explicitement.

— Pourrais-tu y renoncer définitivement ? Venir vivre avec moi et abandonner ta famille à Zoé ?

— C'est la question que je me suis posée. Je crois que la réponse est positive. Tout le monde y trouverait son compte. Victor aurait la femme idéale dont il rêve : aimante, soumise et surtout béate d'admiration devant lui ; les enfants une mère aux petits soins pour eux ; et moi, la liberté de faire ce dont j'ai toujours rêvé, sans les contraintes familiales qui me pèsent de plus en plus, au point que j'en arrive à avoir des bouffées de haine qui me donnent mauvaise conscience. C'est un cercle vicieux. Et puis, grâce à Zoé, j'aurais des nouvelles des miens, et savoir ma famille heureuse suffirait à mon bonheur ! Depuis que je t'ai retrouvé, je me rends compte à quel point je me suis abêtie dans cette vie oisive, avec de fausses valeurs, j'ai envie de reprendre mes études, d'écrire...

— Chiche ! Je t'épouse, et on écrit à quatre mains le best-seller du siècle : ton histoire qui est une véritable fiction romanesque ! Je tiens même le titre : *Tu es moi.*

— Je ne sais pas si j'aurai un jour le courage de franchir le pas, soupira Noëlie.

Elle regarda l'heure et bondit hors du lit.

— Bientôt huit heures ! Il faut que je rentre, Zoé doit partir travailler. La boutique ouvre à neuf heures et il faut qu'elle y soit avant. J'espère qu'elle a passé un bon week-end avec mon mari !

— Comment faites-vous pour échanger vos rôles sans que personne s'en aperçoive ?

— C'est une question d'organisation. Zoé quitte la maison sous prétexte d'aller chercher le journal de Victor. Une demi-heure plus tard, c'est moi qui reviens avec *Le Figaro* sous le bras pour prendre la relève. On s'est acheté le même manteau, ce qui simplifie les choses.

Pendant qu'elle s'habillait, Antoine lui prépara le café qu'il lui tendit quand elle sortit de la salle de bains.

— Tu sais que je suis prêt à t'épouser. Penses-y ! lui souffla-t-il en l'embrassant lorsqu'ils se séparèrent.

94

— Maman, tu es là, enfin, c'est pas trop tôt ! Tu en as mis du temps pour l'acheter, ce journal !

— Il y avait des bouchons, on avançait comme des escargots, se justifia Noëlie.

— Vite, je dois partir, je vais être en retard ! s'écria Marion en saisissant son sac.

Avec son jean et son anorak, sa natte blond roux qui dansait dans son dos, personne n'aurait pu imaginer qu'elle avait accouché de jumelles un mois auparavant. Elle avait retrouvé sa taille fine et son entrain. Elle ressemblait plus à une étudiante insouciante qu'à une mère de famille.

— Tu pars ? demanda Noëlie, contrariée.

— Mais enfin, mam', on est lundi, et je dois suivre un cours à la fac hyper important, toute la journée. Le prof doit nous donner des tuyaux pour les prochains partiels. On dirait que tu ne le sais pas !

Maintenant que sa fille semblait prendre goût à ses études, ce n'était pas le moment de freiner son élan. Résignée, Noëlie l'accompagna sur le perron. Marion lui piqua un baiser sur la joue, enfourcha son vélo et pédala vigoureusement dans l'allée. Noëlie soupira et entra dans la villa.

Zoé lui avait laissé une maison impeccable. L'odeur du feu de bois et de la cire d'abeille se mêlait aux effluves du café. Noëlie s'en versa une tasse qu'elle sirota debout devant la grande baie vitrée. Le ciel était chargé de nuages bas. Le temps était à la neige. Les arbres du jardin ressemblaient à des spectres lugubres. La bâche de la piscine était recouverte de feuilles pourries. Elle se détourna de cette vue déprimante et s'assit sur le canapé devant la cheminée. Elle termina son café, posa la tasse sur la table basse et, bercée par le crépitement des flammes qui léchaient les grosses bûches, elle se mit à rêver à ce que serait sa vie avec Antoine. Elle fut interrompue dans ses rêveries par la sonnerie du téléphone. C'était Margot qui lui annonçait qu'elle ne pouvait pas venir travailler. Sa mère venait d'être opérée et avait besoin d'elle. Noëlie raccrocha, énervée à l'idée de devoir faire la cuisine. À peine venait-elle de se rasseoir qu'elle entendit un cri strident provenant de l'étage.

Elle monta l'escalier quatre à quatre et entra dans la chambre de Marion. Elle se pencha sur le berceau d'où provenaient les hurlements perçants et vit le visage écarlate de Chloé sillonné de larmes et de morve. Tenaillée par la faim, ses petits poings crispés, elle sanglotait convulsivement. Une forte odeur d'urine flottait dans la pièce. Elle repoussa la couette, prit le bébé dans ses bras et redescendit dans la cuisine. Elle ouvrit le réfrigérateur et vit les quatorze biberons de la journée, préparés à l'avance par Zoé. Elle en sortit un, le posa dans le chauffe-biberon, attendit qu'il soit à la bonne température et le présenta au bébé qui se mit à pomper goulûment sur la tétine. C'est alors que se déclenchèrent les vagissements d'Emma. Énervée, elle fit faire le rot à Chloé qui venait de terminer sa tétée. Elle réchauffa un nouveau biberon et monta s'occuper de sa sœur. Elle coucha Chloé qui se remit à hurler aussitôt. Elle agitait ses bras et ses jambes et ruait dans le vide, comme un gros insecte sur le dos. Noëlie pensa à Gregor Samsa, le héros de *La Métamorphose* de Kafka, transformé en un énorme cancrelat qui tente vainement de se retourner en lançant ses pattes grêles dans tous les sens. Et ce fut dans un véritable concert de braillements qu'elle donna le biberon au deuxième bébé affamé. Après les deux bains, elle avait les tympans déchirés et les nerfs à fleur de peau. Elle posa délicatement les jumelles dans chacun des berceaux et redescendit sur la pointe des pieds.

La pendule de la cuisine indiquait onze heures. Dieu merci, elle était seule à midi et s'épargnerait la corvée ingrate de la bouffe. Elle mangerait sur le pouce et se reposerait avant l'heure de la prochaine tétée. Elle avait passé la matinée à s'occuper des jumelles, et cela allait continuer jusqu'au soir. Même la nuit, elle devrait se lever pour aider Marion. Elle soupira, pensant à ce qui l'attendait encore. Elle accomplissait les gestes de façon mécanique, sans aucun plaisir. Les vagissements lui donnaient des envies de meurtre ! À l'idée de devoir faire cela tous les jours tandis que Marion serait à la fac, elle crut devenir folle. Certes, elle pourrait engager une nounou, mais elle serait quand même coincée à la maison pour l'aider. Et elle n'en avait pas la moindre envie.

La suggestion d'Antoine réapparut à la surface, insidieuse, déterminée. Pourquoi ne pas céder définitivement sa place à Zoé qui, elle, avait la fibre maternelle ? N'était-ce pas la meilleure solution ? Tout le monde serait heureux. Fini pour elle l'arrachement abominable à chaque nouvel au revoir, la souffrance de quitter Antoine et la vraie vie, pour se replonger dans ce qu'elle nommait « la vie morte ». Cette brutale irruption du temps des horloges et son cortège de maux et de corvées – si bien décrite par Baudelaire – qui *me pousse, comme si j'étais un bœuf, avec son double aiguillon : « Et hue donc ! bourrique ! Sue donc, esclave ! Vis donc, damné ! »* Et puis, si elle avait la nostalgie de sa famille, elle pourrait toujours, grâce à son sosie, reprendre son rôle et retourner chez elle pendant quelques heures. Elle réfléchit longuement, pesa le pour et le contre, tandis que son pouce tripotait nerveusement l'alliance à l'annulaire. Et sa décision fut prise, irrévocable : elle allait changer de vie, laisser sa jumelle endosser son rôle. Aujourd'hui même. Cela lui éviterait cette nuit encore d'avoir à repousser les avances de Victor pour ne pas passer à la casserole ! Quand Marion rentrerait de ses cours, elle prétexterait une course urgente et irait chez Zoé lui proposer de devenir définitivement « Mme Escartepigne ». Sa sœur accepterait avec joie, elle en était sûre. Elle n'aurait qu'à annoncer à la patronne de la boutique et aux propriétaires du pavillon qu'elle allait se marier et quitter la région.

Soulagée de sa décision, elle monta dans sa chambre pour trier les vêtements et ce qu'elle désirait emporter dans sa nouvelle vie. Des effluves érotiques flottaient dans la pénombre. Elle ouvrit la porte-fenêtre et la lumière grise du matin d'hiver pénétra dans la pièce. Le lit n'avait pas été fait. La couette gisait sur le sol. Le drap humide et froissé témoignait des ébats nocturnes de Zoé et de son mari. Elle se sentait comme une étrangère, une intruse dans sa propre maison, ce qui la conforta dans sa décision de partir. Elle n'avait plus rien à faire ici. Elle sortit une valise dans laquelle elle disposa des jeans, quelques pulls et chemisiers, un tailleur, une jupe, deux robes et un maillot de bain qu'elle aimait. Les tenues bon chic bon genre et les bijoux, elle les abandonnait à sa sœur. Dans sa nouvelle vie, elle porterait la plupart du temps des jeans et des baskets. Le culte de l'apparence, c'était bon pour ceux qui ne possédaient pas la richesse intérieure. Le dénuement dans lequel elle avait vécu pendant les semaines de sa séquestration lui avait fait prendre conscience de la futilité de sa vie antérieure dont elle avait honte. Elle savait maintenant où étaient les vraies valeurs. Elle ajouta quelques livres, des lettres, des dessins et des photos des enfants. Au fond, elle n'avait pas besoin de grand-chose pour être heureuse. Elle demanderait à Zoé de lui donner procuration sur ses comptes afin de pouvoir disposer de ses biens personnels et de ne pas vivre aux crochets d'Antoine. De toute manière, elle était résolue à reprendre ses études de lettres et à devenir professeur. Avec de la volonté et l'aide d'Antoine, elle y arriverait. Elle porta sa valise dans le coffre de la Golf. Les bébés s'étaient remis à crier. C'était l'heure de la tétée de midi. Maintenant qu'elle savait que son travail de nounou était provisoire, elle y alla gaiement.

Ensuite, elle eut enfin un moment de répit. Dans leurs berceaux, les bébés dormaient paisiblement en suçant le pouce. Jusque-là, elle en avait eu un presque sans arrêt dans les bras et elle était sur les rotules. Satisfaite, elle s'apprêtait à prendre un livre, lorsque la sonnette de la porte d'entrée retentit.

95

Tout en déshabillant un mannequin de la devanture, Zoé songeait au week-end passé chez Noëlie. Le rêve... qui hélas ! était passé trop vite...

Le samedi, après le repas du soir, elle avait eu un moment en tête à tête avec Victor ; ils avaient siroté un digestif devant la cheminée en regardant mourir les flammes. Le feu éteint, ils avaient gagné la chambre. Elle avait senti alors la gêne de « son mari ». Habitué aux sautes d'humeur de son épouse, il ne savait pas trop sur quel pied danser. Il s'était couché à côté d'elle et avait timidement posé la main sur sa poitrine. Elle avait répondu avec fougue à la discrète invite, l'emportant dans des transports qui les avaient conduits jusqu'au bout d'une nuit d'ivresse, épuisés, mais comblés. Victor s'était levé avant elle pour acheter des croissants qu'il lui avait montés sur un plateau avec le café, le beurre, la confiture et un jus d'orange. Tandis qu'elle engloutissait son petit déjeuner avec un bel appétit, il l'avait contemplée avec tendresse et lui avait susurré à quel point elle le rendait heureux. À quel point il l'aimait.

Toute guillerette à l'idée d'avoir un dimanche à elle, Marion avait téléphoné à Yann. Ce dernier, croyant qu'elle venait le rappeler à ses devoirs de père, s'était tout d'abord montré réticent, mais quand elle lui avait annoncé qu'ils avaient quartier libre, il s'était vite radouci et lui avait proposé d'aller au McDo et au cinoche, trop heureux d'être dispensé de la corvée dominicale du pouponnage.

— Merci, mam', t'es trop sympa ! lui avait glissé Marion avant de quitter la maison.

Zoé était aux anges. Quel régal de jouer à être la maman des deux bébés !

Toutes les trois heures, sans relâche : donner les biberons et le bain, nettoyer les petits derrières et changer les couches, leur chanter des chansons et bêtifier, penchée sur les berceaux, riant de leurs « risettes », elle s'en était donné à cœur joie. Elle aurait voulu bloquer les aiguilles de l'horloge afin que le lundi, jour de la séparation, n'arrive jamais ! Pour éviter que Kevin ne se sente laissé pour compte, elle avait joué avec lui à *Tetris* sur la console, pendant que les bébés dormaient. À la grande joie du petit garçon, la neige avait commencé à tomber vers dix heures. À midi, elle tombait dru. Les flocons dansaient joyeusement et une légère couche recouvrait le perron.

— Super, si ça continue à neiger, on pourra faire un bonhomme de neige ! s'était-il exclamé en battant des mains.

Au déjeuner, elle lui avait fait des frites pour lui tout seul, et une choucroute pour Victor. Au dessert, elle avait servi de la mousse au chocolat. Le petit garçon s'était levé de table en arborant une magnifique paire de moustaches ! Dans l'après-midi, pendant la

538

sieste des jumelles, elle l'avait aidé à construire son bonhomme près de la piscine transformée en patinoire. Victor s'était ensuite joint à eux pour une bataille rangée de boules de neige. Marion était rentrée enchantée de sa journée, et Zoé avait invité Yann à manger avec eux. Un seul nuage avait assombri la paisible soirée : l'idée de l'inévitable séparation du lundi.

Zoé épingla une nouvelle robe sur le mannequin et soupira. Ah ! si seulement elle pouvait vivre là-bas, auprès de Victor qu'elle admirait et dont elle était tombée follement amoureuse dès la première minute à l'hôpital quand elle l'avait vu à son chevet ! Devenir Noëlie à part entière, pour toujours, et non pas seulement durant ces quelques rares instants grappillés au temps, petits îlots d'éternité dans l'océan de son morne quotidien. Elle sentait bien que Noëlie n'avait pas la vocation d'épouse ni de mère. Le bonheur de sa famille lui importait peu. Il lui manquait pour cela l'abnégation nécessaire. Son épanouissement personnel passait avant celui des siens. Elle était insatisfaite, malheureuse dans ce rôle qui n'était pas taillé à sa mesure.

« Ah ! si seulement Noëlie pouvait me céder définitivement sa place ! » soupira-t-elle.

— Pouvez-vous m'indiquer à quelle taille correspond XS ?

Zoé sursauta et vit un homme en complet tabac à chevrons beiges, la face rougeaude congestionnée, ne déplaçant qu'avec lenteur sa masse de graisse molle.

— Bien sûr, monsieur, répondit-elle, brusquement tirée de ses pensées, en arborant un large sourire.

— C'est pour un cadeau à une femme qui fait un 46.

— Eh bien, il vous faudrait plutôt prendre un L. XS est une petite taille...

Puis elle fut apostrophée sans ménagement par une fausse blonde, en minijupe et veste en fourrure, bottée de cuir blanc jusqu'à mi-cuisses.

— Je veux essayer cet ensemble, lança-t-elle sèchement en pointant l'index vers un string arachnéen noir et un soutien-gorge coordonné qui se trouvaient dans la vitrine.

Elle parlait avec arrogance, toisant Zoé avec condescendance. Zoé retira les sous-vêtements affriolants de la devanture et les lui tendit.

— Vous pouvez aller dans la cabine du fond qui est libre, lui indiqua-t-elle aimablement.

La blonde découvrit une rangée de dents de cheval dans une sorte de rictus et tourna les talons sans rien ajouter. Pourquoi prendre des gants avec une vendeuse, quantité négligeable ? N'était-ce pas s'abaisser que de perdre son temps en politesse avec le menu fretin ?

« Quelle conne snobinarde ! Ah ! entrer pour toujours dans la peau de Noëlie, le rêve ! » pensa Zoé.

— Zoé, pourriez-vous me rendre un service ?

Zoé leva les yeux vers sa patronne qui se tenait devant elle.

— Bien sûr, madame, si je peux.

— Mme Rolland vient de m'appeler. Elle ne pourra pas venir avant dix-neuf heures trente chercher sa robe que nous avons retouchée. Pourriez-vous l'attendre après la fermeture du magasin pour la lui remettre ? Je dois conduire ma fille à la gare. Il vous suffira de déposer ensuite la clef dans la boîte.

— Oui, madame, cela ne me dérange pas, dit Zoé.

Qu'elle arrive chez elle une heure plus tôt ou une heure plus tard importait peu. De toute manière, personne ne l'attendait.

— Eh bien, Zoé, je vous remercie. Il est bien évident que je vous paierai cette heure en heure supplémentaire.

— Bien, madame, vous pouvez compter sur moi, dit Zoé en continuant à s'affairer autour du mannequin dont les yeux vides la mettaient mal à l'aise.

Elle avait l'impression de tenir dans ses bras le cadavre rigide et froid d'une femme.

96

Avec un soupir, la vieille Adeline reposa l'album photo qu'elle venait de feuilleter à rebours. Elle leva les yeux.

Un matin gris collait à la baie vitrée comme du papier sale. La contemplation de son existence en images lui avait fait oublier l'hiver et réveillé le printemps en lui restituant, par-delà la mort, l'être sans qui sa vie était devenue un désert. Le vide avait fait place au jaillissement d'une plénitude. Mais l'album à peine refermé, la souffrance revenait. Tel un fauve aux aguets tapi dans son cœur fatigué, ses griffes vrillaient impitoyablement sa blessure béante. Une douleur lancinante la compressait, l'élançait, la flagellait, la broyait. Elle n'avait qu'une envie : se dissoudre dans les larmes. Laisser sa bouche s'ouvrir toute grande pour que s'échappent enfin ses cris de douleur. Mais ils restaient bloqués à l'intérieur, attisant le chagrin. L'âme à l'agonie, pantelante, elle ne pouvait plus respirer.

À quoi bon affronter des semaines, des mois et peut-être des années de souffrance ?

Noël approchait, et à l'idée de passer cette fête sans son mari, elle était perdue. Elle avait pris sa décision à l'aube : rejoindre son Ambroise. Mais d'abord, elle voulait se décharger d'un lourd secret qui lui pesait : avouer la vérité à Noëlie. Lui révéler qu'elle était une enfant volée. Ce serait un choc, mais « sa fille » avait le droit de savoir qu'elle avait une sœur jumelle. Si elle le désirait, elle pourrait faire des recherches et la retrouver. La vision de ses petites-filles dans leur berceau lui avait fait prendre conscience que séparer les jumelles avait été une erreur fatale. Ils avaient agi en égoïstes sans penser au bonheur des enfants, et c'était ce qu'elle voulait réparer maintenant. S'il la voyait de l'au-delà, Ambroise serait content de sa décision, elle en était sûre. Il avait voulu maintes fois révéler à « leur fille » le secret qui entourait sa naissance, mais elle s'y était vivement opposée, craignant de perdre son amour. Elle prit un stylo et une feuille et rédigea sa confession d'une écriture tremblante.

Une heure plus tard, arrivée à la conclusion, elle écrivit :

Je veux que tu saches, ma chérie, que nous avons agi par amour et que nous t'avons aimée comme notre propre fille. Et elle signa : *Ta maman pour toujours.*

Ses yeux ruisselaient de larmes. Elle plia la lettre, la glissa dans une enveloppe sur laquelle elle inscrivit en majuscules : À L'ATTENTION DE NOËLIE. Elle prit ensuite une autre feuille et rédigea un mot pour Agathe, sa fidèle compagne et complice, qui avait aidé Ambroise à mettre les jumelles au monde. Elle lui expliqua sa décision de rejoindre son époux et de tout révéler à sa fille pour réparer sa faute. Elle la pria d'aider Noëlie à retrouver sa jumelle, si elle en manifestait le désir.

Après avoir mis la feuille dans une enveloppe adressée à Agathe, elle posa les deux lettres bien en évidence sur le secrétaire Louis XV où elle conservait ses papiers. Le meuble comportait un tiroir secret. Elle l'ouvrit, sortit un paquet de vieilles lettres jaunies rassemblées par un ruban rose pâle qui s'effilochait. Elles étaient toutes là, les missives d'amour de son Ambroise, lues et relues des centaines de fois, depuis les gribouillis de l'enfant jusqu'aux poèmes de l'adolescent, les lettres passionnées du jeune homme, puis de l'homme mûr qui ne manquait jamais de lui écrire quand il s'absentait pour des congrès en France ou à l'étranger.

Elle s'approcha de la cheminée, y jeta la liasse et craqua une allumette. Elle regarda le papier se tordre avant de s'enflammer et de retomber en miettes noires. Il ne resta bientôt plus que des cendres froides d'où s'élevait un toupet de fumée. Le nuage noir de son chagrin emprisonné depuis des jours dans son cœur creva soudain, explosa en grêlons dans ses yeux tout brouillés. Elle demeura longtemps penchée vers l'âtre.

Quand elle se releva, elle accrocha son image dans le trumeau : le fantôme d'elle-même, terrassé par le désespoir, errant sans feu ni lieu avec pour tout avenir les affres de la décrépitude. C'était le portrait d'une moribonde digne de Goya. Où était la jeune femme, belle et alerte, qu'avait aimée Ambroise ? Avec son peignoir crasseux, ses mules éculées, ses orbites creusées, sa face de vieux parchemin couronnée de touffes brunâtres aux racines blanches, qui se dressaient sur son crâne tels des paquets de crin s'échappant d'un fauteuil crevé, elle ressemblait à un vieil épouvantail à moineaux. En présence de son mari, elle mettait un point d'honneur à être toujours tirée à quatre épingles. Elle changeait tous les jours de tenue, se maquillait, se parfumait et allait chez le coiffeur. Elle était ravie des regards admiratifs et des compliments dont il l'abreuvait. Et même si, lorsqu'il lui disait qu'elle était la plus belle femme du monde, elle pouffait en le traitant de « vilain flatteur », elle était toutefois heureuse de constater qu'elle lui plaisait toujours. Mais maintenant qu'il était parti, l'enveloppe charnelle avait perdu son importance. Elle était prête à l'abandonner sans regret, comme le serpent qui a mué se sépare de sa peau. Son âme allait s'unir à celle d'Ambroise dans une éternité d'amour.

Avant, elle voulait revoir le jardin et la roseraie, ses roses qu'il avait entourées de tant d'affectueuse sollicitude. Elle se traîna jusqu'à la baie vitrée, la fit coulisser et se glissa sur la terrasse. Un vent violent, chargé de flocons, balayait la falaise et jouait des castagnettes dans les arbres décharnés. Déséquilibrée, elle s'accrocha à la rambarde. En cette journée de grisaille, l'horizon était invisible, la mer du même gris morne que les gros nuages bas. Adeline contempla ce panorama qu'elle aimait par-dessus tout. Même par mauvais temps. Chaque fois qu'elle regardait ce paysage, elle avait l'impression de le voir pour la première fois. Selon l'heure et la saison, il n'était jamais tout à fait le même. Quand elle était moins patraque, elle descendait tous les jours à la plage. Elle aimait avancer d'un pas régulier sur le sable mouillé de la grève solitaire, un pied après l'autre, l'esprit délicieusement vide, les sens vibrant à la perfection du jour, se sentir en contact direct avec le temps et l'espace, ou s'asseoir et contempler le déferlement des vagues qui l'hypnotisait et lui donnait conscience de la fragilité de l'homme face à la puissance des éléments. Il lui était même arrivé de prier devant l'immensité liquide ; que de fois avait-elle demandé au Seigneur de lui accorder la joie d'être mère !

Elle se souvint d'une nuit d'été où elle était descendue avec Ambroise sur la plage pour un bain de minuit. Ils s'étaient aimés sur le sable encore chaud, puis, étroitement enlacés, ils avaient observé le fourmillement des étoiles.

— Mon destin était inscrit là-haut ! avait déclaré Ambroise en lui piquant un baiser sur le front. Il était écrit que je devais te rencontrer, ma chérie ! Sans toi, ma vie serait un désert.

Elle s'était blottie contre lui, le cœur gonflé d'amour.

« J'ai eu une belle vie, pensa-t-elle, heureuse et comblée, jusqu'au départ d'Ambroise. Je l'ai perdu. Il est temps maintenant de partir à mon tour. »

Elle ferma les yeux, tentant de ressusciter l'été, la douceur de l'air, le parfum des roses qui grimpaient jusqu'à la terrasse. Elle revit Ambroise avec cette prodigieuse netteté du souvenir qui est pire que l'illusion des amputés. Elle les rouvrit, embrassa le paysage une dernière fois et rentra dans la maison, peuplée désormais de fantômes. D'une tristesse sans nom. Elle passa devant le piano. Ses doigts parcoururent le clavier, ébauchant une mazurka de Chopin. Elle se remémora le jour où l'on avait livré ce magnifique Pleyel de concert digne du plus grand virtuose. Un cadeau d'Ambroise.

— Tu es fou ! s'était-elle écriée en riant.

— Pourquoi, ma chérie ?

— Tu veux que je martyrise un instrument de cette valeur ? Je joue comme un pied !

Il lui avait souri, les yeux embués d'émotion.

— Tu joues divinement bien, mon amour, je ne me lasserai jamais de t'écouter. Tu m'émeus aux larmes !

Elle s'était esclaffée.

— Dieu merci, tu es meilleur chirurgien que critique musical !

Elle s'était assise au piano et, avec force balancements de torse et contractions des traits donnant aux naïfs – comme son Ambroise – l'illusion de la virtuosité, elle lui avait interprété *La Vie en rose*.

Ambroise était devant elle comme un adolescent extasié. Et elle se demandait toujours comment elle avait pu susciter une passion aussi durable chez cet homme qu'elle admirait et qui avait eu tant d'occasions de côtoyer des femmes plus belles et plus intelligentes qu'elle. Avec son nez légèrement busqué, ses cheveux qui tirebouchonnaient dans tous les sens, elle se jugeait laide. Pourtant, il était resté fidèle à ses amours enfantines. Elle revit la première bague, trouvée dans une pochette-surprise, qu'il avait passée à son doigt en lui soufflant à l'oreille : « Quand on sera grands, on se mariera ! »

Il l'avait embrassée sur la joue. Elle n'avait jamais oublié cet instant de grâce. C'était un jour de pluie. Ils s'étaient réfugiés dans la cabane que son père lui avait construite dans un pin parasol. Ils étaient restés blottis l'un contre l'autre, écoutant le floc-floc des gouttes qui tombaient et glissaient sur les aiguilles. Elle avait conservé ce gage d'amour qui était à ses yeux plus précieux que tous les magnifiques bijoux dont il l'avait couverte plus tard.

Ils s'étaient mariés à la fin de ses études de médecine. Elle se souvint des noces. Le plus beau jour de sa vie : elle rayonnait de bonheur comme une princesse dans les bras de son prince charmant. Mais hélas ! leur mariage n'avait pas été fécond comme dans les contes de fées où les princes et princesses se marient et ont beaucoup d'enfants.

Elle caressa l'ébène laquée du piano avant de quitter la pièce. Elle monta à l'étage, se dirigea en titubant vers le bureau de son mari, fermé depuis le drame. Elle tourna la poignée et entra, vacillante, au bord des larmes. La présence d'Ambroise était tangible. Elle respira l'odeur de son cigare, vit le journal déployé sur la table à côté d'une photo encadrée qui fit ressurgir les jours heureux : elle se tenait, souriante, à côté de Noëlie sur le pont de son voilier. Noëlie, sa bouée autour de la taille, plissait ses yeux éblouis par le soleil. Elle crut entendre la voix un peu rocailleuse d'Ambroise tandis qu'il prenait la photo.

« J'éternise les deux plus belles femmes du monde ! »

La vieille Adeline s'approcha de la reproduction du *Voyageur contemplant une mer de nuages* de Caspar David Friedrich, le peintre favori d'Ambroise. Elle la décrocha, dévoilant l'ouverture d'un coffre-fort. Elle fit la combinaison qu'elle connaissait par cœur : *Adelinoelie* – le nom de son bateau, une osmose des deux femmes de sa vie, comme il le disait en les regardant, les yeux brillants –, et la lourde porte de métal s'ouvrit. Elle y plongea la main et en retira un tube contenant quatre comprimés de cyanure qu'en fervent adepte du droit de mourir dans la dignité Ambroise gardait « au cas où... ».

Elle en sortit un et remit le tube à sa place avant de refermer le coffre.

97

Des formes se profilaient derrière le verre teinté de la porte d'entrée. Lorsque Noëlie ouvrit, elle crut se trouver en face de deux extraterrestres tout droit sortis d'un film de science-fiction. Une petite femme énorme, qui disparaissait presque entièrement sous un gigantesque ours en peluche qu'elle portait à bout de bras, à côté d'un homme grand et maigre, au visage décharné, comme jailli d'outre-tombe, avec son écrin de cheveux noirs et ses yeux gris et mornes. Perché sur ses longues jambes maigrelettes comme sur des échasses, il brandissait devant lui un volumineux marsupilami dont la queue d'une longueur démesurée traînait jusqu'aux marches du perron. Elle écarquilla les yeux, stupéfaite, avant de reconnaître les parents de Victor qu'elle n'avait pas vus depuis des lustres.

La belle-mère lâcha son ours pour se jeter dans les bras de sa belle-fille qu'elle couvrit de bécots baveux. Lorsque Noëlie fut libérée de cette formidable étreinte, tout étourdie, ce fut pour se retrouver dans l'étau des maigres biscoteaux de son beau-père qui lui piqua deux gros baisers sonores sur les joues.

— Ah ! ma petite Noëlie, clama la femme volumineuse, on est si heureux de vous voir et de faire enfin la connaissance de nos arrière-petites-filles ! Sans la luxure de Marius, on serait venu plus tôt !

« La luxure ? Le beau-père serait-il devenu un bouc en rut ? » Malgré son irritation, Noëlie ne put s'empêcher de pouffer.

— Ne riez pas, s'indigna la grosse femme. Le pauvre, il s'est luxé le petit orteil à cause du Tayo. Il s'est pris la queue dans la porte du garage...

Et, devant l'air hilare de sa belle-fille, elle précisa :

— Le chien, pas le Marius. Et j'ai dû l'amener au rebouteux, le Marius pas le Tayo. Et il le lui a remis en place, mais il a été immobilisé pendant deux semaines, peuchère...

— Trois, la corrigea le beau-père.

— Et sans la chasse, il devenait maboul, comme le Tayo, et vous pouvez croire qu'il me tardait qu'il guérisse pour venir voir nos petiotes !

Des ondulations couraient du triple menton au ventre proéminent.

— On est tellement heureux d'avoir deux bébés d'un coup !

— Pour un coup d'essai, Marion a fait un coup de maître ! lança le beau-père, et ses yeux s'allumèrent, semblables à des lucioles dans les orbites d'une tête de mort.

Craignant de nouvelles effusions, Noëlie eut un mouvement de recul qui n'échappa pas à la grosse femme. Une rougeur d'affolement apparut sur sa gorge poudrée.

— On vous dérange, Noëlie ? demanda-t-elle. On aurait peut-être dû vous prévenir, mais on était si pressés de venir qu'on est partis en coup de vent, dès « potron-minou » !

— Et puis vous nous avez dit que votre porte était toujours ouverte et qu'on pouvait venir quand on voulait ! rappela le beau-père.

Ah ! elle était donc là, l'explication de l'intrusion intempestive de ces deux parasites vulgaires qu'elle avait pourtant réussi à bannir de chez elle ! C'était encore un tour de sa sœur. Zoé avait trouvé les parents de Victor gentils et elle leur avait ouvert toute grande la porte, sans se rendre compte qu'ils détonnaient dans leur milieu policé. Mais si Zoé manquait de discernement, ce n'était assurément pas sa faute. Elle n'avait pas d'éducation, la pauvre, et elle ne savait pas séparer le bon grain de l'ivraie.

— Entrez ! dit-elle sèchement pour couper court à cette logorrhée verbale qui lui donnait la nausée.

Elle leur prit les manteaux. Ils pénétrèrent dans le living, déposèrent leurs encombrantes peluches sur le canapé.

— Ce sont des cadeaux pour les pitchounettes ! s'écria la belle-mère en bombant son torse volumineux.

— Inutile de le préciser, je comprends que ces animaux ne me sont pas destinés, ironisa Noëlie, les lèvres pincées.

Elle trouvait que ces monstrueuses peluches étaient non seulement d'un goût douteux – populaire ! –, mais aussi de véritables nids à poussière.

Désarçonnée par la froideur de sa belle-fille, la grosse femme resta la bouche ouverte, comme si elle allait gober une mouche, et il y eut un petit silence.

— J'ai l'impression qu'on est arrivés comme un cheveu sur la soupe ! grogna le beau-père.

Noëlie eut un sourire forcé.

— Un peu, avoua-t-elle, je joue les nounous depuis ce matin. Je n'ai pas eu un seul moment à moi, et je suis énervée.

— Ma petite Noëlie, je suis là pour vous aider ! lui assura la belle-mère. Je ne demande que ça, m'occuper des bébés, donner les « bibis » et faire de gros « câlinous » et des « poutous » à mes arrière-petites-filles.

— Vite, on est pressés de voir ces mioches ! s'écria le beau-père d'une voix éraillée.

— Elles dorment, dit Noëlie, exaspérée, laissant échapper un soupir ostensible.

— On ne les réveillera pas ! insista la belle-mère.

— On ne va pas attendre que les poules aient des dents pour faire la connaissance de nos arrière-petites-filles ! On y va tout de suite, piaffa le beau-père en faisant un pas vers l'escalier.

Devant une telle insistance, Noëlie se vit dans l'obligation de céder. Elle fulminait intérieurement et regrettait de leur avoir ouvert la porte. Si elle avait fait la morte, ils seraient repartis, et maintenant, elle ne les aurait pas sur le dos et pourrait souffler au lieu de subir ces bavardages stériles qui lui cassaient les oreilles. Elle les précéda dans l'escalier. Dans un gai soliloque, la grosse femme faisait sonner ses pas sur les marches en bois comme des sabots de cheval.

— Ah ! il me tarde de les voir, mes pitchounes...

— Chut ! fit Noëlie en ouvrant la porte de la chambre.

Sans en tenir compte, les heureux arrière-grands-parents, telles les montagnes de la Bible, bondirent comme des béliers dans la pièce et se précipitèrent vers les berceaux.

— Qu'elles sont belles ! hurla la belle-mère, subjuguée.

— Elles se ressemblent comme deux gouttes d'huile ! cria le beau-père.

— Regarde, Marius, c'est tout le portrait de notre Victor, je crois le voir bébé en double exemplaire ! s'extasia la belle-mère d'une voix de stentor.

L'agitation frénétique autour de leurs berceaux eut raison du sommeil des nourrissons qui se mirent à brailler tout leur soûl.

— Et voilà, elles sont réveillées, je vous avais bien dit pourtant de ne pas faire de bruit, gronda Noëlie, furieuse.

Mais ses beaux-parents ne semblèrent pas l'entendre. Penchés sur les bébés, ils paraissaient aussi émerveillés qu'Ali Baba découvrant les trésors dans la caverne des voleurs. Ils les sortirent de leurs berceaux et les prirent dans leurs bras, débitant un chapelet d'exclamations enthousiastes.

— Qu'elles sont mignonnes !

— Regarde, elle m'a fait une petite risette !

— On dirait Victor bébé !

— Oui, c'est Victor pondu de frais, comme on dit chez nous !

— Oh ! elle tend ses menottes vers moi !

— Tu as entendu ? Elle a fait *areu !* comme si elle voulait me dire quelque chose !

— Ça doit vouloir dire qu'elle est contente de voir son pépé et sa mémé, pas vrai, Noëlie ?

— C'est surtout parce qu'elles ont faim, rectifia Noëlie, hargneuse. Je crois qu'il est temps de leur donner le biberon. On va retourner dans le living, et vous les ferez boire vous-mêmes.

«Leur refiler les bébés : un excellent moyen de se décharger de la corvée de la tétée !» pensa-t-elle.

Chargés de leur précieux fardeau, ils descendirent à la suite de Noëlie dans le salon. Noëlie débarrassa le canapé des peluches qu'elle jeta dans un coin de la pièce, elle alla réchauffer les biberons et les porta aux arrière-grands-parents qui ronronnaient d'aise en contemplant leur descendance. Ils les donnèrent aux bébés en continuant à bêtifier tout leur soûl.

Une fois la tétée terminée, Noëlie leur servit un apéritif qu'ils sirotèrent en bavardant.

— Marion a fait Pâques avant les Rameaux, comme on dit ! lança la belle-mère. J'espère qu'on va être bientôt de mariage, sinon ce sont ses filles qui tiendront la traîne !

— Ce n'est pas comme autrefois, la reprit son mari. Au jour d'aujourd'hui, les couples mettent la charrue avant les bœufs ! Ils commencent par avoir des gamins et passent après devant le maire et le curé. D'ailleurs, ce n'est pas pour rien que le mot « fille mère » a disparu du langage. Maintenant, on dit « mère célibataire ». C'est la preuve que pour une célibataire, y a plus de déshonneur à avoir un enfant.

— Ce n'est pas la question, lui rétorqua sa femme. Je pense que ce serait plus normal que Marion se marie pour avoir la sécurité et pour que les enfants aient un père...

Noëlie n'écoutait pas. Les mots flottaient dans l'air devant elle comme des moustiques qu'elle avait envie de chasser pour avoir enfin le silence. Elle aurait voulu attraper ses beaux-parents comme du linge sortant de la machine à laver, les tordre jusqu'à extirper d'eux la dernière goutte de ce flot de paroles ininterrompu qui lui cassait les oreilles. Excédée, elle poussa un soupir, mais ils ne s'en aperçurent pas, et continuèrent à jacasser sans discontinuer.

98

Le dernier grain de sable s'était écoulé. Le sablier de sa vie était vide. L'heure avait sonné.

La vieille Adeline allait maintenant revêtir une robe en soie bleu nuit, la préférée d'Ambroise. Puis, elle mettrait le disque de *Tristan et Isolde* sur la vieille chaîne qu'ils avaient installée dans la chambre conjugale au début de leur mariage. Elle se coucherait et se laisserait bercer par la musique envoûtante de cet opéra de Wagner, incarnation mystique de la passion pure, tant de fois écouté quand ils s'apprêtaient à faire l'amour.

À la fin du troisième acte, elle absorberait le poison et, comme Isolde son Tristan, elle rejoindrait Ambroise dans la *Liebestod*, « la mort d'amour », pour une union extatique au-delà de la vie.

Sa mort serait instantanée, et – elle l'espéra – indolore.

Elle tituba vers sa chambre comme un papillon privé de lumière.

99

L'horloge sonna un coup. Noëlie sursauta.

Zut ! il allait falloir faire manger ses beaux-parents, c'était la moindre des choses. Et elle n'avait rien préparé !

— Vous allez bien manger un morceau, proposa-t-elle, en espérant qu'ils refuseraient et mettraient les voiles au plus vite.

— Ce n'est pas de refus, dit la belle-mère.

Et, se pourléchant les babines :

— Je commence à sentir un petit creux.

— Moi aussi, fit son mari, j'ai une faim à manger le sarment de sept vignes !

— C'est que... euh... je n'ai rien de prêt, les bébés m'ont complètement absorbée et je n'ai pas eu le temps de cuisiner.

— Ce n'est pas grave, on prendra ce qu'il y a ! lança la belle-mère.

— À la bonne franquette, renchérit le beau-père.

Noëlie sentit monter une bouffée de haine. « Ah ! les extraire comme les tiques qui s'incrustent et les écrabouiller sur le sol. »

— Je vais sortir une pizza du congélateur, annonça-t-elle en se levant.

— Une pizza, ça ne vaut pas la blanquette qu'on a mangée l'autre fois, mais on s'en contentera !

— Qui mange sans appétit est plus mort que guéri !

Zoé les avait régalés d'une blanquette, pas étonnant qu'ils aient eu envie de remettre ça. Et, au fond, n'était-il pas mieux que Zoé s'entende avec sa belle-famille ? « Tout le monde serait heureux », pensa Noëlie qui se sentit confortée dans sa résolution de quitter cet étouffoir.

Après avoir changé et couché les bébés, ils se mirent à table. Noëlie leur servit la pizza réchauffée au micro-ondes que ses beaux-parents dévorèrent avec appétit en continuant à discourir. Une conversation qui tournait autour des bébés, à laquelle elle participa machinalement, d'une voix monocorde, le visage fermé à double tour. À la fin du repas, à bout de nerfs, comme les deux parasites ne faisaient pas mine de vouloir décoller, elle déclara qu'elle avait un « coup de pompe » – avec ces ploucs, il était inutile de « châtrer » son langage, comme le disait Kevin ! – et qu'elle avait besoin d'une petite sieste.

Elle monta dans sa chambre, leur abandonnant la garde de la progéniture. Elle s'allongea sur le lit et composa le numéro d'Antoine sur son portable.

À la septième sonnerie, le répondeur se déclencha. Antoine n'était pas encore rentré du lycée.

— Antoine, c'est moi, dit-elle après le bip de l'enregistrement. Ma décision est prise, je viens vivre avec toi, pour toujours ! J'arrive ce soir. Je t'embrasse, mon amour.

Elle reposa son portable et fixa le plafond, rêvant à la nouvelle tranche de vie qui l'attendait. Elle allait faire le grand saut ! Certes, depuis sa séquestration, elle avait appris à goûter chaque instant de la vie et son existence ne lui paraissait plus aussi fade ni les journées aussi interminables qu'autrefois. Elle ne tuait plus le temps en occupations futiles, à discutailler au téléphone avec des copines aussi désœuvrées qu'elle, à frimer sur Facebook avec des amis virtuels. Encouragée par Antoine, elle avait commencé un thriller racontant son incroyable aventure. Ce qui lui pesait maintenant, c'était d'être prisonnière d'une existence qui n'était pas la sienne : jouer les baby-sitters, se quereller avec Kevin, devoir se justifier devant Marion, se dérober aux avances de Victor, tous ces faux-fuyants et ces mensonges qui lui empoisonnaient la vie. Elle pourrait enfin se regarder sans honte dans la glace, elle ne se mépriserait plus, elle serait elle-même.

— Noëlie, nous partons !

La voix criarde de sa belle-mère lui fit l'effet d'un coassement de grenouille hystérique.

Elle se leva d'un bond et descendit les marches quatre à quatre. Ses beaux-parents avaient déjà enfilé leurs manteaux.

— On s'en va, Noëlie ! On voulait attendre Marion et Kevin, mais il se fait tard et le trajet est long.

— Et puis, je n'aime pas conduire avec les phares et quand la nuit tombe, il y a du verglas !

— Eh bien, je vous souhaite un bon retour, dit Noëlie, dissimulant son soulagement.

Elle ne chercha pas à les retenir, alors qu'elle aurait pu leur proposer de passer la nuit dans la chambre d'amis.

— Revenez quand vous le voudrez ! ajouta-t-elle.

Cela ne l'engageait plus à rien. Maintenant, elle pouvait se permettre de les inviter ! Elle ne serait plus là pour les recevoir.

« C'est Zoé qui se paiera la corvée », se dit-elle avec une joie maligne.

Elle ouvrit la porte.

— Restez au chaud, ça caille, vous allez attraper la malemort ! s'écria la grosse femme.

Malgré leurs vives protestations, elle les raccompagna jusqu'à leur vieille guimbarde, trop heureuse de s'en débarrasser.

« Une visite, cela fait toujours plaisir, si ce n'est pas à l'arrivée, c'est au départ ! » pensa-t-elle, se remémorant le dicton de son grand-père.

Après de nouvelles embrassades, ils montèrent en voiture.

— Bon vent ! murmura-t-elle quand ils démarrèrent.

À peine venait-elle de rentrer dans la maison qu'on sonna.

C'était une voisine qui ramenait Kevin de l'école. Son fils, Hugo, était dans la même classe que le sien. Noëlie se crut obligée de la faire entrer et d'échanger quelques banalités. Lorsqu'elle prit enfin congé, elle dut faire goûter Kevin. Elle lui prépara un bol de chocolat et des céréales.

— La maîtresse a demandé que les mamans notent une recette de gâteau dans le cahier du soir, dit-il.

— Passe-le-moi, je vais le faire tout de suite, fit-elle, énervée.

— Non, il faut que tu me la dictes ! protesta Kevin.

— Eh bien, sors ton cahier, qu'est-ce que tu attends ?

— D'abord, il faut que tu me fasses réciter la table de 7.

Quand Noëlie en eut terminé avec les devoirs de son fils, les bébés se remirent à hurler. C'était de nouveau l'heure de la tétée.

— Et merde ! J'en ai marre ! bougonna-t-elle en réchauffant les biberons.

— Tu dis des gros mots ! Il faut châtrer son langage ! clama Kevin d'un ton triomphant, heureux de prendre sa mère en flagrant délit de contradiction.

Noëlie s'apprêtait à riposter quand elle entendit la porte d'entrée s'ouvrir. C'était Marion qui rentrait de la fac.

— Je suis super contente, j'ai bien compris le cours et je pense que je pourrai sans problème rattraper mon retard ! déclara-t-elle, ravie, en posant son sac à dos sur la console du vestibule.

— Eh bien, tant mieux ! s'écria sa mère. Tu arrives à point pour faire téter tes enfants.

— Je suis crevée, tu ne peux pas le faire sans moi, dis, mam' ?

— Il n'en est pas question. Moi aussi, je suis au bout du rouleau, je n'ai pas arrêté ! s'insurgea Noëlie, hargneuse.

Marion regarda sa mère avec un étonnement mêlé d'agressivité.

— Ce n'est pas ce que tu disais ce matin, grogna-t-elle. Tu m'as dit que je pouvais toujours compter sur toi et que je devais faire passer mes études avant tout.

Elle toisa Noëlie avec colère avant de lâcher, pleine de fiel :

— Faudrait savoir, quoi ! Tu es redevenue chiante, comme avant !

Décidément, à cause de Zoé, elle faisait impair sur impair !

— Qu'est-ce que c'est, ça ? cria soudain Marion en pointant l'index vers les énormes peluches reléguées dans un coin.

— Ah ! ces horreurs ? Ce sont les cadeaux de tes tartignoles de grands-parents ! J'ai oublié de te dire que je les ai eus sur le râble, incrustés comme des échardes jusqu'à quatre heures.

Marion se figea, interloquée.

— C'est dingue, tu as encore perdu la mémoire ! L'autre jour, tu m'as engueulée parce que je n'étais pas aimable avec eux, et tu m'as fait tout un speech comme quoi il fallait respecter les vieux, et bla-bla-bla... Et maintenant tu recommences à les trouver nazes et à te foutre de leur fiole.

Au comble de l'énervement, Noëlie toisa méchamment sa fille.

— Tu n'as pas à me parler sur ce ton, Marion. Et puis, j'en ai assez de ces discussions stériles.

— Moi aussi, j'en ai ras le bol ! Un jour, t'es super cool et le lendemain complètement naze ! On ne sait jamais sur quel pied danser avec toi, merde, tu es lunatique ! aboya Marion.

Noëlie trépignait d'énervement.

— Je suis pressée, je dois sortir impérativement, lança-t-elle pour couper court, ne sachant que répondre, consciente que sa vraie place n'était pas là.

C'était la place de Zoé. Elle appréciait ses beaux-parents, elle saurait tisser et entretenir avec eux les liens qui fondent l'harmonie familiale. Elle était plus proche de ses enfants qu'elle, leur mère. Avec Zoé, ils ne se butaient pas parce qu'elle savait les prendre, les écouter, leur parler, les aider à résoudre leurs problèmes : elle était patiente, saine, équilibrée, pétrie de bon sens. S'occuper de sa famille, c'était pour elle une fin en soi, une joie, et non une corvée. Elle n'aspirait pas à autre chose. Elle seule pourrait les rendre tous heureux.

— Ah bon ? Tu sors maintenant, s'étonna Marion, et tu rentreras à quelle heure ?

Noëlie calcula que si Zoé était d'accord avec sa proposition, l'échange se ferait très vite. Elle regarda sa montre. Il n'était pas loin de dix-neuf heures. En se dépêchant, elle pourrait être au pavillon de Zoé avant dix-neuf heures trente. Zoé y serait puisqu'elle quittait son travail à la fermeture de la boutique.

— Je serai de retour avant huit heures. Ensuite, tu seras libre de vaquer à tes occupations, ma chérie.

— O.K., soupira Marion en prenant les deux biberons.

— Et ma leçon d'histoire ? Il faut que tu me la fasses réciter, et puis qu'on découpe un cube dans du carton ! cria Kevin.

— Pas de problème, nous ferons tout cela tout à l'heure.

Elle n'osa pas donner à ses enfants de baiser d'adieu. Ils auraient trouvé pour le moins bizarre qu'elle les embrassât alors qu'elle était censée rentrer dans une heure. Et puis, elle n'était pas le genre de mère à « léchouiller » ses enfants.

Elle les regarda intensément en enfilant son manteau et ses gants et se dirigea vers la porte.

— À tout à l'heure ! leur cria-t-elle, et elle ressentit un petit pincement à l'idée qu'elle quittait cette maison définitivement.

Elle se fit violence pour ne pas rebrousser chemin.

« Ce n'est pas le moment de renoncer, se morigéna-t-elle, je les abandonne pour leur bien. Ils seront plus heureux avec Zoé qu'avec moi. Elle les aime comme une mère. En tout cas, certainement plus que leur vraie mère ! »

Après avoir fermé la porte avec d'infinies précautions, elle se sauva comme une voleuse.

100

Léo cacha sa moto dans une ruelle adjacente et se dirigea vers la rue où habitait Zoé. Arrivé devant le pavillon, il regarda l'heure. Sa montre indiquait dix-neuf heures quinze. Il nota avec soulagement que la porte d'entrée de l'ancienne conciergerie donnait sur l'impasse. La grille était réservée aux propriétaires de la maison de maître située au bout de l'allée. Le pavillon était sombre, Zoé n'était donc pas encore rentrée de son travail. L'impasse était déserte. La lueur des réverbères perçait à peine le brouillard. Malgré le froid, Léo suait à grosses gouttes. Il leva les yeux vers les fenêtres éclairées de la maison voisine. Personne ne l'observait. Il alluma une torche qu'il dirigea vers la serrure. C'était un système à ressorts, facile à ouvrir. Un jeu d'enfant pour un cambrioleur ! Il sortit de son portefeuille une carte de crédit qu'il glissa entre le pêne et la gâche. Il sentit tout de suite jouer le loquet. Il en vint à bout en moins de trois minutes. Il poussa le battant et referma vivement la porte en donnant un tour de clef. Tout était silencieux.

Il promena le faisceau de sa lampe de poche dans la pièce. Elle était accueillante avec son tapis moelleux, son canapé couvert de coussins et sa table basse en chêne. Il n'avait jamais vécu dans un endroit pareil. La garce ne se refusait rien ! Il alla dans la cuisine, fouilla dans le placard et trouva une bouteille de clairette entamée. Il en but une rasade au goulot et se glissa dans le corridor qui menait à la chambre. Une chambre petite et coquette, un grand lit recouvert d'un plaid multicolore, un fauteuil, une coiffeuse et une vieille armoire. Il l'ouvrit et respira le parfum de Zoé. Il entra dans la salle de bains. La nuisette était accrochée à la porte. Il s'en saisit, tâta d'une main fébrile le tissu léger qui avait effleuré sa poitrine et le renifla. Cela le rendait fou de penser à sa peau nue, à ses seins, à ce corps qui désormais ne lui appartenait plus. En songeant au toubib qui l'avait tripotée, possédée, il fut sur le point de hurler de rage et s'affala sur le sofa. Un déclic se fit entendre, il sursauta : la petite porte de la pendule livra passage à un oiseau jaune qui sortit pour lancer son joyeux *Coucou !* Il était dix-neuf heures trente.

Zoé serait bientôt là. Sa boutique fermait à dix-huit heures trente. La vengeance était proche. Elle allait payer sa trahison, la salope !

101

Noëlie se gara devant le pavillon où habitait sa sœur. Elle coupa le moteur et descendit. Les doubles rideaux étaient tirés et aucune lumière ne filtrait. La petite maison était plongée dans l'obscurité. Zoé n'était pas encore rentrée du travail. Elle jeta un coup d'œil à sa Rolex. Dix-neuf heures vingt-cinq. Elle n'allait sûrement pas tarder. Elle pourrait l'attendre à l'intérieur puisque sa sœur lui avait donné une clef. Elle extirpa la lourde valise du coffre, se dirigea vers la porte, fouilla dans son sac, retira la clef et l'introduisit dans la serrure. Elle ouvrit et entra. Elle crut percevoir un léger bruit et une onde de peur glacée la parcourut. À tâtons, sa main balaya le mur à la recherche de l'interrupteur. Mais elle n'eut pas le temps de le trouver. Des bras puissants se refermèrent autour d'elle. Elle ouvrit la bouche pour hurler, mais une main étouffa son cri.

— Alors, salope, tu pensais que tu t'en tirerais ? lança une voix qu'elle reconnut aussitôt.

C'était celle de Léo, son geôlier.

Les souvenirs de sa captivité déferlèrent comme une pluie d'orage et elle se débattit avec l'énergie du désespoir. Mais il la maintint fermement et la projeta contre le mur. La violence du choc lui coupa le souffle. Il alluma, et la rage meurtrière qu'elle vit dans son regard l'emplit de terreur.

— Ah ! tu croyais te débarrasser de moi, hein ! Je t'avais prévenue qu'à la première entourloupe, je te crèverais, salope ! hurla-t-il dans un accès de démence.

Noëlie comprit qu'il la prenait pour sa jumelle.

— Je ne suis pas Zoé, dit-elle d'une voix tremblante.

— Ne me raconte pas de craques, sale pute ! Maintenant, ça ne prend plus ! J'ai percé à jour ton petit jeu.

Il la saisit à la gorge, la souleva et la jeta sans ménagement sur le canapé. Elle atterrit sur le dos. Il se mit à califourchon sur elle. Elle commença à suffoquer sous son poids, incapable de faire un mouvement. Une douleur lui transperça la poitrine, elle poussa un cri rauque, se tordant sous la pression. Il la bâillonna d'une main.

— Avant de te tuer, salope, je vais m'envoyer en l'air une dernière fois !

— Non, pas ça... Au secours ! articula Noëlie, tétanisée par la peur.

— Tu ne veux plus prendre ton pied avec moi, sale pute, parce qu'à côté du toubib, je suis une merde, c'est ça ? aboya-t-il en déchirant sa robe.

Il lui griffa les seins en remplissant la pièce des jurons les plus orduriers de son répertoire.

Noëlie lui donna un coup de tête dans la poitrine et lui martela les côtes. Il la gifla avec violence. Elle poussa un cri, luttant pour s'arracher à son étreinte. Il la frappa de nouveau, du poing cette fois, ses phalanges entrant en contact avec sa mâchoire. Puis, il lui écarta brutalement les jambes et la pénétra violemment. Elle cria et éclata en sanglots tandis qu'il fouaillait impitoyablement son ventre.

— Salope ! salope ! répétait-il dans un délire meurtrier.

Puis, il lui serra le cou de ses deux mains, toujours plus fort. Les poumons de Noëlie se bloquèrent, elle ne pouvait plus respirer. La terreur mêlée à l'horreur se lisait sur son visage blême comme un masque du carnaval de Venise. Un sifflement suraigu emplit ses oreilles, un voile noir descendit devant ses yeux. Elle était au bord de l'évanouissement. Il continua à l'étrangler, les traits convulsés par la rage. Ses yeux étaient comme deux puits de haine. Noëlie eut un soubresaut. Elle ouvrit la bouche, étouffant, suffoquant, implorant son instinct de survie de la sortir des griffes de ce dément. Elle lui laboura le torse avec les ongles, essaya de lui égratigner la figure, mais il la tenait fermement et elle ne put se dégager de sa poigne brutale. Elle l'entendait rugir en lui serrant le cou :

— Je vais te péter la gueule, tu vas crever, sale garce !

Et elle eut la certitude qu'elle allait mourir. Il était inutile de lutter. Elle pensa à Antoine qui devait se réjouir en l'attendant, à ses enfants qu'elle ne reverrait plus, à sa jumelle retrouvée et qu'elle allait perdre à tout jamais. Elle eut aussi une pensée pour celle qu'elle considérait toujours comme sa mère, pour sa marraine Agathe qui l'avait tant gâtée, pour Victor...

Léo serra plus fort. Au bord de l'asphyxie, ses yeux se révulsèrent, son corps fut secoué de convulsions, son visage vira à l'écarlate, puis au violet. Avant de mourir, elle crut voir flotter au plafond le visage de sa mère. Souriante, elle lui tendait les bras. Sa bouche se figea. Son corps devint mou. Quand Léo la lâcha, elle avait cessé de respirer. Ses yeux exorbités le fixaient, sa langue enflée sortait de sa bouche, comme celle d'une gargouille. Il s'immobilisa, le regard braqué sur cette femme qu'il prenait pour Zoé. Il tâta son pouls au poignet, puis à la carotide, avant de réaliser qu'il venait de tuer celle qu'il avait aimée comme un fou et qu'il aimait encore. Une larme roula sur sa joue, il ne pouvait se détacher du cadavre de son amour mort.

— Zoé, pardon ! Je ne voulais pas te tuer. Je t'aime, je ne peux pas vivre sans toi ! cria-t-il.

Un fluide âcre lui monta dans la bouche. Dans les yeux vides de la morte, il vit la haine. Détournant la tête, il sauta du sofa et remonta son pantalon. Il lui fallait disparaître au plus vite. Le papier d'aluminium avait glissé de ce maudit bracelet électronique, les policiers n'allaient sûrement pas tarder à le localiser. Il devait quitter les lieux sur-le-champ. Dans sa panique, il lui sembla entendre déjà les sirènes. Il sortit précipitamment de la maison et claqua la porte sans la fermer à clef. Il courut jusqu'à la rue où il avait garé sa moto, sauta sur l'engin et appuya à fond sur le démarreur. Le moteur rugit et la machine bondit dans un nuage de fumée noire. Il roula à tombeau ouvert en direction de l'autoroute.

102

Une demi-heure plus tard, Zoé débouchait dans l'impasse.

Elle avait attendu la cliente qui était venue chercher sa robe, comme convenu, à dix-neuf heures trente. Elle avait ensuite tiré le rideau de fer devant la devanture, verrouillé la porte du magasin et déposé les clefs dans la boîte de sa patronne. Il était presque vingt heures. Elle fut surprise de voir la Golf de Noëlie garée devant le pavillon, alors que toutes les lumières étaient éteintes. Quelque chose clochait. Elle s'élança jusqu'à l'entrée, introduisit la clef dans la serrure, avant de s'apercevoir que la porte n'était pas verrouillée. Un frisson d'épouvante lui courut sur la peau. Elle entra, alluma et remarqua tout d'abord des traces de lutte, le porte-parapluie était renversé et les débris d'un vase jonchaient le sol à côté de la table basse. Et sur le sofa, elle vit sa sœur.

— Noëlie ! s'écria-t-elle en s'approchant du corps qui gisait comme un pantin désarticulé, immobile, les yeux exorbités.

Elle s'agenouilla à côté d'elle, lui prit la main et

appuya le pouce à l'intérieur du poignet. Mais hormis les battements de son propre cœur, elle ne sentit rien.

— Noëlie ! répéta-t-elle.

Brutalement, elle comprit que sa sœur était morte. Assassinée.

— Oh ! Mon Dieu ! Oh ! Mon Dieu !

Elle reçut comme un uppercut à l'estomac. Elle eut un vertige. Elle vacilla et s'affala sur le canapé, telle une poupée de chiffon. Des larmes ruisselaient sur ses joues. Des gémissements plaintifs s'échappaient de sa gorge. Sa vie avait basculé. Elle avait perdu sa sœur, sa jumelle qu'elle venait à peine de retrouver et qu'elle aimait comme une partie d'elle-même. Agressée par Léo, elle en était sûre. Lui seul était capable d'un geste d'une telle sauvagerie. Aveuglé par la rage, ce salaud avait voulu se venger. Mais c'était elle, Zoé, qui était visée.

— Oh ! Mon Dieu ! hurla-t-elle. C'est moi qui aurais dû être à sa place !

De longs sanglots déchirants la secouèrent.

« Tout est ma faute ! »

Il fallait appeler la police. Elle fouilla fébrilement dans son sac et tira le portable. Tout à coup, elle aperçut la grande valise près de l'entrée. Elle se dressa d'un bond et alla l'ouvrir. Elle vit d'abord des dessins d'enfants et un album photo, puis des robes, des jupes, des pantalons, des pulls, un maillot de bain et une trousse de toilette. Elle resta perplexe. Pourquoi Noëlie avait-elle emporté avec elle ces souvenirs et des vêtements ? Soudain, elle comprit : Noëlie avait dû décider de quitter sa famille pendant un temps assez long, et elle, Zoé, devait la remplacer auprès des siens.

Que faire maintenant ? Appeler la police signifiait révéler la vérité et tout perdre, et peut-être même aller en prison. Ne devrait-elle pas plutôt saisir l'occasion de changer définitivement de vie ? Abandonner la sienne et prendre pour toujours celle de sa sœur morte. Après tout, cela avait été apparemment le désir de Noëlie. Et puis en ne dévoilant rien, elle épargnerait aux enfants la douleur de la perte de leur mère, et à Victor, celle du veuvage. Sa propre mort en revanche n'affecterait personne. Elle était sans attaches, sans mari ni enfants. Elle n'avait plus que ses grands-parents. Mais leur manquerait-elle vraiment ? Déjà petite, elle avait l'impression d'être une intruse, para-chutée intempestivement dans leur vie, un boulet qui perturbait leur passion exclusive. Mais n'était-elle pas injuste ? Ne l'aimaient-ils pas à leur manière ? Ne lui avaient-ils pas donné tout ce dont ils étaient capables ? Une enfance insouciante, peuplée de rires, de rêves et de poésie. C'étaient des artistes qui vivaient en dehors des conventions, qui avaient une manière bien à eux d'appréhender la vie. Des idéalistes qui fuyaient le réel pour se réfugier dans un monde onirique, qui dan-saient au clair de lune, parlaient aux animaux et aux plantes, persuadés qu'une force vitale animait la créa-tion entière, et qui vouaient un culte aux génies protec-teurs, aux salamandres, aux sylphes, aux ondins et aux gnomes. Non, elle n'avait pas le droit de leur infliger ce chagrin. Pourquoi alors ne pas leur avouer tout sim-plement la vérité plutôt que de leur imposer la douleur d'un deuil ? Leur expliquer que Noëlie était morte et qu'elle avait pris sa place dans sa famille. Ils seraient heureux d'apprendre que leur petite-fille était vivante et ils trouveraient même cette situation romanesque, elle en était sûre. Elle leur téléphonerait cette nuit quand sa maisonnée serait endormie.

Sa décision prise, il ne fallait pas s'attarder ici. Le bracelet électronique à la cheville de Léo avait déjà dû donner l'alerte. La police devait être informée qu'il avait franchi la zone interdite. Elle devait vite quitter le pavillon avant l'arrivée des forces de l'ordre. Elle retira l'alliance du doigt de sa sœur pour la mettre à son annulaire, échangea sa montre contre la Rolex, lui ôta son collier de perles fines, son foulard Hermès et ses boucles d'oreilles. Elle prit le sac à main en cuir de Noëlie et posa à sa place son sac à dos contenant ses papiers. Avant de partir, elle se pencha vers le sofa et regarda intensément son visage une dernière fois, sa forme et ses traits semblables aux siens. Elle regretta de ne pas pouvoir fermer les yeux vides qui la fixaient, mais il ne fallait rien toucher, ne laisser aucun indice de son passage.

— Adieu, Noëlie, je te promets de prendre soin de ta famille, souffla-t-elle en lui déposant un baiser furtif sur le front.

Elle jeta un regard circulaire dans la pièce pour s'assurer qu'elle n'avait rien oublié qui pût permettre d'établir un lien quelconque avec Noëlie et quitta les lieux. Elle se précipita vers la Golf. Mais avait-elle seulement les clefs ? Saisie de panique, elle fouilla fébrilement dans le sac et poussa un soupir de soulagement lorsque ses doigts tremblants sentirent le contact métallique. Elle ouvrit le coffre, y fourra la valise, puis monta dans la voiture. Des gouttes de sueur roulaient sur son cou. Elle tremblait de tous ses membres. Elle essuya son visage, respira profondément, détendit ses doigts et finit par se calmer. Elle tourna la clef et démarra sur les chapeaux de roues. Elle s'engageait dans l'avenue lorsqu'elle croisa un fourgon de police, sirène hurlante, qui s'engouffrait dans l'impasse.

« Je l'ai échappé belle », pensa-t-elle en poussant un soupir de soulagement.

Elle traversa la ville, conduisant comme un automate. Les gens rentraient chez eux. Pour tous, c'était un soir ordinaire. Ils regarderaient les informations, dîneraient en famille, riraient, raconteraient leur journée, feraient l'amour. Alors que, pour elle, rien ne serait plus jamais comme avant. Elle allait devoir vivre avec un lourd secret. Elle aurait souhaité désespérément remonter le temps. Arrêter l'horloge. Retrouver l'insouciance d'avant l'horreur, mais c'était impossible.

103

— Je te promets, Noëlie, de rendre ta famille heureuse ! murmura Zoé.

Quand elle eut prononcé ces paroles, elle se sentit envahie d'un immense bien-être. Enveloppée d'un voile de tendresse, de paix et de sérénité. Comme si elle venait de recevoir la bénédiction de sa jumelle.

Elle avait franchi la grille et arrêté la voiture au bout de l'allée. De loin, la villa aux fenêtres éclairées ressemblait à une maison de poupée. Elle distinguait la lumière des chambres de Marion et de Kevin, la lueur bleutée et dansante du grand écran dans le living. Victor devait être installé sur le sofa, Carl vautré à ses pieds, en train de siroter un scotch en regardant les invités de l'émission «C dans l'air» décrypter l'actualité du jour. Pour la famille, c'était une soirée paisible et banale.

Elle remonta doucement l'allée, se gara devant le perron et descendit. Elle laissa la valise dans le coffre, elle la retirerait le lendemain matin quand elle serait seule à la maison.

— Maman, maman, tu avais promis de rentrer plus tôt ! lui cria Marion de la fenêtre de sa chambre.

Zoé nota la nuance de reproche dans la voix de « sa fille ». Elle devina qu'elle avait eu des mots avec sa mère qui n'avait jamais su la prendre. Elle avait souvent eu l'occasion de le constater. Noëlie perdait vite patience, la tançait, cherchait à lui imposer son point de vue, alors qu'il suffisait de faire montre de douceur et de compréhension pour la rendre malléable comme de la pâte à modeler.

— J'ai été retardée par un embouteillage, mais maintenant, je suis à toi, ma chérie ! s'écria Zoé en s'élançant dans la maison.

Lorsqu'elle pénétra dans le salon, Victor posa son verre sur la table basse et se leva d'un bond pour l'embrasser.

— Ah ! tu es là enfin ! s'exclama-t-il.

— Je suis un peu en retard, mais je vais rattraper ça, lança-t-elle avec un grand sourire.

Apercevant les énormes peluches, elle faillit demander d'où elles sortaient, mais se retint à temps. Elle était censée le savoir puisque Noëlie n'avait pas quitté la maison de la journée.

— Mes parents voient les choses en grand, c'est le cas de le dire ! Marion m'a dit que tu avais eu leur visite cet après-midi, commenta Victor qui avait suivi son regard.

C'était donc un cadeau de « ses beaux-parents », songea Zoé, amusée, en imaginant ce drôle de couple, débarquant à l'improviste, chargés de ces peluches volumineuses.

« Noëlie qui ne peut pas les supporter a dû se montrer désagréable », pensa-t-elle. Preuve : elle ne les avait pas invités jusqu'au lendemain. Leur proposer de passer la soirée avec leur fils et leurs petits-enfants eût été la moindre des choses. C'est du moins ce qu'elle aurait fait. Ils avaient dû tomber des nues, les pauvres, devant le changement qui s'était opéré chez leur belle-fille depuis leur dernière visite.

— C'est curieux qu'ils ne soient pas restés dormir chez nous, poursuivit Victor, comme s'il avait lu dans ses pensées.

Zoé prit un air contrit.

— C'est ma faute, Victor, je n'ai pas été très aimable avec eux. J'ai dû m'occuper des bébés. J'étais stressée, et ça m'a rendue agressive. Mais rassure-toi, je vais leur téléphoner pour m'excuser en espérant qu'ils me pardonneront. Cet été, je les inviterai quelques jours pour qu'ils puissent profiter des enfants.

— C'est gentil, Noëlie. Mais tu sais, si les jumelles sont une trop grosse charge pour toi, je suis prêt à engager une nounou à plein temps ou une jeune fille au pair.

— Oh non, surtout pas ! C'était juste une fatigue passagère, je m'en sors très bien toute seule ! protesta vivement Zoé qui n'aurait voulu pour rien au monde partager la joie de pouponner avec quiconque.

Victor prit sa main dans la sienne.

— J'espère que tu ne présumes pas de tes forces !

Zoé lui caressa affectueusement les cheveux.

— Même avec toi, il m'arrive d'être froide et agressive. Tu dois me trouver lunatique ! Un jour tout va bien, j'aime la vie, et le lendemain c'est la cata, j'ai le moral dans les baskets. Je te demande de me pardonner. Je te promets de faire des efforts pour être d'humeur égale.

« Et je tiendrai ma parole », pensa-t-elle.

Elle se pencha et lui chuchota dans le creux de l'oreille :

— Je t'aime, Victor, et ce soir, je t'en donnerai la preuve !

Elle se dirigea vers la porte.

— Je monte voir les bébés et je redescends faire une omelette, la recette de la mère Poulard. Vous m'en direz des nouvelles !

Marion avait couché ses filles dans leurs berceaux. Les bébés s'époumonaient, mais leur mère, allongée sur son lit, ne réagissait pas.

— Je suis au bout du rouleau, gémit-elle, accablée.

— Va te détendre, ma biche, je me charge d'endormir tes petits anges ! s'écria Zoé joyeusement.

— Tu es mieux lunée que tout à l'heure, constata Marion avec une grimace.

— Oui, ma chérie, sois tranquille. Tout à l'heure, j'étais à bout de nerfs, j'avais juste besoin de décompresser.

— Tu en avais après tout le monde, même après pépé et mémé ! Tu as redit que c'était des glus, alors que tu m'as engueulée l'autre jour quand je l'ai dit moi-même !

— Je suis désolée, Marion. Je reconnais que ce n'était pas bien de ma part. Je te demande d'oublier ces paroles que je ne pensais pas et que je regrette. J'apprécie beaucoup tes grands-parents qui ont un cœur d'or, mais quand ils sont arrivés ce matin, j'avais un coup de pompe et je me suis énervée.

« Et cela ne se reproduira plus », pensa-t-elle.

— Tu as vu, maman, ces peluches qu'ils ont apportées ? Elles sont trop grosses ! Elles feraient peur aux enfants.

— Oui, mais c'est gentil de leur part. Je crois qu'ils sont gâteux de tes filles ! Les peluches, on les entreposera au grenier et, quand ils viendront nous voir, on les portera dans la chambre des enfants. Il ne faut pas leur faire de peine. Allez, tu peux descendre, ma chérie, je m'occupe de mes petites bichettes !

Quand elle rejoignit Marion et Victor, les bébés qu'elle avait bercés dans ses bras en leur chantant une comptine dormaient à poings fermés. Elle alla dans la cuisine et concocta le repas en un tour de main. Marion l'aida à mettre le couvert et, tandis que sa petite famille savourait dans la bonne humeur l'omelette onctueuse qu'elle leur avait préparée, Zoé fut envahie d'une douce torpeur, accrue par le bruit de la pluie qui clapotait contre la grande baie vitrée. Elle accrocha le regard de « son époux » et lut dans ses yeux tout l'attachement qu'il avait pour elle.

« J'ai fait le bon choix », pensa-t-elle.

104

L'antique guimbarde toussait comme un pauvre vieux cheval poussif. La tête de Mireille endormie pesait sur le côté droit de Marius comme un poids mort. Son épaule commençait à être douloureuse, mais il n'y prêtait pas attention. Avec un soupir de soulagement, il traversa le lotissement et s'engagea dans l'allée qui menait à leur petite maison. La guimbarde passa sur un nid-de-poule, rebondit sur ses suspensions puis retomba avec un frisson de toute sa vieille carcasse. Mireille murmura quelque chose d'inaudible et poussa un grognement dans son sommeil. Marius lui tapota l'épaule.

— On est arrivés, ma chérie !

Elle ouvrit les yeux.

— Déjà ? J'ai dormi comme une souche pendant tout le trajet ! Tu n'es pas trop fatigué ?

— Non, en conduisant, j'ai pensé aux bébés.

— Ils sont splendides ! Dommage que Noëlie nous ait si mal reçus. Elle a été aimable comme un fagot de buisson épineux ! Tu as remarqué, elle a à peine regardé les peluches. Elle aurait pu nous remercier, c'est quand même un beau cadeau, mais elle a dû les trouver moches !

La voix de Mireille tremblait.

— À cheval donné, on ne regarde pas les dents ! C'est vrai qu'on n'était pas les bienvenus. Elle aurait pu nous inviter à dormir pour qu'on puisse passer la soirée avec Victor et les enfants. On ne les a même pas vus, si c'est pas malheureux !

Il serra le poing :

— Elle se prend pour qui, cette femme, de nous toiser de haut comme des péquenots ? Elle est gonflée comme un pou, mais c'est quand même grâce à notre Victor qu'elle mène la belle vie ! Il ne faudrait pas qu'elle l'oublie !

— Notre Victor, je le plains. Peuchère, le pauvre, il doit s'en voir les pierres du chemin, avec une pécore pareille ! Dire qu'elle était redevenue si gentille avec nous ! soupira Mireille, tu y comprends quelque chose, toi ?

— C'est parce qu'elle avait perdu la mémoire. Elle avait oublié qu'elle sortait du fémur de Jupiter et qu'elle avait chié le tonnerre, mais maintenant que tous les souvenirs lui sont revenus, elle s'en croit de nouveau ! Je commence à regretter qu'elle soit guérie.

— Pourvu qu'elle ne nous coupe pas des pitchounettes !

— Ah ça ! elle n'a pas intérêt, sinon je fais un scandale ! grogna Marius.

Il lâcha le volant et brandit un poing.

— Tu sais quoi ? Je vais tricoter des brassières, et on les enverra dans un joli paquet, comme ça elle sera bien obligée de nous recevoir.

— C'est une bonne idée, allez, descends, ma Mirou, ne nous laissons pas abattre. On va aller au lit. Un jour il pleut, le lendemain il fait soleil !

Ils descendirent de voiture et entrèrent dans la maison. Ils étaient en train de quitter leurs manteaux lorsque le téléphone sonna. Marius décrocha :

— Allô !... Ah, bonsoir, Noëlie, oui, on arrive juste... Y a pas de mal... Je comprends... C'est très aimable à vous... Ah ! je le lui dirai, elle sera contente... Bonne nuit, Noëlie, et merci d'avoir appelé.

— C'était Noëlie ? demanda Mireille, étonnée.

— Oui, dit-il en raccrochant. Elle vient de se confondre en excuses de nous avoir si mal reçus, elle était fatiguée. Elle te fait dire que les peluches sont magnifiques et qu'elle les a installées dans la chambre des pitchounes ! Finalement, on l'avait peut-être mal jugée, la bru, elle n'est pas si méchante que ça ! En tout cas, au téléphone, elle avait la queue basse comme un chien fouetté !

— Que Dieu t'entende ! Cette Noëlie est une girouette.

105

— Regardez, Adeline a laissé des lettres !

Victor pointa son doigt vers les deux enveloppes posées sur le secrétaire.

— Une pour toi, Noëlie, dit-il en tendant la première à Zoé. Et une pour vous, Agathe, ajouta-t-il en glissant la deuxième à la grosse femme qui pleurait à chaudes larmes.

C'était elle qui, le matin même, avait fait la macabre découverte de la vieille Adeline morte dans son lit. Ne la voyant pas descendre à l'heure du petit déjeuner, elle le lui avait monté sur un plateau. Elle avait ouvert la porte en criant joyeusement :

— Eh bien, Adeline, on fait la grasse matinée !

N'obtenant pas de réponse, elle avait tiré les rideaux et s'était penchée vers la vieille dame qui gisait sur le dos, les yeux révulsés. Elle avait saisi sa main qui était glacée. Le pouls ne battait plus. Paniquée, elle avait téléphoné chez les Escartepigne. Une demi-heure plus tard, la famille était réunie à *La dolce vita*, la maison sur la falaise. Victor n'avait pu que constater le décès. L'odeur d'amande amère qui flottait dans la chambre lui avait permis de conclure au suicide par ingestion de cyanure. Bien que ne connaissant pas bien la vieille dame, Zoé était affectée par le départ de cette femme qui avait tant souffert de ne pouvoir enfanter et qui avait tant aimé sa sœur.

— Elle ne voulait plus vivre sans Ambroise, j'aurais dû être plus vigilante, ne cessait de répéter Agathe en se tordant les mains.

Zoé prit l'enveloppe que lui tendait Victor. Elle la décacheta et alla sur la terrasse pour la lire. La confession d'Adeline, qui ne lui apprit rien de plus que ce qu'elle savait déjà, la toucha profondément et la plongea dans la perplexité. Devait-elle en faire part à Victor et aux enfants ? Mais pourquoi exhumer cette histoire alors que les principaux protagonistes étaient morts ? À quoi bon remuer ce passé trouble qui ne pourrait que ternir l'image des grands-parents ? Elle décida de ne rien dire et de brûler la lettre. Ravalant ses larmes, elle revint dans le living.

— Alors, mon enfant, tu sais la vérité maintenant ? s'écria Agathe, les yeux noyés de larmes.

Elle leva la feuille qu'elle tenait dans sa main :

— Dans son dernier message, Adeline me prie de t'aider à retrouver ta jumelle.

— Tu as une sœur jumelle, maman ? demanda Marion, au comble de l'étonnement.

— Qu'est-ce que c'est que cette histoire ? voulut savoir Victor, tombant des nues.

Zoé se vit alors obligée de révéler le secret de sa naissance à sa famille. Le plus simple était de leur lire la lettre d'Adeline, et c'est ce qu'elle fit.

— Ah ben, ça alors ! s'exclama Victor, sidéré, quand elle en eut terminé la lecture.

— Je sais qui c'est, ta sœur jumelle, maman ! s'écria Marion. Je l'ai vue et je lui ai même parlé. C'est Zoé, l'ex-copine de l'oncle de Yann.

— Zoé ? répéta Agathe. Oui, ta jumelle s'appelle ainsi. Je me souviens très bien de ce prénom qu'a prononcé ta mère quand Ambroise lui a posé le premier bébé sur le ventre. Elle a murmuré : « Zoé », juste avant de perdre connaissance !

Victor se frappa le front.

— Cela pourrait expliquer pourquoi ce malfrat a prétendu t'avoir kidnappée et séquestrée. Il devait t'avoir repérée et, frappé par ta ressemblance avec sa compagne, il aura inventé cette histoire à coucher dehors.

Zoé ne dit rien, dépassée par les événements.

— Mais alors, Zoé est notre tante ! s'exclama Marion.

Victor acquiesça.

— Oui, si c'est bien la sœur jumelle de ta mère, c'est ta tante. Pour la retrouver, il suffit de téléphoner au commissaire qui nous communiquera son adresse afin que l'on puisse pratiquer des tests d'ADN. Et on sera fixés.

— Je sais qu'elle travaille dans une boutique de fringues du centre-ville ! annonça Marion.

— Comment tu sais ça ? demanda Zoé, éberluée de voir Marion si bien renseignée sur son compte.

— C'est une copine qui ne pense qu'à se marier qui me l'a dit. Elle a flashé sur une robe et elle a parlé avec la vendeuse. Et, l'autre jour, quand elle t'a vue à la sortie du lycée, elle m'a demandé si tu ne travaillais pas dans une boutique du centre-ville. Elle a vraiment cru que c'était toi qui vendais les fringues.

— Le mieux est de passer un coup de fil au commissaire, il nous donnera ses coordonnées. J'ai hâte de savoir si c'est ta jumelle et de faire sa connaissance, ma chérie, dit Victor.

Il prit son portable et composa le numéro du commissariat.

— Pourrais-je parler au commissaire Orsini ?... Ah ! il est sorti ? À quelle heure sera-t-il de retour ?... Sur une scène de crime ?... Et vous ne savez pas quand il rentrera ?... Eh bien, je vous remercie, monsieur. Au revoir.

Victor rangea son portable dans sa poche.

— Le commissaire n'est pas là. Il y a eu un homicide hier soir et il est sur les lieux. Je l'appellerai plus tard.

— Encore un règlement de comptes entre malfrats, commenta Agathe. Il y a de plus en plus de violence dans cette ville, si c'est pas malheureux ! Bientôt on ne va plus oser sortir de chez soi de peur de se faire descendre !

Zoé devint blanche comme un cierge. Elle savait de quel crime il s'agissait.

— Bon, je dois retourner à l'hôpital, annonça Victor en regardant sa Rolex. Je vais annuler tous mes rendez-vous de demain et prier Boivin de me remplacer. Je tâcherai de rentrer à la maison en fin d'après-midi. Je t'aiderai, Noëlie, à faire toutes les formalités pour les obsèques.

— Merci, Victor, dit Zoé, reconnaissante.

— Papa, tu peux me déposer à la fac ? demanda Marion.

— Tu veux aller en cours aujourd'hui ! s'indigna son père.

— Oui. Je ne peux pas manquer, c'est hyper important. Cet aprèm, je dois faire un exposé qui compte pour les partiels.

— Dans ce cas, il ne faut pas que tu le rates, dit Zoé. Le vœu de ta grand-mère était de te voir réussir tes examens.

Ils prirent congé d'Agathe et quittèrent la maison. Ils se séparèrent sur le perron. Marion monta dans la Mercedes de son père, et Zoé dans sa Golf.

Elle était dans un état affreux. Seul l'abattement l'empêchait de hurler sa douleur. Agrippée au volant, elle fixait la route, conduisant plus lentement que les limitations de vitesse ne l'y autorisaient, et le trajet lui parut deux fois plus long que d'habitude. Quand elle parvint au centre-ville, midi sonnait au beffroi. Déjà, les bureaux et les magasins déversaient leurs flots d'employés vers les cafés et les restaurants. Elle vit des mères de famille qui attendaient leurs enfants devant la grille d'une école, des collégiens et des lycéens qui marchaient sur les trottoirs. Tous vaquaient à leurs occupations habituelles. Elle envia leur insouciance. Soudain, elle eut envie de se rendre au pavillon pour s'assurer qu'il s'agissait bien de la scène du crime où se trouvait le commissaire. L'impasse était barrée aux véhicules. Elle se gara plus loin sur l'avenue. Avant de quitter la voiture, elle mit un bonnet pour dissimuler ses cheveux. Elle l'enfonça pour cacher en partie son visage et chaussa des lunettes de soleil. Lorsqu'elle s'engagea dans la petite rue, la réalité lui sauta à la figure. Des fourgons de police stationnaient un peu partout. Près du pavillon, un périmètre de sécurité avait été dressé. Des badauds, agglutinés sur les trottoirs, regardaient les hommes en uniforme qui allaient et venaient. Certains répondaient aux questions des policiers. Elle vit le commissaire Orsini se faufiler sous le cordon de sécurité, escalader à grandes enjambées les marches du perron et disparaître dans la maison où elle avait vécu pendant plusieurs semaines. Elle fit demi-tour, s'engouffra dans la Golf et démarra.

106

Zoé entendit des pneus crisser sur le gravier. Carl se mit à japper. Victor rentrait à la maison. La clef cliqueta dans la serrure. Elle se précipita dans l'escalier tandis que la porte d'entrée s'ouvrait. Victor apparut et le chien lui fit fête dans un concert d'aboiements. Il quitta son manteau et posa son attaché-case sur la console. Il avait l'air angoissé. Elle lui piqua un petit baiser sur la joue.

— Comment s'est passé ton après-midi ? lui demanda-t-il.

— Tristement. Heureusement que j'avais les bébés pour me distraire !

Il hocha la tête en silence et la serra dans ses bras.

— Ma chérie, j'ai une triste nouvelle à t'annoncer, lui murmura-t-il.

Elle ne répondit pas, comprenant qu'il allait lui parler de la mort de sa jumelle.

— J'ai eu le commissaire Orsini au téléphone, et il m'a appris que la dénommée Zoé Besson avait été trouvée morte hier soir à son domicile. Elle a été étranglée par son ex. Il a certainement voulu se venger d'avoir été dénoncé pour séquestration. Le commissaire est très affecté, car le criminel est son frère.

— Tu parles de Léo, l'oncle de Yann ? demanda Marion qui venait de rentrer à son tour.

— Oui, c'est ça, Léo, c'est bien son prénom. C'est le voyou auquel le commissaire t'a confrontée, Noëlie, quand il a sorti son histoire à coucher dehors qu'il t'aurait kidnappée pour mettre Zoé à ta place. Ha, ha ! Il ne manquait pas d'imagination ! Tu l'imagines chez nous, cette Zoé, une pauvre fille de la zone ? Ce Léo avait été mis en examen. Grâce à l'appui de son frère, on l'avait placé sous surveillance électronique.

— Oui, une histoire complètement loufoque. Le commissaire m'avait juste convoquée au commissariat pour montrer à son frère qu'il ne croyait pas un seul mot de ses mensonges. J'espère que ce Léo va passer le reste de ses jours en prison, cela évitera qu'il récidive, dit Zoé.

— Pas de risque, il est mort !

— Il s'est suicidé ? s'enquit Zoé, après quelques secondes de saisissement muet.

— Non. Après avoir sauvagement assassiné Zoé, il s'est enfui en moto et il a percuté un camion à l'entrée de l'autoroute. Il est mort sur le coup.

Un frisson secoua Zoé de la tête aux pieds. Toute la tension accumulée depuis la veille explosa et elle s'effondra en sanglots dans les bras de Victor.

— Ma chérie, je comprends ta peine, mais on n'est pas certain qu'il s'agisse de ta sœur jumelle.

« Hélas ! si. C'était ma jumelle, mon double. »

Ses sanglots redoublèrent.

— J'ai exposé la situation au commissaire, poursuivit Victor. On va te faire un prélèvement ADN que l'on comparera à celui de la victime. Nous aurons la réponse définitive dans une semaine. En attendant, ne te désespère pas. Si cette femme assassinée n'est pas ta sœur, je te promets de mettre tout en œuvre pour la retrouver !

Touchée, Zoé remercia son mari et s'efforça de ravaler ses larmes.

— Je vais préparer le repas !

— Et moi, je vais regarder les infos. On parlera peut-être de ce crime odieux.

Victor se servit un whisky, prit la télécommande et s'installa sur le canapé.

Zoé alla dans la cuisine. Marion la suivit.

— Tu sais, mam', je suis triste que Zoé soit morte. Je suis sûre que c'était ta sœur. Elle te ressemblait trop !

— Tu la connaissais ? demanda Zoé qui savait la réponse.

Elle était impatiente de voir si l'adolescente allait lui révéler la visite qu'elle lui avait faite à l'hôtel, ses questions et ses doutes sur l'identité de sa mère à son retour de l'hôpital.

— Oui, j'étais allée la trouver quand on a arrêté Léo. Elle logeait dans un hôtel. C'est Yann qui m'avait donné l'adresse.

— Et pourquoi tu voulais la voir ?

— Si je te dis la raison, tu risques de te fâcher !

— Non, promis, juré !

— Eh ben, c'était pour lui demander si l'histoire de Léo n'était pas vraie.

— Comment ça ?

— Je voulais savoir si Zoé n'avait pas pris ta place pendant trois semaines, comme le prétendait Léo ! Après ton agression, tu étais devenue une autre femme : super cool, comme une copine, je pouvais tout te dire et tu me racontais plein de choses sur toi. Et puis, quand Léo a été arrêté et que ta mémoire est revenue, tu es redevenue comme avant : super chiante ! C'est pour ça que quand Yann m'a parlé de l'histoire que Léo avait racontée à la police, je me suis demandé s'il ne disait pas la vérité. Tu avais trop changé !

— Et maintenant, tu crois toujours que mon sosie aurait pu prendre ma place ici ?

— Bien sûr que non ! se récria Marion en embrassant Zoé. Quand j'ai vu cette Zoé, je l'ai prise pour toi, mais dès que je l'ai entendue parler, j'ai compris que c'était impossible qu'elle ait pu te remplacer ; on s'en serait aperçu tout de suite. Elle était moins classe que toi. Toi, tu es super et je t'aime, mam'.

— De toute manière, l'histoire de Léo était complètement loufoque et invraisemblable. Ces échanges entre jumeaux ou jumelles, ça n'arrive que dans les romans ou dans les films ! s'exclama Zoé avec un petit rire.

— Comme dans le roman *Deux pour une* que j'ai lu quand j'étais petite ou *Prête-moi ta vie*, un film qui est passé à la télé y pas longtemps, renchérit Marion. Dans la réalité, ce serait impossible, on s'en apercevrait tout de suite !

— Tu as raison, ma biche. C'est de la fiction.

Marion resta un moment silencieuse.

— N'empêche que ce qu'a fait papy, c'est dégueulasse, reprit-elle. Il t'a volée à ta mère. Tu te rends compte ? C'est comme si on m'avait volé Chloé ou Emma à la maternité.

— C'est vrai, mais tu ne dois pas mal le juger. Il l'a fait par amour pour ta grand-mère qui souffrait de ne pas pouvoir avoir d'enfants.

— Ce n'est pas une raison ! Je trouve ça vraiment moche.

— Il ne faut pas jeter la pierre à ton grand-père, ma chérie. D'un mal peut parfois ressortir un bien. Les grands-parents de Zoé ont eu du mal à élever un seul enfant ; ton grand-père leur a enlevé un fardeau et a fait le bonheur de ta grand-mère. Et puis, ma mère biologique était morte en couches en ignorant qu'elle portait deux bébés.

Mais, avec l'intransigeance de la jeunesse, Marion restait implacable.

— C'est mal de séparer des jumeaux. Je suis contente que papy ne soit rien pour moi, après ce qu'il a fait ! Maintenant, j'ai envie de rencontrer mes vrais arrière-grands-parents.

— Nous le ferons, ma chérie, dès que nous aurons le résultat des tests ADN. Moi aussi, j'ai hâte de les embrasser.

— Ça leur fera sûrement un choc quand ils te verront. Ils croiront que tu es Zoé.

— Nous les y préparerons, sois tranquille. Je n'ai pas envie de leur faire avoir une attaque s'ils croient voir un fantôme.

C'était pourtant le choc terrible qu'elle s'apprêtait à faire subir à ses grands-parents après l'enterrement de Noëlie, quand elle allait paraître devant eux, alors qu'ils pensaient qu'elle était morte. Elle avait vainement tenté de les joindre au téléphone, mais – selon leur vieille habitude – ils n'avaient pas décroché, détestant être « sonnés comme des domestiques ».

107

Les yeux brouillés de larmes, Zoé regardait le cercueil de sa jumelle avec une étrange impression de dédoublement : celle d'assister à ses propres obsèques, car la cérémonie funéraire était dédiée à « Zoé Besson, victime de la vengeance de son ex-copain Léo ».

Son troisième enterrement en une semaine. Quatre jours auparavant, on avait inhumé Léo ; la veille, la vieille Adeline, et aujourd'hui, c'était au tour de sa sœur que la maigre assistance prenait pour elle, Zoé. Pour tous, elle était morte.

Ah ! combien ces trois cérémonies d'adieu étaient différentes ! Lors de l'enterrement de Léo, la grande église paraissait vide. À part ses parents, deux vieillards ratatinés entourés de la grande fratrie – Sylvio, le commissaire, deux ruminantes bombes qui mâchaient inlassablement du chewing-gum et trois grands escogriffes noirauds avec des gueules de truands –, ses potes, compagnons de beuverie, et quelques voisins, dont le comptable surnommé « le professeur » qui avait bredouillé un petit panégyrique, personne n'avait pris la peine de se déplacer pour rendre un dernier hommage à l'assassin de sa concubine. Zoé avait tenu à y assister en souvenir de leurs premières années de vie commune durant lesquelles elle avait été heureuse avec Léo, son premier coup de foudre. Sylvio, touché de sa présence, les yeux brouillés de larmes, l'avait chaudement remerciée d'être venue dire adieu à son « voyou de frère ».

Aux obsèques d'Adeline, femme d'un notable de la ville estimé de tous, les couronnes funéraires recouvraient presque entièrement le corbillard et l'église était pleine à craquer. Tous les bancs étant occupés, les personnes qui n'avaient pas trouvé de place étaient restées debout au fond, sous le porche et même jusqu'au parvis de l'église. Zoé avait serré mécaniquement des dizaines de mains et embrassé un nombre infini d'inconnus qui, avec la mine grave et le maintien gourmé de circonstance, étaient venus lui présenter leurs condoléances devant le somptueux mausolée en marbre de la famille Nobleval.

Aujourd'hui, à « son propre enterrement » comme à celui de Léo, la chapelle était presque déserte. L'assistance se composait en tout de neuf personnes : Zoé reconnut ses grands-parents, le commissaire Sylvio, sa femme Hortense et son fils Yann, la propriétaire du magasin de mode, le couple de retraités qui lui avaient loué le pavillon et Nina, sa collègue de l'hôpital. Cette dernière semblait affectée et se tamponnait les yeux avec un Kleenex. Zoé en fut émue. Elle resta au fond de l'église, tête baissée, car elle voulait passer inaperçue. Elle avait chaussé ses lunettes noires et tordu sa lourde chevelure en un chignon dissimulé sous la capuche de son manteau. Elle faisait un effort pour contenir sa peine, angoissée à l'idée de se faire remarquer. Les sanglots s'accumulaient dans sa poitrine, prêts à jaillir. Elle vit son grand-père soutenir son épouse qui sanglotait, la croyant – elle, Zoé, leur petite-fille – allongée dans le cercueil. Elle imagina leur choc d'abord, puis leur joie quand elle allait leur révéler la vérité : leur petite-fille n'était pas morte, mais continuait à vivre dans le rôle de la défunte Noëlie. Elle s'arrangerait pour leur parler en particulier dès la fin de la cérémonie au cimetière.

L'oraison funèbre fut expédiée en deux coups de cuillère à pot par le curé qui se contenta de lâcher avec onction quelques formules de réconfort stéréotypées. Avant la fin de la bénédiction, Zoé s'échappa sur le parvis. Il commençait à bruiner et elle déploya son parapluie. Les employés des pompes funèbres faisaient le pied de grue devant le corbillard, s'ennuyant ferme. Zoé s'approcha d'eux et leur demanda dans quel secteur se trouvait la tombe.

— La dépouille mortelle va être transportée dans la concession des parents de la défunte, dans la Drôme, répondit l'un d'eux en endossant illico la mine sombre qui sied à un croque-mort.

Elle le remercia et se dirigea vers la 2 CV qu'elle venait de repérer, garée non loin de l'église. Dieu merci, la voiture n'était pas verrouillée. Ses grands-parents ne la fermaient jamais, prétendant qu'aucun voleur qui se respecte ne jetterait son dévolu sur ce vieux tacot déglingué. Elle ouvrit la portière et s'installa à l'arrière. Ironie du sort : Noëlie allait être inhumée à côté de sa mère biologique qu'elle ne connaissait pas et qui était morte sans savoir qu'elle portait un deuxième enfant. Elle aurait dû reposer dans la tombe des Nobleval, auprès de sa mère adoptive qui l'avait tant aimée. À cette idée, Zoé fondit en larmes. Bientôt, elle vit le petit groupe sortir de l'église. Le commissaire, sa femme et Yann embrassèrent ses grands-parents avant de monter dans leur berline et de démarrer. Les autres leur serrèrent la main et partirent à leur tour. Seule Nina se dirigea à pied vers l'arrêt du bus. Le cœur de Zoé se serra à l'idée des efforts qu'avait faits cette jeune femme qui disposait de si peu de temps pour assister à « ses » obsèques. Ses grands-parents s'approchaient de la voiture. Lentement. Des larmes silencieuses roulaient sur les joues de son grand-père. Son épouse, agrippée à son bras, pleurait à gros sanglots. En voyant quelqu'un squatter leur 2 CV, ils s'arrêtèrent, médusés. Zoé entrebâilla la portière. Ils eurent un mouvement de recul. Le vieil homme eut l'air de réfléchir et finit par lancer :

— Ah ! bonjour, Noëlie ! J'étais étonné de ne pas te voir aux funérailles de ta sœur !

— Mamie, papy, c'est moi Zoé !

Elle sortit de la voiture pour se jeter dans leurs bras.

— Zoé... tu... vis... tu n'es pas morte ! bégaya la vieille femme au bord de l'évanouissement en la serrant très fort.

— Non, c'est Noëlie qui est morte, pas moi.

Son mari ne put retenir un sanglot.

— C'est toi, ma Zoé, bien vivante ! articula-t-il d'une voix étranglée.

Zoé remonta prestement en voiture.

— Montez, je vais tout vous expliquer !

Ses grands-parents s'installèrent à leur tour dans la 2 CV.

— Démarre vite, papy ! Il ne faut pas qu'on me voie ici.

Son grand-père obtempéra et il se mit à rouler au hasard dans les rues de la ville, tandis que Zoé leur contait tout par le menu : comment, elle et Noëlie avaient pris l'habitude d'échanger leur vie, sa découverte du corps de sa jumelle, victime de la vengeance de Léo, l'accident de ce dernier...

— Quand j'ai trouvé Noëlie assassinée, ma première réaction a été d'appeler la police, puis j'ai réfléchi et j'en suis arrivée à la conclusion que tout le monde en souffrirait : Victor de perdre sa femme qu'il aime profondément, et les enfants d'être orphelins de mère. En plus, il y aurait eu une enquête poussée et j'aurais été inculpée pour complicité et usurpation d'identité. Apprendre que sa femme lui avait menti et qu'elle échangeait sa vie avec la mienne pour rejoindre son amant aurait également été un choc pour Victor et pour les enfants. En devenant Noëlie, je sauve son honneur et le bonheur de cette famille. Victor et moi, nous sommes heureux ensemble, nous nous aimons. J'aime les enfants comme s'ils étaient les miens. J'ai trouvé le bonheur dans cette nouvelle vie.

Quand elle eut terminé son récit, il y eut un long silence. Sa grand-mère pleurait toujours, mais de joie.

— Je pense que tu as bien fait, déclara finalement son grand-père. Tu as épargné à cette famille de grandes souffrances, je suis sûr que Noëlie t'approuverait, ma chérie.

Ils avaient quitté la ville et roulaient sur une route de campagne. Ils arrivaient dans un village.

— Si on s'arrêtait au café, prendre quelque chose de fort pour se remettre de toutes ces émotions ? proposa le grand-père.

— Bonne idée, dit sa femme, j'ai besoin d'un bon remontant.

— Moi aussi ! s'écria Zoé.

Le grand-père se gara et ils entrèrent dans le troquet : une salle obscure, aux poutres noires et aux murs de pierre.

— Quand même, tu aurais pu nous prévenir avant l'enterrement que tu n'étais pas morte, on était au fond du trou, la gronda sa grand-mère, lorsqu'ils furent attablés tous les trois devant un cognac.

Dans un geste gracieux, elle avait posé son menton sur ses mains croisées.

Son mari, qui la buvait des yeux, opina.

— Au fond du trou, c'est le cas de le dire ! Si tu savais comme nous avons été malheureux quand on nous a appris "ton" décès, soupira-t-il.

— Pardon ! s'écria Zoé.

Elle avait conscience du coup terrible qu'elle leur avait asséné.

— J'ai tenté de vous appeler plusieurs fois, mais personne n'a décroché, se justifia-t-elle.

— Tu sais bien que je n'aime pas être sonnée comme une soubrette, se récria sa grand-mère. J'ai horreur du téléphone.

— On te pardonne, ma chérie. L'essentiel est que tu sois vivante. Et puis, cela t'aura montré à quel point nous tenons à toi ! s'exclama le grand-père malicieusement.

La grand-mère parvint à rire à travers ses larmes.

— Je crois rêver, ma petite-fille est ressuscitée des morts, comme Lazare ! Mais ne recommence pas à nous faire de telles émotions. À notre âge, ça nous tuerait !

Elle se tut et réfléchit avant de lancer :

— Mais alors, c'est Noëlie qui va être enterrée dans notre caveau ?

— Qu'importe, fit le grand-père. Après tout, Noëlie était aussi notre petite-fille. Dommage que nous n'ayons pas eu l'occasion de mieux la connaître. Elle nous a envoyé un faire-part et des photos à la naissance des jumelles de Marion. C'était gentil. Mais son décès est une épreuve moins grande pour nous que si nous t'avions perdue toi, ma chérie, même si nous sommes bien malheureux. La perte d'un enfant est irremplaçable.

— C'est comme si j'avais été amputée d'une moitié de moi-même, hoqueta Zoé en éclatant en sanglots.

— Pauvre petite, comme c'est triste de perdre sa sœur jumelle, murmura la grand-mère en lui caressant les cheveux.

— Ton mari... euh... enfin Victor, connaît-il son existence ?

— Oui, il est au courant, mais il m'a conseillé d'attendre les résultats des tests ADN avant de vous contacter. Il ne veut pas éveiller de faux espoirs chez vous. Une fois qu'il sera sûr que vous êtes mes grands-parents, il souhaitera faire votre connaissance.

— C'est sage de sa part ! approuva le grand-père.

— Mon Dieu, comme toute cette histoire est compliquée, soupira la grand-mère.

Elle cogita un instant avant d'ajouter :

— Dis-moi, Zoé, quand nous te rencontrerons dans ta nouvelle famille, nous devrons t'appeler Noëlie ?

— Oui, mamie, pour tous, Zoé est morte.

— On s'y fera, ma chérie, c'est un détail. L'essentiel est que notre Zoé soit heureuse et vivante ! Quand je pense qu'on t'a crue morte !

— Vous repartez quand ? demanda Zoé.

— Ta sœur va reposer cette nuit dans une chambre funéraire, et nous nous mettrons en route demain à la première heure, en même temps que le corbillard. Les Orsini, des gens charmants, nous offrent le gîte et le couvert. Et si je comprends bien, leur fils Yann est le père de nos arrière-arrière-petites-filles !

— Oui, mais malheureusement, il est peu impliqué. La grossesse de Marion a été un accident. Elle l'a menée à terme contre son gré. Je ne suis pas très optimiste sur l'avenir de cette union. Mais je suis prête à aider Marion pour lui permettre de faire des études.

— Peut-être que ce garçon prendra un peu de plomb dans la cervelle. En tout cas, j'ai hâte de les voir « en vrai », ces mignonnes, dit la grand-mère.

— Ma porte vous sera toujours ouverte, mamie et papy ! s'exclama Zoé. Je vous aime.

108

— Ah ! ma Lili, enfin tu es là ! s'écria Antoine en ouvrant la porte.

Un large sourire illuminait son visage

— Si tu savais combien je suis soulagé et heureux de te voir. Et combien j'ai été inquiet l'autre soir. Après avoir entendu ton message, j'étais fou de joie et je t'ai attendue toute la nuit. Ce n'est que le lendemain matin, en écoutant les infos, que j'ai compris pourquoi tu n'étais pas venue. Perdre ainsi ta sœur, quel horrible drame !

Il lui tendit les bras, mais Zoé se déroba.

— Qu'y a-t-il ? demanda-t-il, étonné, en s'effaçant pour la laisser entrer.

Zoé pénétra dans la grande pièce ensoleillée. Découvrant l'appartement pour la première fois, elle trouva la décoration masculine, sobre et dépouillée. Elle fut impressionnée par la quantité de livres sur les rayonnages.

— Je ne suis pas Noëlie, lança-t-elle, une fois la porte refermée.

Antoine la regarda, sidéré.

— Comment ça ? Zoé est morte, tu es forcément Noëlie, fit-il d'une voix rauque.

— Non, c'est Noëlie qui est morte à ma place.

Antoine se laissa tomber dans le fauteuil, comme assommé par l'horrible nouvelle. Une chape de silence s'abattit sur eux. Puis, il saisit avec violence le bras de Zoé et le serra fortement.

— Non, ce n'est pas possible ! Dites-moi que ce n'est pas vrai ! gémit-il. Noëlie n'est pas morte !

— Je suis désolée, souffla Zoé, bouleversée par le désespoir d'Antoine. C'est malheureusement la vérité.

Antoine donna libre cours à ses larmes. Ses sanglots étaient tellement forts que sa respiration en fut presque coupée.

Zoé garda le silence. Il se ressaisit, essuya ses yeux.

— Racontez-moi tout, dit-il enfin.

Et Zoé lui décrivit la scène : comment, en rentrant chez elle, elle avait découvert sa sœur assassinée. Sa stupeur de la découvrir morte, ses hésitations et ses scrupules à prendre sa place.

— Je suis venue vous trouver ce matin, car je ne voulais pas vous laisser croire que Noëlie vivait encore. Je vous devais la vérité. Avec mes grands-parents, vous êtes maintenant le seul à la connaître. Pour tous, Zoé est morte et je suis Noëlie.

Elle se tut et fixa Antoine, implorant son verdict. Il sembla émerger du chagrin dans lequel il était plongé.

— Je pense que vous avez bien fait, lança-t-il, refoulant les sanglots qui lui étreignaient la gorge. C'était le vœu de Noëlie. Elle avait l'intention de vous abandonner définitivement sa place auprès des enfants et de Victor. Quelques heures avant son décès, elle m'avait laissé un message sur ma messagerie vocale pour m'annoncer qu'elle quittait définitivement les siens. Vous voulez l'entendre ?

Il prit son portable, appuya sur la touche « MESSAGE » et mit le haut-parleur. La voix de Noëlie emplit la pièce, comme jaillie d'outre-tombe, rendant sa présence presque tangible.

Antoine, c'est moi. Ma décision est prise, je viens vivre avec toi, pour toujours ! J'arrive ce soir. Je t'embrasse, mon amour.

— Je l'ai attendue toute la nuit, rongé d'anxiété. Le lendemain, j'apprenais « votre » mort et le meurtre aux infos.

Les yeux pleins de larmes, Zoé plissa le front.

— Ah ! je comprends maintenant pourquoi elle avait emporté une valise de vêtements, des dessins et des photos de ses enfants. La pauvre, elle ne se doutait pas que sa dernière heure était arrivée. En fait, c'est moi qui étais visée. Elle est morte à cause de moi, tuée par mon ex. Et maintenant, je lui vole sa vie ! s'écria Zoé d'une voix qu'étranglaient les sanglots.

— Ne dites pas cela, Zoé. C'est ce que voulait Noëlie. Votre place est auprès des enfants que vous saurez rendre heureux.

— Je vais faire tout mon possible pour qu'ils le soient, ce sera une manière de me racheter. Je veux être une épouse et une mère exemplaires. Je le jure.

— En prenant sa place, vous avez accompli en quelque sorte ses dernières volontés. Elle pensait que vous étiez plus apte qu'elle à faire le bonheur de sa famille. Elle n'a jamais aimé Victor et elle n'avait pas la vocation de mère. On ne peut pas lui jeter la pierre. Contrairement aux idées reçues, toutes les femmes n'ont pas la fibre maternelle. Elle vous aimait, vous pouvez en être sûre.

— Moi aussi, je l'aimais, et elle me manque terriblement. C'était comme si nous nous étions toujours connues. Curieusement, le courant est tout de suite passé entre nous. Nous avions... euh... je ne sais pas trouver les mots pour ça. Nous pensions la même chose au même moment.

— Je comprends. Noëlie m'avait parlé de l'extraordinaire complicité qui vous unissait.

— Voilà, ce sont exactement les mots que je cherchais !

— C'est le grand mystère des vrais jumeaux qui sont en quelque sorte une seule personne dans deux corps identiques. Deux clones naturels. On dit qu'il existe même une communication télépathique entre eux. C'est vraiment tragique qu'on vous ait séparées dès la naissance.

Il lui prit la main.

— J'ai une prière : si vous le pouvez, j'aimerais que vous me donniez de vos nouvelles et de celles des enfants, de temps en temps. Ce sera une façon pour moi de continuer à être avec Noëlie.

— Je vous le promets, dit-elle.

— Je vous remercie, Zoé, et surtout de m'avoir dit la vérité. Au fait, où a-t-elle été inhumée ? Je voudrais aller me recueillir sur sa tombe.

— Dans la Drôme, à Suze, dans le caveau familial. Si vous y allez, mes grands-parents se feront une joie de vous recevoir.

— J'irai cet été pendant les vacances. Je serai heureux de faire la connaissance de votre famille qui est celle de Noëlie.

Épilogue

— Marion Escartepigne, acceptez-vous de prendre pour époux Damien Roche, ici présent, de l'aimer, de le chérir jusqu'à ce que la mort vous sépare ?

— Oui, je le veux.

Le vieux curé, la voix chevrotante d'émotion, se tourna ensuite vers le marié :

— Damien Roche, acceptez-vous de prendre pour épouse Marion Escartepigne, ici présente, de l'aimer, de la chérir jusqu'à ce que la mort vous sépare ?

— Oui !

Satisfait, le vieux curé sourit béatement aux mariés agenouillés sur un prie-Dieu devant l'autel fleuri de lilas blancs. Damien, un jeune homme blond dans un costume noir et nœud papillon ; Marion, rayonnante, dans sa robe tout en froufrous et dentelles, les cheveux remontés en un savant chignon, paré d'or, un pendentif et des boucles d'oreilles sertis de rubis, cadeau de son époux tout neuf.

615

— Je vous déclare donc unis par les liens du mariage jusqu'à ce que la mort vous sépare.

Puis ce fut la bénédiction nuptiale. Les flashs fusèrent. Kevin brandit son iPhone et se mit à filmer.

Zoé sécha une larme. Pendant toute la messe, elle avait pleuré. Des larmes de joie.

Agathe, le double menton largement épanoui s'étalant sur un chemisier fleuri, une jupe noire en fourreau comprimant les bourrelets de graisse de son ventre et ses cuissots, tenta de calmer les jumelles qui s'agitaient dans tous les sens, trouvant la cérémonie un peu longue.

— On va bientôt sortir et vous pourrez lancer le riz à votre maman et à votre nouveau papa ! leur dit-elle, et elles se mirent à sucer leur pouce en louchant sur le chapeau à large bord de « mémé Violette » de la Drôme, assise devant elles, à côté de « pépé Bernard ».

Des « papys » et des « mamies », les jumelles en avaient à foison – de quoi y perdre leur latin ! « Mamie Mireille et papy Marius », les parents de Victor, au deuxième rang, sur leur trente et un, près de « papy Sylvio », le commissaire et sa femme, « mamie Hortense », les parents de Yann. Il y avait aussi leurs nouveaux grands-parents : « mamie Stéphanie » et « papy Cédric », les parents du jeune marié, qui avaient pris place avec leur fille, « tatie Léa », de l'autre côté de la travée : la mère, une jolie blonde au visage de madone, très bon chic bon genre, dans son tailleur Chanel vert tendre, et son mari, un homme athlétique en costume beige. Avec son flot de cheveux dorés, ses pommettes hautes et ses traits délicats, on devinait que Léa, leur fille adolescente, serait une beauté. Au début, ils s'étaient montrés hostiles à ce mariage, mécontents que leur fils épousât une mère de deux enfants. Mais la vue du magnifique cadre de vie dans lequel le jeune couple allait vivre après son retour du voyage de noces les avait radoucis. Zoé avait en effet donné à « sa fille » la maison de « ses parents » sur la falaise, *La dolce vita*, qui dominait la mer.

Elle avait aidé Marion à rajeunir l'ancienne bâtisse. Avec l'aide de la vieille Agathe, elles avaient changé les rideaux, ajouté des coussins multicolores sur le canapé et les fauteuils, modernisé la cuisine, remplacé le papier peint vieillot par des couleurs chaudes et gaies. La grande chambre d'Adeline avait été transformée en chambre d'enfants pour les jumelles, inséparables. En souvenir de l'aïeule, Zoé avait installé sur une petite chaise la poupée ancienne à la tête en porcelaine qui souriait de toutes ses dents.

La cérémonie se poursuivit. Mais Zoé n'écoutait rien. Tout se dissipait dans les fumées de l'encens, devenait flou, irréel. Elle se mit à songer au tour imprévu qu'avait pris sa vie pendant les cinq dernières années...

*

Au grand désespoir de ses parents, Yann avait quitté Marion après un an de cohabitation. Il avait toujours refusé de l'épouser et l'avait abandonnée pour suivre sa nouvelle conquête, une paumée, alcoolique et toxicomane, dans une communauté de junkies. Marion l'avait croisé un jour en ville. Hagard, il l'avait fixée sans la reconnaître. Six mois plus tard, ils apprenaient son décès par overdose. Bien qu'il n'eût jamais manifesté le moindre intérêt pour ses filles, Marion avait continué à espérer en secret qu'il lui reviendrait. En vain. Jusqu'à la terrible nouvelle de sa disparition. Ce jour-là, le ciel s'était obscurci et il lui avait semblé que le soleil ne brillerait jamais plus comme avant. Et si elle n'avait pas sombré dans la dépression, c'était grâce à « sa mère » qui l'avait épaulée dans ces moments dramatiques.

— Tu verras, ma chérie, même sans Yann, on se débrouillera très bien, et tes jumelles grandiront sans problème ! Tu auras deux filles magnifiques dont tu pourras être fière.

« Comme Marie, ma propre mère, si elle avait vécu avec ses jumelles dans un milieu privilégié », avait pensé Zoé, le cœur serré.

Elle avait su prodiguer à Marion tendresse et réconfort, mais aussi l'encourager à poursuivre ses études. Elle s'était occupée des jumelles qu'elle aimait comme ses propres filles, afin que Marion puisse se consacrer à la préparation du CAPES de lettres. Mais elle avait également veillé à ne pas négliger le petit Kevin. Pour pouvoir faire des activités avec lui, elle confiait les jumelles à Hortense, la mère de Yann, toujours contente de voir ses petites-filles dont le joyeux babil l'aidait à surmonter la perte de son fils unique.

Zoé s'était efforcée de faire régner l'harmonie et la joie dans la maison. Victor avait été parfaitement heureux avant d'être frappé par la maladie : une tumeur au cerveau foudroyante qui l'avait emporté en trois mois. Il y avait maintenant quatre ans...

Un soir de novembre, alors qu'ils allaient passer à table, il avait titubé et s'était effondré sous ses yeux. Elle avait appelé le SAMU, mais les tentatives de réanimation étaient restées vaines et il était mort dans l'ambulance, avant son arrivée à l'hôpital. Les obsèques lui avaient fait l'effet d'un *remake* de celles de son beau-père : il avait eu droit à la même pompe, aux mêmes interminables panégyriques que le Pr Ambroise Nobleval. Devant le mausolée pharaonique de la famille, elle avait vu les mêmes mains tendues vers elle, les mêmes masques compassés se plaquer sur les visages. Chacun y était allé de ses poncifs lénifiants, avant de se faufiler en toute hâte, le devoir accompli, à travers le dédale des pierres tombales vers sa voiture.

Kevin, en larmes, s'était accroché à sa main. Le petit garçon vouait à son père une adoration sans limites. Et, à la grande joie de Victor, il voulait étudier la médecine et marcher sur ses brisées. Soudain, le regard de Zoé avait été attiré par une silhouette qui se tenait à l'écart près d'un cyprès, comme si elle cherchait à se dissimuler. Une grande femme à la chevelure dorée, toute de noir vêtue, qui s'épongeait les yeux avec un mouchoir. Qui était cette inconnue ? Avait-elle quelque chose à cacher pour garder une telle distance ? s'était-elle demandé. Distraite, elle avait salué les dernières personnes qui lui présentaient leurs condoléances, mais sans quitter la femme des yeux. Elle s'était ensuite dirigée vers elle. La femme n'avait pas bougé.

— Je ne vous connais pas, lui avait murmuré Zoé.

— Non, madame, je me suis tenue à l'écart, car je n'ai pas voulu vous indisposer par ma présence.

— Pourquoi m'auriez-vous indisposée ? avait demandé Zoé, étonnée.

La femme avait rougi.

— Euh... eh bien... je suis Agnès, une amie de Victor. Nous nous sommes connus il y a des années.

Nous nous sommes aimés, il a rompu pour vous épouser, mais je n'ai jamais pu l'oublier ! J'habite dans le Tarn, à Albi. Quand j'ai appris son décès par l'annonce nécrologique du *Figaro*, j'ai tenu à assister, même de loin, à l'enterrement. J'espère que vous ne m'en tiendrez pas rigueur.

Zoé était aussitôt tombée sous le charme de cette jeune femme si spontanée qu'elle en devenait presque belle. Non pas selon les canons classiques, mais d'une beauté simple et saine, un peu comme la fleur des champs qui pousse librement au grand air. Ce qui frappait chez elle, c'était ses grands yeux bleus, pleins de bonté et d'innocence. Cette femme était lumineuse.

— Pourquoi devrais-je vous en vouloir ? Au contraire, je suis touchée de votre présence. Nous pleurons le même homme, cela nous rapproche. Puisque vous avez fait un si long voyage, je suppose que vous n'allez pas repartir aujourd'hui. Je vous invite chez nous, vous dormirez dans la chambre d'amis. Nous pourrons échanger nos souvenirs de Victor.

Agnès avait accepté l'invitation avec gratitude.

Elles avaient passé une bonne partie de la nuit à bavarder. Agnès lui avait raconté ses amours et la rupture qui lui avait fait si mal, et Zoé, émue, avait compati au chagrin de cette femme, à l'égard de laquelle Victor s'était montré si cruel.

La mort de Victor, qu'elle avait passionnément aimé, l'avait plongée dans un profond abattement et lui avait enlevé toute joie de vivre. S'occuper des jumelles avait été sa seule consolation.

Durant toutes ces années, elle était restée en contact avec Antoine. Il avait réalisé son rêve d'écrivain. Avec son accord, il avait poursuivi le récit romancé de l'incroyable histoire des jumelles, commencé par sa sœur, et son roman *Tu es moi* – le roman à quatre mains qu'il lui avait un jour suggéré d'écrire ensemble – avait fait un best-seller qui allait même être adapté au cinéma.

Zoé avait l'habitude de retrouver Antoine dans un troquet du port, le samedi matin, jour du marché. Elle lui contait par le menu les petits événements quotidiens. Elle lui montrait des photos des deux magnifiques bébés qui faisaient sa fierté. Il avait suivi l'évolution des jumelles, mois après mois : les dents de lait, les maladies infantiles, les premiers pas, les balbutiements et les bons mots...

Au fil des ans, une amitié amoureuse était née entre eux. Antoine appréciait le naturel, le courage et la force de caractère de la jeune femme, si semblable à Noëlie et pourtant si différente. Et puis, il s'était mis à l'aimer, à la désirer en secret. Il souhaitait ardemment lui rendre sa joie de vivre et gagner son amour. Pendant les premières années du veuvage, il n'avait pas osé se déclarer, craignant une rebuffade de sa part. Et puis, l'année précédente, il s'était jeté à l'eau...

Ils cheminaient, pieds nus, sur la plage en devisant gaiement. Soudain, Zoé avait laissé échapper un petit cri aigu. Elle venait de marcher sur un éclat de verre. Antoine s'était accroupi et avait regardé sa plaie. C'était la première fois qu'il la touchait, et il avait noté la surprise de Zoé qui avait sursauté en tremblant. Il avait délicatement retiré le morceau de verre de sa plante de pied et écarté les chairs pour s'assurer que la blessure n'était pas profonde. Une goutte de sang avait perlé. Il lui avait fait un pansement avec son mouchoir. Quand il s'était redressé, il était si près d'elle qu'il avait posé ses mains sur ses épaules. Elle ne l'avait pas repoussé. Il s'était enhardi et avait pris son visage entre ses mains, étudiant avec attention le grain de sa peau, les taches de son sur les ailes du nez, la ligne de ses sourcils, la courbe de ses joues.

— Zoé, je t'aime, mais je ne veux pas que tu croies que c'est parce que tu es l'image vivante de Noëlie. C'est toi seule que j'aime, avait-il murmuré à son oreille.

Elle avait retenu sa respiration avant de répondre :

— Je t'aime aussi ! et elle avait enfoui sa tête dans le creux de son épaule.

— Zoé ! avait-il soufflé, mettant dans ce mot tous les sentiments forts et sincères qu'il ressentait pour elle.

Et ils s'étaient enlacés, éperdus de désir. Le jour même, elle était devenue sa maîtresse. Ils avaient gardé leur liaison secrète pendant une année. Puis, Antoine lui avait demandé sa main mais, avant d'accepter, Zoé avait décidé d'en parler à « ses enfants ».

— J'ai rencontré quelqu'un ! avait-elle dit incidemment à Marion.

La jeune femme avait réagi avec enthousiasme.

— Super, mam'. Je le connais ?

— Oui, tu l'as connu, il y a longtemps.

— Ah bon ? Qui est-ce ?

— Ton prof de français de terminale.

— Dubois ? Pas possible ! s'était écriée Marion. Dire que je ne pouvais pas le blairer, il m'avait dans le collimateur !

— Avoue que ton comportement au lycée laissait à désirer, avait rétorqué Zoé en riant.

— C'est vrai, mam', je n'en fichais pas une rame ! J'étais une tête à gifles, je le reconnais. Je vous en ai fait voir, pas vrai ? Je suis contente pour toi.

Zoé avait invité Antoine qui avait tout de suite fait la conquête de Kevin. Au début, Marion était sur la défensive, puis elle avait fini par apprécier l'humour et la gentillesse de son futur beau-père. Antoine l'avait aidée dans ses études et dans la préparation du CAPES de lettres qu'elle avait décroché sans peine. Au cours d'un stage pédagogique, elle avait fait la connaissance de Damien, le jeune professeur de mathématiques qu'elle épousait aujourd'hui.

Quant à Antoine et Zoé, ils s'étaient mariés dans l'intimité six mois avant, avec la bénédiction de Mireille et de Marius, les parents de Victor qui adoraient leur belle-fille et lui souhaitaient tout le bonheur possible. Après son coup de fil pour s'excuser de l'accueil glacial qu'« elle » leur avait réservé lors de leur première visite aux bébés, elle leur avait ouvert grande sa porte et leurs relations étaient toujours restées au beau fixe. Ils pouvaient débarquer chez elle à tout moment, sachant qu'ils étaient toujours les bienvenus, et ils ne s'en privaient pas. *La dolce vita* regorgeait de volumineuses peluches !

*

— Elle a l'air heureuse, notre Marion, chuchota-t-elle à l'oreille d'Antoine.

— Son bonheur, elle te le doit, ma chérie. Sans ton amour et ta présence, elle n'aurait pas surmonté le décès de Yann ni eu le courage de poursuivre ses études. Et elle n'aurait pas rencontré Damien.

Zoé rosit de plaisir et serra la main d'Antoine.

Ite missa est.

La messe était finie. Les orgues attaquèrent la *Marche nuptiale* et le mugissement emplit toute l'église, gagnant les voûtes, comme une mer démontée. Damien prit le bras de Marion et le cortège s'ébranla vers la sortie. Les jumelles, adorables dans leurs robes roses et avec le nœud assorti retenant leurs boucles rousses, et leur oncle Kevin, en pantalon blanc et chemisette bleu ciel, leur jetèrent en riant des poignées de riz. Les mariés s'immobilisèrent sous le porche tandis que le photographe, commandé par Antoine, immortalisait cet instant de félicité suprême.

Les félicitations terminées, Marion se campa en haut de l'escalier et annonça d'une voix tonitruante :

— Je vous invite tous à un petit cocktail à *La dolce vita* !

Paroles saluées par des applaudissements chaleureux. Le cortège des voitures enrubannées de blanc se mit en marche dans un concert de Klaxon.

Zoé avait offert à Marion le service d'un traiteur et d'un disc-jockey. Des tables avaient été disposées sous les ombrages, chargées de mets appétissants : des canapés aux tomates-cerises farcies au crabe, des feuilletés au saumon, des médaillons de foie gras et autres délicatesses.

Marion et Damien accueillaient les arrivants sur le perron. La beauté du lieu arracha des cris d'admiration aux invités qui le découvraient pour la première fois. D'abord la vieille maison, baignée dans la lumière ocre si particulière des fins de journée d'été, qui diaprait les murs de chatoiements dorés, puis au-delà de la pelouse, la rocaille aux taches pastel, ponctuée des couleurs vives des massifs et, plus loin, la roseraie qui se détachait sur le bleu du ciel et de la mer. Un décor sur lequel régnait comme un parfum d'éternité.

— Wouah, super ! hurla un collègue prof de Damien. Hé ! vous êtes deux cachottiers ! Vous ne nous aviez pas dit que vous logiez en HLM !

Des serveurs stylés, déguisés en valets d'opérette – redingote noire, gilet et pantalon assortis, souliers vernis, chemise blanche et nœud papillon – se portaient à leur rencontre pour leur présenter des plateaux chargés de verres. Il y avait des boissons de toutes sortes, du vin rouge, du vin blanc, des jus de fruits jaunes et orange, du champagne doré. Les portes-fenêtres du salon étaient ouvertes. Les invités, un verre à la main, évoluaient librement. Les groupes se formaient et se défaisaient comme un kaléidoscope. On percevait le brouhaha des conversations, émaillé d'éclats de rire couvrant la musique de fond de la sono qui diffusait des valses viennoises.

Kevin et les jumelles apportèrent des ballons blancs, où ils avaient attaché des faveurs aux prénoms des mariés, et ils les lâchèrent. Les ballons dansèrent dans la brise légère au-dessus de la pelouse, avant de s'envoler dans le ciel lumineux, sous les applaudissements et acclamations des invités. Une liesse qui ne manqua pas de déclencher les aboiements de Carl. Son pelage commençait à virer au gris. Il était perclus de rhuma-tismes et moins alerte.

« Mémé Violette » se pencha vers son mari.

— Regarde comme elle est belle et heureuse, notre Zoé, lui souffla-t-elle, en désignant leur petite-fille qui riait à gorge déployée avec les parents de Damien.

Dans sa robe émaillée de bleuets, avec la fleur qu'elle avait piquée dans la tresse qui lui faisait une couronne argentée, et surtout avec ses yeux espiègles, personne n'aurait pu croire que Violette, la grand-mère de Zoé, avait plus de quatre-vingts printemps.

« Pépé Bernard », son mari, en costume en lin et lavallière mauve, ne faisait pas non plus son âge. Il caressa tendrement la main de son épouse.

— Chut, ma biche, ne fais pas de gaffe ! Elle ne s'appelle plus Zoé, notre grande petite-fille, mais Noëlie.

— Tu as raison, mon canard ! Où avais-je la tête ? Je pense que de là-haut Noëlie est contente de voir ses enfants si heureux.

Durant toutes ces années, ils avaient fleuri la tombe de Noëlie qui reposait dans le petit cimetière de leur village perché. Ils avaient même pris l'habitude de lui parler comme si elle était assise en face d'eux, bien vivante. Quand ils rentraient de chez Zoé où ils se rendaient une fois par mois, ils lui narraient leur visite par le menu. Le jour où Zoé et Antoine étaient venus avec Kevin, Marion et les jumelles passer quelques jours dans la Drôme, ils n'avaient pas manqué de les conduire à la sépulture de leur « tante ». La veille, avant de partir pour le mariage de Marion, ils l'avaient ornée d'un gros bouquet de roses blanches.

Après les apéritifs, Marion annonça que le buffet était servi. Comme un seul homme, les invités se ruèrent vers la longue table où, comme les natures mortes des peintres flamands, s'étalaient d'appétissantes victuailles. Ils firent la queue devant les serveurs qui remplissaient les coupes et les assiettes. Ensuite, avec un mouvement frénétique de métier à tisser croisant ses fils, ils se dirigèrent vers les tables où les attiraient leurs affinités. Marion et Damien, bras dessus, bras dessous, allaient de table en table, distribuant un petit compliment à chacun des convives.

Avec un sourire épanoui étalé sur sa face lunaire, Agathe prit les jumelles en charge. Élevées au grand air, avec leur figure ronde, leur petit nez retroussé, piqué de taches de rousseur, et leurs bonnes joues bien rouges, elles respiraient la santé. Elles ne se firent pas prier pour dévorer avec un bel appétit ce qui était disposé dans leur assiette. Au dessert, elles se jetèrent avec tant de voracité sur les choux à la crème de la pièce montée qu'Agathe dut les freiner pour qu'elles ne s'empiffrent pas jusqu'à réplétion. Agathe adorait les fillettes. Elle occupait toujours à *La dolce vita* le « pavillon de marraine » et se réjouissait déjà à l'idée de jouer les nounous à la rentrée des classes.

Zoé avait donné ses instructions au disc-jockey. Pour satisfaire toutes les générations, elle avait choisi un vaste éventail : on commença par les danses de salon traditionnelles destinées aux « anciens ». Valses, rocks, tangos et slows se succédèrent.

— Tu viens danser, ma chérie ? demande Antoine à Zoé.

Elle se laissa entraîner sur la piste dans les virevoltes d'une valse. Au début, Antoine perdit la mesure, puis, très vite, ses pieds retrouvèrent les pas et le rythme. Il serra son bras autour de sa taille et, plongeant son regard dans le sien, chuchota :

— Madame Dubois, vous dansez divinement bien !

Zoé croisa ses grands-parents qui ne la remarquèrent pas, tant ils étaient absorbés par la danse. Chaque fois que le grand-père se penchait, ses moustaches venaient caresser la nuque de son épouse qui, langoureusement, se renversait à demi dans ses bras.

Le commissaire Orsini fit danser Agathe et « mémé Mireille », « pépé Marius » virevoltait quant à lui avec « mémé Hortense ». Puis, on passa à la *Drum & Bass* et à la *Jungle*. Kevin prit la main de Léa, la belle adolescente blonde, et l'entraîna sur la piste où les jeunes se contorsionnaient. Ils se mirent à se dandiner au rythme de la musique, tandis que leurs aînés regagnaient leur place.

Zoé, qui avait tenu à rendre cette journée mémorable, avait réservé une autre surprise à Marion.

Quand la nuit fut complètement tombée, elle fit un petit signe au disc-jockey. La musique s'arrêta, les danseurs s'immobilisèrent sur la piste. Un frisson passa sur les invités, une rumeur sourde comme le vent du soir dans les cyprès. Presque aussitôt, toutes les lumières s'éteignirent. Les premières détonations d'un feu d'artifice éclatèrent, provoquant des cris d'étonnement et de joie. Comme sur la partition d'une symphonie, un ballet de couleurs illumina le ciel. Avec des bruits secs et des crépitements, les fusées montèrent et s'épanouirent dans un embrasement multicolore. Les gerbes fusèrent, explosèrent, cascadèrent en une pluie d'étoiles sur les murs de la bâtisse jusqu'à l'apothéose du bouquet final qui déclencha moult soupirs émerveillés et les aboiements furieux de Carl.

Avant que les lumières ne revinssent et que le bal ne reprît, Antoine entraîna Zoé vers un banc de pierre caché dans les profondeurs du jardin. Il prit sa main dans la sienne et la serra très fort. Les grillons stridulaient leurs appels dans la nuit d'été. Quelque part, un rossignol modula ses trilles.

— Tu peux être fière, Zoé, tu as su faire régner le bonheur autour de toi.

— Crois-tu qu'il faudra que je dise un jour la vérité à Marion et à Kevin ?

Antoine montra le pan de ciel à travers les frondaisons et murmura :

— La réponse est là-haut !

Zoé leva les yeux. Au firmament, deux étoiles clignotaient comme deux yeux éblouis. Le feuillage frémit dans la brise nocturne. Et dans le bruissement, elle perçut un murmure :

Tu es moi, je suis toi, nous ne faisons qu'une.

Remerciements

Je remercie tous mes amis qui ont accepté de lire le manuscrit et de me soumettre leurs impressions, et tout particulièrement ma fidèle lectrice Michèle Raybaud.

Je remercie aussi tous ceux qui m'ont aidée à supprimer les coquilles, je pense surtout à mon amie Renée Vinson, véritable championne de l'orthographe.

Je remercie enfin tous mes lecteurs, ceux qui me disent aimer mes romans et pour lesquels j'ai envie de me surpasser.

POCKET N° 16532

Quand du sort de votre petite amie dépend celui du pays entier...

Éric ROBINNE
JEUX FATALS

Étrange coïncidence, la petite amie de l'inspec-teur Matthieu Guillaume disparaît au cours de la même nuit que sa voisine, une séduisante jeune femme de 25 ans. Chez cette dernière, Matthieu fait une découverte glaçante : un bras de femme sectionné dans un bain de sang...

Au même moment est dérobé un camion transportant un acide très toxique, tandis qu'un scientifique iranien s'apprête à mettre en œuvre une vengeance mûrie depuis des années...

Retrouvez toute l'actualité de Pocket :
www.pocket.fr

POCKET N° 16302

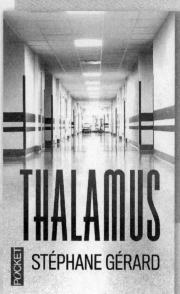

« *Fabuleux ! Un roman génial avec un suspense d'enfer et plein d'humour ! Grand cru sur l'éthique médicale.* »

**Gérard Collard,
La Griffe noire**

Stéphane GÉRARD

THALAMUS

Après des années d'attente, Hélène et Laurent peuvent se réjouir : ils vont avoir des jumeaux ! Mais les choses ne se déroulent pas comme ils l'espéraient. L'un des enfants meurt lors de l'accouchement alors que Laurent, presque simultanément, développe une tumeur au cerveau. Et malgré une intervention chirurgicale réussie, les symptômes de la maladie s'aggravent jour après jour. Après avoir perdu un enfant, Hélène craint de perdre son compagnon. Deux drames plus liés qu'elle ne le croit...

Retrouvez toute l'actualité de Pocket :
www.pocket.fr

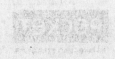

Faites de nouvelles rencontres sur pocket.fr

- Toute l'actualité des auteurs : rencontres, dédicaces, conférences...
- Les dernières parutions
- Des 1ers chapitres à télécharger
- Des jeux-concours sur les différentes collections du catalogue pour gagner des livres et des places de cinéma

pocket

Un livre, une rencontre.

La photocomposition de cet ouvrage
a été réalisée par
GRAPHIC HAINAUT
59410 Anzin

Imprimé en Espagne par
Liberdúplex
à Sant Llorenç d'Hortons (Barcelone)
en mai 2018

N° d'impression : 67455
S28160/01